李洪志

轉法輪

大法

李洪志

正法十八年春

旋法至極

佛法無邊

法輪常轉

這個法輪圖形是宇宙的縮影，他在其它各個空間也有他存在的形式、演化過程，所以我說是一個世界。

李洪志

論語

大法是創世主的智慧。他是開天闢地、造化宇宙的根本，內涵洪微至極，在不同的天體層次中有不同的展現。從天體最微觀到出現最微觀粒子，層層粒子無量無計，從小到大，再到表層人類知道的原子、分子、星體、星系以至更大，不同大小的粒子組成了不同大小的生命與不同大小遍及宇宙天體的世界。對不同層次粒子本體上的生命來說，大於這一層的粒子就是他們天空中的星球，層層如此。對宇宙各層生命來說無窮無盡。大法還造就了時間、空間、眾多的生命種類及萬事萬物，無所不包，無所遺漏。這是大法真、善、忍特性在不同層次中的具體體現。

人類的探索宇宙、生命方式再發達，也只是在洞見低層宇宙中人類所存在的空間局部。史前人類出現的多次文明中都探索過其它星球，可是飛的再高再遠，也沒離開人類所存在的空間。人類永遠也不可能真正認識宇宙的真實展現。人類要想了解宇宙、時空、人體之迷，唯有在正法中修煉，得正覺、提高生命層次。修煉中也會使道德品質提高，在分辨出真正的善與惡、好與壞、走出人類層次的同時，才會看到、才會接觸到真實的宇宙及不同層次不同空間的生命。

人類的探索是為了技術競爭，借口是改變生存條件，多數是以排神、放縱人類道德自我約束為基礎的，因此過去人類出現的文明才多次被毀掉。探索中也只能侷限在物質世界之內，方式上是當一種事物被認識了才去研究它，而在人類空間中摸不著、看不到的、但是客觀上存在的、而又能實實在在反映到人類現實中來的現象，包括精神、信仰、神言、神跡，在排神的作用下從來不敢觸及。

如果人類能以道德為基礎提升人的品行、觀念，那樣人類社會的文明才能長久，神跡也會在人類社會從新出現。在過去人類社會中也多次出現過半神半人的文化，使人類提升了對生命對宇宙真正的認識。人類對大法在世間的表現能夠體現出應有的虔誠與尊重，那會給人、給民族或國家帶來幸福或榮耀。天體、宇宙、生命、萬事萬物是宇宙大法開創的，生命背離他就是真正的敗壞；世人能夠符合他就是真正的好人，同時會帶來善報、福壽；作為修煉人，同化他你就是個得道者——神。

李洪志

二零一五年五月二十四日

目錄

第一講

真正往高層次上帶人……一
不同層次有不同層次的法……七
真、善、忍是衡量好壞人的唯一標準……一一
氣功是史前文化……一四
氣功就是修煉……一九
煉功為甚麼不長功……二二
法輪大法的特點……三三

第二講

關於天目的問題……四一

遙視功能……五六
宿命通功能……五八
不在五行中，走出三界外……六四
有所求的問題……七〇

第三講

我把學員都當作弟子……八一
佛家功與佛教……八二
修煉要專一……八八
功能與功力……九一
返修與借功……九三
附體……一〇〇
宇宙語……一〇八
老師給了學員一些甚麼……一一一

能量場……一一九
法輪大法學員怎麼樣傳功……一二一

第四講

失與得……一二五
業力的轉化……一二七
提高心性……一三九
灌頂……一四五
玄關設位……一五〇

第五講

法輪圖形……一五八
奇門功法……一六一
練邪法……一六三

男女雙修……一六七
性命雙修……一六九
法身……一七一
開光……一七三
祝由科……一八一

第六講

走火入魔……一八三
煉功招魔……一九五
自心生魔……二〇三
主意識要強……二〇九
心一定要正……二一〇
武術氣功……二一八
顯示心理……二二四

第七講

殺生問題……二二九
吃肉問題……二三五
妒嫉心……二四二
治病問題……二四九
醫院治病與氣功治病……二五五

第八講

辟穀……二六一
偷氣……二六四
採氣……二六七
誰煉功誰得功……二七〇
周天……二七八

歡喜心……二九〇
修口……二九二

第九講

氣功與體育……二九五
意念……二九八
清淨心……三〇七
根基……三一三
悟……三一五
大根器之人……三二三

第一講

真正往高層次上帶人

我在整個傳法、傳功過程中，本著對社會負責，對學員負責，收到的效果是好的，對整個社會的影響也是比較好的。前些年有許多氣功師傳功，他們所講的東西都是屬於祛病健身那一層次的。當然不是説別人的功法不好，我只是説，高層次上的東西，他們沒有傳。全國的氣功形勢我也都知道。在國內外，真正往高層次上傳功，目前只有我一個人在做。往高層次上傳功，為甚麼沒有人做呢？因為它牽扯很大的問題，牽扯的歷史淵源很深，牽扯的面也很廣，涉及的問題也很尖鋭。它也不是一般人能傳的了的，因為它牽扯到要動許多功派的東西。特別是我們有許多練功人，他今天學這個功，明天學那個功，把自己的身體搞的亂七八糟，他註定就修不上去了。人家一條大道往上修，他都是些岔道，他修這個，那個干擾；修那個，這個干擾，都在干擾他，他已經修不了了。

這些事情我們都要給理順，好的留下，壞的去掉，保證你在今後能夠修煉，但必須是真正來學大法的。如果你抱著各種執著心，抱著來求功能，來治病，來聽一聽理論，或者是抱著甚麼不好的目地，這都不行。因為我講了，這件事情只有我一個人在做。這樣的事情，機會不多，我也不會老這樣傳下去。我覺的能夠直接聽到我傳功講法的人，我説真是……將來你會知道，你會覺的這段時間是非常可喜的。當然我們講緣份，大家坐在這裏都是緣份。

往高層次上傳功，大家想一想，是甚麼問題？那不就是度人嗎？度人哪，你就是真正的修煉了，就不只是祛病健身了。那麼真正修煉，對學員的心性要求也就要高了。我們坐在這裏的人，是來學大法的，那麼你就得把自己當作一個真正的煉功人坐在這裏，你就得放棄執著心。你抱著各種有求的目地來學功、學大法，那你甚麼都學不到的。告訴你一個真理：整個人的修煉過程就是不斷的去人的執著心的過程。人在常人社會中，你爭我奪，爾虞我詐，為了個人的這點利益，去傷害別人，這些心都得放下。尤其我們今天在學功的人，這些心更得放下。

我這裏不講治病，我們也不治病。但是真正修煉的人，你帶著有病的身體，你是修煉不了的。我要給你淨化身體。淨化身體只侷限在真正來學功的人，真正來學法的人。我們強調一點：你放不下那個心，你放不下那個病，我們甚麼都做不了，對你無能為力。為甚麼呢？因為這個宇宙中有這樣一個理，常人中的事情，按照佛家講，都是有因緣關係的，生老病死，在常人就是這樣存在的。因為人在以前做過壞事而產生的業力才造成有病或者魔難。遭罪就是在還業債，所以，誰也不能夠隨便改動它，改動了就等於欠債可以不還；也不能夠隨便任意去做，否則，就等於在做壞事。

有的人以為給人治病，祛病健身是做好事。依我看，都沒有真正的把病治好，都是把病推移了，或者轉化了，並沒有給它拿下去。真正除去這一難，就得消除業力。要是真正能夠把這個病治好，徹底清除這些業力，真正能達到這一點，這個人層次也不低了。他已經看到了一個理，也就是常人中的理是不能隨意破壞的。在修煉過程中，修煉者出於慈悲心，去做一些好事，幫人治病，祛病健身，這是允許的，但是也不能夠完全給人治好。如果能夠真正把一個常人的病根除了，一個不修煉的常人從這裏走出去，甚麼病都沒有了，出門還是一個常人，在個人利益上還和常人一樣爭奪，怎麼能隨意消除他的業力？這是絕對不允許的。

那麼為甚麼就可以給修煉的人做呢？因為修煉的人是最珍貴的，他想修煉，所以，發出的這一念是最珍貴的。佛教中講佛性，佛性一出，覺者們就可以幫他。甚麼意思呢？要叫我講，因為我在高層次上傳功，涉及到高層次中的理，涉及的問題很大。在這個宇宙中，我們看人的生命，不是在常人社會中產生的。人的真正生命的產生，是在宇宙空間中產生的。因為這宇宙中有許許多多製造生命的各種物質，這些物質在相互運動下可以產生生命，也就是說，人的最早生命是來源於宇宙中的。宇宙空間本來就是善良的，就是具有真、善、忍這種特性的，人生出來和宇宙是同性的。但是生命體產生多了，也就發生了一種群體的社會關係。從中有些人，可能增加了私心，慢慢的就降低了他們的層次，就不能在這一層次中呆了，他們就得往下掉。可是在另一層次中，又變的不太好了，他們還呆不了，就繼續往下掉，最後就掉到人類這一層次中來了。

整個的人類社會，都是在一個層次當中。掉到這一步上來，站在功能角度上看，或者站在大覺者角度上看，本來這些生命體是應該銷毀的。可是大覺者們出於慈悲心，再給他們一次機會，就構成了這樣一個特殊的環境、特殊的空間。而這個空間的生命體和宇宙中所有空間的生命體都不一樣。這個空間的生命體，看不到另外空間的生命體，看不到宇宙的真相，所以這些人等於是掉在迷中來了。要想好病、祛難、消業，這些人必須得修煉，返本歸真，這是在各種修煉中都是這樣看的。人要返本歸真，這才是做人的真正目地，所以這個人一想修煉，就被認為是佛性出來了。這一念就最珍貴，因為他想返本歸真，想從常人這個層次中跳出去。

可能大家聽到佛教中有這樣一句話：佛性一出，震動十方世界。誰看見了，都要幫他，無條件的幫他。佛家度人是不講條件的，沒有代價的，可以無條件的幫他，所以我們就可以為學員做很多事情。而作為一個常人，只想做常人的人，他想病好，就不行。有的人想：我病好了，我就修煉。修煉是沒有任何條件的，要想修煉，那麼就修煉。但是帶著一個有病的身體，或有些人身上信息還很亂，有的人根本沒有練過功，也有的人練了幾十年功，還在氣中徘徊著，也沒有修上去。

怎麼辦呢？我們就要把他的身體給以淨化，使他能夠往高層次上修煉。在最低層次上修煉的時候，有一個過程，就是把你的身體完完全全淨化下來，所有思想中存在的不好的東西，身體周圍存在的業力場和造成身體不健康的因素，全部都清理出去。不清理的話，帶著這樣一個渾濁的身體，黑乎乎的身體和一個骯髒的思想，怎麼能達到往高層次上修煉呢？我們這裏不練氣，低層次上這些東西不需要你練了，我們把你推過去，讓你身體達到無病狀態。同時我們再把低層次上所要打基礎的這些東西給你下上一套現成的，這樣一來，我們就在很高層次上煉功了。

按照修煉的說法，氣要算呢，有三個層次。但真正的修煉（練氣不算），共有兩大層次：一個是世間法修煉；一個是出世間法修煉。這個世間法、出世間法和廟裏的出世間、入世間是兩回事，那是理論上的東西。我們是真正人體修煉的兩大層次的變化。因為在世間法修煉過程當中，人的身體都是在不斷的淨化，不斷的淨化，所以走到世間法最高形式的時候，身體已經完全被高能量物質代替了。而出世間法修煉，那基本就是佛體修煉了，是一個高能量物質構成的身體了，所有功能從新再出。我們指的是這兩大層次。

我們講緣份，大家坐在這裏，我可以給大家做這件事情。我們現在也就是兩千多人，幾千人，甚至於更多的人，上萬人，我都可以做的到的，也就是說，在低層次上不需要你再練了。把你的身體淨化之後，給你推過去，我給你下上一套完整的修煉系統，你一上來直接就在高層次上修煉。但是，只限於給真正來修煉的學員，不是說你坐在這裏，你就是個修煉者。從思想上根本的轉變過來了，我們就可以給的，還不止是這些，以後你們會明白，我都給了大家一些甚麼東西。我們這裏也不講治病，但是我們講整體調整學員的身體，使你能夠煉功。你帶著一個有病的身體，你根本就不會出功的，所以大家也不要找我治病，我也不做這件事情。我出山的首要目地，就是往高層次上帶人，真正的往高層次上帶人。

不同層次有不同層次的法

過去有許多氣功師講氣功有甚麼初級、中級、高級的。那都是氣，都是練氣那一層次中的東西，還分成初級、中級、高級的。真正高層次上的東西，在我們廣大氣功修煉者的頭腦裏是一片空白，根本就不知道。今後我們所闡述的都是高層次中的法。還有，我想要為修煉正一正名。我在講課當中，要談到修煉界中的一些不良現象。我們怎麼對待、怎麼看待這些現象，我都要講出來；還有在高層次中傳功講法，涉及的面、涉及的問題都比較大，甚至是很尖銳的，這些事情我也想把它講出來；有些來源於另外空間對我們常人社會的干擾，特別是對修煉界的干擾，我也要把它講出來，同時給我們的學員把這些問題解決了。這些問題不解決，你煉不了功。要從根本上解決這些問題，我們就必須把大家當作真正修煉的人才能這樣做的。當然，要一下子轉變你的思想是不容易的，在今後的聽課當中，你會慢慢的轉變你的思想，也希望大家注意聽。我傳功和其他人傳功不一樣。有人傳功，他只是簡單的講一講他的功理，然後接一接信息，教一套手法就完事了。人們已經習慣於這樣傳功。

真正傳功要講法、要說道的。在十堂課中，我要把高層次的理都闡述出來，你才能夠修煉；不然的話，根本就無法修煉的。別人傳的都是祛病健身那一層次的東西，你想要往高層次上修煉，你沒有高層次中的法作指導，你也修煉不了。就像你上學，你拿小學課本去上大學，你還是個小學生。有的人認為學的功很多了，這個功，那個功，結業證有那麼一摞子，但是，他的功還是沒有上去。他認為這些就是氣功的真諦和全部了，不是，它只是氣功的皮毛，最低層次上的東西。氣功不止是這些，它是修煉，是一個博大精深的東西，而且不同層次還存在著不同的法，所以不像我們現在知道的練氣的東西，你學的再多也是一樣。舉個例子，英國的小學課本你學了；美國的小學課本你學了；日本的小學課本你學了；中國的小學課本你也學了，可你還是個小學生。氣功低層的功課你學的再多，灌的再滿，反倒對你越有害，你身上已經亂套了。

我還要強調一個問題，我們修煉，是要傳功講法的。有些寺院中的和尚，特別是禪宗的，可能有些想法。一聽說講法，他就不愛聽了。為甚麼呢？禪宗認為：這個法不能講，法一講出來，就不是法了，沒有法可講，只能是心領神會，所以禪宗到今天，甚麼法都講不了。禪宗達摩傳這個東西，是根據釋迦牟尼說的一句話。釋迦牟尼講：法無定法。他就根據釋迦牟尼講的這句話創立了禪宗法門。我們說這一法門就是鑽牛角尖。怎麼叫鑽牛角尖呢？達摩開頭往裏鑽的時候，還覺的挺寬敞；二祖鑽就不太寬敞；三祖還湊合事兒；四祖就已經很窄了；五祖基本上沒啥可鑽的了；到六祖慧能這兒，就到頂了，再也鑽不進去了。今天你要是到禪宗去學法，你別問，你有甚麼問題要問他，回頭照腦袋上就給你一棒子，叫「棒喝」。那意思是你不要問，要自己悟。你說：我甚麼都不知道才來學的，悟甚麼呢？你給我一棒子？！這就是牛角尖已經鑽到頭了，再也沒有甚麼可講的了。達摩都講他只能傳六祖，以後就不行了。幾百年都過去了，可現在還有人死抱著禪宗的理不放。釋迦牟尼講的「法無定法」的真正涵義是甚麼呢？釋迦牟尼所在的層次是如來，包括後來許多僧人都沒有悟到釋迦牟尼所在的層次、他的思想境界中的心態、他講的法的真正涵義，他說出話的真正涵義。所以後來人這麼解釋，那麼解釋，解釋的很混亂，認為法無定法就是你別講，講出來就不是法了。其實不是這個意思。釋迦牟尼在菩提樹下開功開悟之後，不是一下就達到如來這個層次了。他在整個四十九年的傳法當中，也是在不斷的提高著自己。他每提高一個層次的時候，回頭一看自己剛剛講過的法都不對了。再提高之後，他發現講過的法又不對了。等他再提高，他發現剛剛講過的法又不對了。整個四十九年，他都是這樣不斷的昇華著，每提高一個層次之後，發現他以前講過的法在認識上都是很低的。他還發現每一個層次的法都是法在每一層次中的體現，每一層次都有法，但都不是宇宙中的絕對真理。而高一層次的法比低一層次的法更接近宇宙特性，所以，他就講了：法無定法。

最後釋迦牟尼還講：我一輩子甚麼法都沒有講。禪宗又理解為無法可講了。釋迦牟尼晚年的時侯已經達到如來的層次了，他為甚麼說甚麼法都沒有講？他其實講了一個甚麼問題呀？他是說：達到我如來這樣的層次，我都沒有看到宇宙的最終的理、最終的法是甚麼。所以他叫後人不要把他講的話當作絕對的真理、不變的真理，那樣會把後人侷限在如來或者如來以下的層次中，不能向更高層次突破。後來人理解不了這句話的真義，就認為法講出來就不是法了，這樣去理解。其實釋迦牟尼是講：不同層次有不同層次的法，每一層次的法都不是宇宙中絕對的真理，但是這一層次中的法在這一層次中是有指導作用的。他其實是講了這麼一個理。

過去有許多人，特別是禪宗，一直保持著這樣一種偏見和極端錯誤的認識。不教你，怎麼指導去煉，如何去煉，如何去修啊？佛教中有許多佛教故事，可能有的人看了，說上天了，到了天國之後，發現上面的《金剛經》和下面的《金剛經》每一個字都不一樣，意義都不一樣。這個《金剛經》

怎麼和常人間那個《金剛經》不一樣了呢？還有的人說：極樂世界的經書和下面的簡直面目皆非，根本就不是一回事了，不但字不一樣，涵義、意義全都不一樣了，發生變化了。其實就是同一個法在不同層次上都有不同的變化和顯現形式，對修煉者在不同層次能起到不同的指導作用。

大家知道，佛教中有一本小冊子叫《西方極樂世界遊記》，說有一個僧人打坐煉功，元神到了極樂世界看到了景象，轉了一天，回到人間已經六年過去了。他看沒看到呢？看到了，可是他看到的不是真相。為甚麼呢？因為他的層次不夠，只能在他這個層次中給他顯現出來他應該看到的佛法的體現。因為那樣一個世界就是法的構成體現，所以他不能看到真相。我講這個法無定法就是這樣一個涵義。

真、善、忍是衡量好壞人的唯一標準

在佛教中人們一直在探討著甚麼是佛法。也有的人認為佛教中講的法，就是佛法的全部，其實不是。釋迦牟尼講的法，只是在二千五百年前給層次極低的那種常人，就是剛剛從原始社會脫胎出來的，思想上比較單一的這種人講的法。他講末法時期，就是今天，現在的人用那個法已經修煉不了了。末法時期廟裏的和尚都很難自度，何況度人。釋迦牟尼當時傳的法是針對那樣的情況傳的，而他也沒有把自己所在層次知道的全部佛法都講出來，要想讓它永遠保持不變，也不可能。

社會在發展，人類思想也變的越來越複雜，就不容易使人再這樣修下去了。佛教中的法不能概括整個佛法，它只是佛法中的小小一部份。還有許多佛家大法在民間流傳著，歷代單傳著。不同層次有不同的法，不同空間有不同的法，這都是佛法在各個空間、各個層次中不同的體現。釋迦牟尼也講修佛有八萬四千法門，而佛教中只有禪宗、淨土、天台、華嚴、密宗等十幾個法門，概括不了佛法的全部。釋迦牟尼本人也沒有把他法的全部傳出來，只是針對當時人的接受能力傳了它的一部份。

那麼甚麼是佛法呢？這個宇宙中最根本的特性真、善、忍，他就是佛法的最高體現，他就是最根本的佛法。佛法在不同層次中有不同的體現形式，在不同層次當中有不同的指導作用，層次越低表現越龐雜。空氣微粒、石頭、木頭、土、鋼鐵、人體，一切物質中都存在著真、善、忍這種特性；古代講五行構成宇宙中的萬事萬物，也都存在著真、善、忍這種特性。修煉的人修到哪一層次就只能認識哪一層次中佛法的具體體現，這就是修煉的果位、層次。鋪開講，法很大。到了極高點上去講，那就很簡單了，因為法就像金字塔形的。到了極高層次上用三個字就可以概括，那就是真、善、忍，顯現到各個層次就極複雜了。拿人來比喻，道家把人體視為小宇宙，人有物質身體，可只有物質身體還構成不了一個完整的人，還必須有人的脾氣、秉性、特性、元神存在，才能構成一個完整的、獨立的、帶有自我個性的人。我們這個宇宙也是一樣，有銀河系、其它的星系，也有生命和水，這個宇宙中的萬事萬物，這是物質存在的一方面；可是同時它也存在著真、善、忍特性。任何物質的微粒中都包含著這種特性，極小的微粒中都包含著這種特性。

真、善、忍這種特性是衡量宇宙中好與壞的標準。甚麼是好甚麼是壞？就是用他來衡量的。我們過去說的德也是一樣。當然今天人類社會道德水準已經發生了變化，道德標準都扭曲了。現在有人學雷鋒，可能就得說他是精神病。可是在五、六十年代，有誰會說他是精神病呢？人類的道德水準在大滑坡，世風日下，唯利是圖，為了個人那點利益去傷害別人，你爭我奪，不擇手段這樣幹。大家想一想，能允許這樣下去嗎？有的人做壞事，你告訴他是在做壞事，他都不相信，他真的不相信自己是在做壞事；有些人他還用滑下來的道德水準衡量自己，認為自己比別人好，因為衡量的標準都發生了變化。不管人類的道德標準怎麼變化，可是這個宇宙的特性卻不會變，他是衡量好、壞人的唯一標準。那麼作為一個修煉人就得按照宇宙這個特性去要求自己，不能按照常人的標準去要求自己。你要返本歸真，你要想修煉上來，你就得按照這個標準去做。作為一個人，能夠順應宇宙真、善、忍這個特性，那才是個好人；背離這個特性而行的人，那是真正的壞人。在單位裏，在社會上，有的人可能說你壞，你可不一定真壞；有的人說你好，你並不一定真好。作為一個修煉者，同化於這個特性，你就是一個得道者，就這麼簡單的理。

道家修煉真、善、忍，重點修了真。所以道家講修真養性，說真話，辦真事，做真人，返本歸真，最後修成真人。但是忍也有，善也有，重點落在真上去修。佛家重點落在真、善、忍的善上去修。因為修善可以修出大慈悲心，一出慈悲心，看眾生都苦，所以就發了一個願望，要普度眾生。但是真也有，忍也有，重點落在善上去修。我們法輪大法這一法門是按照宇宙的最高標準——真、善、忍同修，我們煉的功很大。

氣功是史前文化

甚麼是氣功？很多氣功師都在講，我講的和他們講的可不一樣。很多氣功師是在那一個層次中講的，我是在更高層次上講對氣功的認識，和他們認識的截然不一樣。有的氣功師講：氣功在我國有二千年的歷史；也有的人講有三千年的歷史；有的人講有五千年歷史，和我們中華民族文明歷史差不多少；也有人講，從出土文物中看，有七千年歷史，遠遠超出我們中華民族文明歷史。但是不管怎樣去認識，都沒有超出人類的文明歷史太多。按照達爾文進化論，人類從水生植物到水生動物；然後爬上陸地；又爬到樹上；再下到地上成為猿人；最後進化到有文化、有思想的現代人類來推算，人類真正出現文明也沒有超過一萬年。再往前推，連結繩記事都沒有。那就是圍著樹葉，吃著生肉；再往前可能連火都不會用，完全是那種野人，那種原始人。

可是我們卻發現一個問題，在世界許多地方留下了許許多多的文明古蹟，都遠遠的超出我們人類的文明歷史。這些古蹟，從工藝角度看，都有很高的工藝水平；從藝術水平來看，相當高超，現代人簡直都是在模仿古人的藝術，有很高的欣賞價值。可是它卻是十幾萬年前，幾十萬年前，幾百萬年前，甚至於上億年前留下來的。大家想一想，這不是在和今天的歷史開玩笑嗎？也沒甚麼可開玩笑的，因為人類也是在不斷的完善著自己，不斷的在從新認識著自己，社會就是這樣發展的，開始的認識不一定是絕對正確的。

可能有許多人聽說過「史前文化」，也叫「史前文明」，我們就講那個史前文明。在地球上有亞洲、歐洲、南美、北美、大洋洲、非洲和南極洲，地質學家把它們統稱為「大陸板塊」。大陸板塊形成到今天為止，已經有幾千萬年的歷史了。也就是說，有許多陸地是從海底升上來的，也有許多陸地沉積到海底去了，穩定下來到今天這個狀態已有幾千萬年的歷史了。可是在許多大洋底下，卻發現了一些高大的古代建築，這些建築物雕塑的非常精美，不是我們現在人類的文化遺產，那麼，它肯定是沉積到海底之前建造的。那麼幾千萬年前是誰創造了這些文明呢？那時候，我們人類連猴子還不是，怎麼會創造出這麼高智慧的東西？在世界上，考古學家發現了一種生物，叫「三葉蟲」，它是六億年到二億六千萬年前的產物，到二億六千萬年以後，這種生物就沒有了。一個美國科學家發現了一塊「三葉蟲」的化石，上面同時還有一個人的腳印，是穿著鞋踩上去的，清清楚楚印在上面。這不是在和歷史學家開玩笑嗎？按著達爾文的進化論，二億六千萬年前怎麼會有人呢？

在秘魯國立大學博物館裏有塊石頭，石頭上刻著一個人像，據考察這個人像是三萬年前刻上去的。可是，這個人像卻穿著衣服，戴著帽子，穿著鞋，手裏還拿著一個望遠鏡在觀察天體。三萬年前的人，怎麼會織布穿衣呢？更不可思議的是，他還拿著望遠鏡觀察天體，還有一定的天文知識。我們一直認為歐洲人伽利略發明的望遠鏡，到現在不過才三百多年的歷史，可三萬年前是誰發明了這個望遠鏡呢？還有許許多多不解之迷。如法國、南非、阿爾卑斯山有許多岩洞的石板壁畫，刻的十分逼真，活靈活現。刻上去的人，非常精美，還塗了一種礦物質顏料。可是，這些人都是現代人的裝束，有點像西服，穿著緊腿褲。有的拿著煙斗一樣的東西，有的拿著文明棍，戴著帽子。幾十萬年前的猴子，怎麼能有這麼高的藝術水平呢？

再說遠一點的，非洲有個加蓬共和國有鈾礦石，這個國家比較落後，自己不能夠提煉鈾，把它出口到先進國家。一九七二年，法國一家工廠進口了這種鈾礦石。經過化驗發現這種鈾礦石都是被提煉過、利用過的。覺的很奇怪，就派出科技人員去考察，許多國家的科學家都去考察。最後證實這個鈾礦是個大型核反應堆，而且布局非常合理，我們現在的人都不可能創造出來的。那麼，甚麼時候建成的呢？是二十億年前，它運轉了五十萬年。這簡直是天文數字，按照達爾文進化論根本解釋不了，這些事情非常多。現在科技界發現的東西足以改變我們今天的教科書了。人類固有的舊觀念形成一套工作、思維方法後，很難接受新的認識。真理出現了也不敢去接受它，本能的產生一種排斥。由於傳統觀念的影響，現在沒有人去系統的整理這些東西，所以人的觀念老是跟不上發展，你一談到這些東西，雖然它沒有普及出來，已經被發現了，可有人就說是迷信，接受不了。

國外許多大膽的科學家已經公開承認它是一種史前文化，是我們人類本次文明以前的文明，就是在我們這次文明以前還存在著文明時期，而且還不止一次。從出土文物看，都不是一個文明時期的産物。所以認為人類多次文明遭到毀滅性的打擊之後，只有少數人活下來了，過著原始生活，又逐漸的繁衍出新的人類，進入新的文明。然後又走向毀滅，再繁衍出新的人類，它就是經過不同的這樣一個個周期變化的。物理學家講，物質運動是有規律的，我們整個宇宙的變化也是有規律的。

我們地球的運動，在這浩瀚的宇宙當中，在銀河系運轉當中，不可能是一帆風順的，很可能就碰到哪個星球上，或發生了其它問題，造成了很大的災難。站在我們功能的角度上去看，就是那麽安排的。有一次我仔細的查了一查，發現人類有八十一次完全處於毀滅狀態，只有少數人活了下來，遺留下原來的一點史前文明，進入了下一個時期，過著原始生活。人類繁衍的多了，最後又出現了文明。經過八十一次這樣周期的變化，我這還是沒查到頭。中國人講天時、地利、人和。不同的天象變化，不同的天時，會給常人社會帶來不同的社會狀態。用物理學講物質運動是有規律的，宇宙的運動也是一樣。

前面講的史前文化主要是告訴大家：氣功也不是我們今天人類發明出來的，也是經過相當久遠年代遺留下來的，也是一種史前文化。在經書中我們也可以找到一些論述。釋迦牟尼當時講過，他在多少億劫之前就修成得道了。一劫是多少年啊？一劫就是多少億年，這麼龐大的數字，簡直不可思議。如果是真的話，這不和人類的歷史、整個地球的變化相吻合了嗎？而且釋迦牟尼還講過，在他前面還有原始六佛存在，他還有師父等等，都是多少億劫之前修煉得道的。如果這些事情都是真的話，那麼我們今天在社會上所傳的那些真正的正統功法、真傳功法，是不是就有這樣的修煉方法？要叫我回答，當然是肯定的，可是不多見。現在假氣功、偽氣功、帶有附體的那種人，亂編一些東西騙人，超過真正的氣功許多倍，真假難辨。真正的氣功不太容易辨別，也不太容易找到的。

其實不只是氣功是久遠年代留下來的，太極、河圖、洛書、周易、八卦等等，都是史前遺留下來的。所以我們今天站在常人的角度去研究它，去認識它，怎麼也研究不明白的。站在常人這個層次、這個角度、這個思想境界中，理解不了真正的東西。

氣功就是修煉

既然氣功有這麼久遠的歷史了，到底是幹甚麼用的呢？我告訴大家，我們這是佛家修煉大法，當然就是修佛的；那道家當然是修道得道了。我告訴大家，這個「佛」不是迷信。這個「佛」是梵語，古印度語。當時傳入我們中國的時候兩個字，叫作「佛陀」，也有把它譯作「浮圖」的。傳來傳去，我們中國人就省略了一個字，把它叫成「佛」了。翻譯成中國話，是甚麼意思呢？就是覺者，通過修煉覺悟了的人。這裏哪有迷信色彩？

大家想一想，修煉是可以出特異功能的。現在世界上有六種功能被公認了，還不止這些，我說真正的功能有上萬種。人坐在那裏，不動手不動腳，就可以做人家動手動腳都做不來的事情；能看到宇宙各個空間的真正的理，看到宇宙的真相；看到常人看不到的事情。這還不是個修煉得道者？還不是個大覺者嗎？能說和常人一樣嗎？還不是個修煉覺悟了的人嗎？叫覺者不對嗎？翻譯成古印度話就是佛。其實就是這樣，氣功就是幹這個用的。

一談到氣功，有人講：沒有病誰練氣功啊？言外之意，氣功就是祛病的，那是很膚淺、很膚淺的認識。這一點也不怪大家，因為許多氣功師都是在做祛病健身這件事情，都講祛病健身，誰也沒有往高層次上講。這不是說人家的功法不好，他的使命就是傳祛病健身那一層次上的東西，普及氣功。有很多人想往高層次上修煉，有這樣的想法，有這樣的願望，但是修煉不得法，結果造成了很大的困難，還出現了許多問題。當然真正在高層次上傳功，涉及到很高的問題。所以我們本著對社會負責，對人負責，整個傳功效果是好的。有些東西確實很高，談起來像迷信，但是，我們儘量用現代科學把它解釋出來。

有些東西我們一講，有的人就說是迷信。為甚麼呢？他的標準就是科學還沒有認識到的，或者他自己沒有接觸到的，他認為不可能存在的，他就認為都是迷信，都是唯心的，他就是這種觀念。這種觀念對嗎？科學沒有認識到的，還沒有發展到這一步的，就能說是迷信，是唯心嗎？這個人他自己不在搞迷信嗎？搞唯心嗎？按照這種觀念，科學能發展、能進步嗎？人類社會也不能向前推動了。我們科技界發明的東西都是前人沒有的，都視為迷信，當然也不用發展了。氣功也不是甚麼唯心的東西，有許多人對氣功不認識，所以老認為氣功是唯心的。現在用儀器在氣功師身上測到了次聲波、超聲波、電磁波、紅外線、紫外線、伽瑪射線、中子、原子和微量金屬元素等成份，這些不都是物質存在的東西嗎？它也是物質。任何東西不都是由物質構成的嗎？另外的時空不也是由物質構成的嗎？怎麼能說是迷信呢？氣功既然是用來修佛的，那麼必然涉及到許多高深的問題，我們都要講的。

氣功既然是幹這個用的，我們為甚麼把它叫作氣功呢？它其實不叫作氣功，叫作甚麼呢？叫作「修煉」，就是修煉。當然，它還有另外具體的名字，整體叫作修煉。那為甚麼叫氣功呢？大家知道，氣功在社會上普及已有二十多年的歷史了，在「文化大革命」中期就開始了，到後期就進入高潮了。大家想一想，那時候極左思潮是相當嚴重的。我們不講氣功它的史前文化的名字叫甚麼，在我們本次人類文明發展進程中，它經過了一個封建社會，所以往往帶有封建色彩很濃的名字。與宗教有關係的，往往帶有宗教色彩很濃的一個名字。比如：甚麼「修道大法」、「金剛禪」、「羅漢法」、「修佛大法」、「九轉金丹術」，都是這個。若在「文化大革命」的時候叫出來，你不得挨批鬥嗎？儘管氣功師普及氣功的願望是好的，為廣大群眾祛病健身，提高人們的身體素質，這多好啊，那也不行，人們就不敢去這樣叫。所以許多氣功師為了普及氣功，就從《丹經》、《道藏》中斷章取義的拿出兩個字，叫作氣功。有些人還鑽到氣功名詞裏去研究，這可沒有甚麼研究的，過去它就叫修煉。氣功只是為了符合現代人的思想意識起的新名詞而已。

煉功為甚麼不長功

煉功為甚麼不長功？好多人有這樣的想法：我練功沒得到真傳，哪個老師教我點絕招，來點高級的手法，我這個功就長上去了。現在有百分之九十五的人都是這樣的想法，我覺的很可笑。為甚麼可笑？因為氣功不是常人中的技能，它完全是一種超常的東西，那麼就得用高層次的理來衡量它了。我跟大家講，功上不去的根本原因：「修、煉」兩個字，人們只重視那個煉而不重視那個修。你向外去求，怎麼也求不到。你一個常人的身體，常人之手，常人的思想，你就想把高能量物質演化成功？就長上來了？談何容易！叫我看就是笑話。這就等於向外去求，向外去找了，永遠也找不到。

這不像我們常人中的甚麼技能，你花點錢，學點技術，就學到手的。這可不是這麼回事，它是超出常人這個層次的東西，所以對你要用超常的理去要求。怎麼要求呢？你就得向內去修，不能向外去找。多少人都在向外去求，今天求這個，明天求那個，並且抱著執著心追求功能，各種目地都有。有人還想當氣功師，還想治病發財呢！真正修煉得修煉你這顆心，叫修心性。比如說，我們在人與人的矛盾中，把個人的七情六慾、各種慾望放的淡一些。為了個人利益去爭去鬥的時候，你就想長功，談何容易！你這不是和常人一樣了嗎？你怎麼能長功呢？所以要重心性修煉，你的功才能長上來，層次才能提高。

心性是甚麼？心性包括德（德是一種物質）；包括忍；包括悟；包括捨，捨去常人中的各種慾望、各種執著心；還得能吃苦等等，包括許多方面的東西。人的心性方方面面都要得到提高，這樣你才能真正提高上來，這是提高功力的關鍵原因之一。

有人想：你談到的心性問題，這是意識形態中的東西，是人的思想境界方面的事情，它和我們煉的功不是一回事。怎麼不是一回事？在我們思想界歷來就存在著物質是第一性的，還是精神是第一性的問題，老在議論、爭論這個問題。其實我告訴大家，物質和精神是一性的。在搞人體科學研究當中，現在科學家認為，人的大腦發出的思維就是物質。那麼它是物質存在的東西，它不就是人的精神中的東西嗎？它不就是一性的嗎？就像我講的宇宙，有它的物質存在，同時有它的特性存在。宇宙中真、善、忍的特性，常人感覺不到他的存在，因為常人整個都在這一個層次面上。你超出常人這個層次時，就能體察出來。怎麼體察出來？宇宙中任何物質，包括瀰漫在整個宇宙當中的所有物質都是靈體，都是有思想的，都是宇宙法在不同層次中的存在形態。他不讓你昇華上來，你想提高，就是提高不上來，他就是不讓你上來。為甚麼不讓你上來呢？因為你的心性沒有提高上來。每一層次都有不同的標準，要想提高層次，你必須放棄你的不好的思想和倒出你的髒東西，同化那一層次的標準要求，這樣你才能上的來。

你的心性提高上來，你的身體就會發生一個大的變化；你的心性提高上來，你身體上的物質保證會出現變化。甚麼變化呢？你追求執著的那些不好的東西，你會扔掉。舉個例子說，一個瓶子裏裝滿了髒東西，把它的蓋擰的很緊，扔到水裏，它也要一沉到底。你把裏面的髒東西倒出去，倒的越多，它會浮起來越高；完全倒出去，它就完全浮上來了。我們在修煉過程中，就是要去掉人身上存在的各種不好的東西，才能使你昇華上來，這個宇宙的特性就起這樣一種作用。你不修煉你的心性，你的道德水準不提高上來，壞的思想，壞的物質不去掉，他就不讓你昇華上來，你說它怎麼不是一性的呢？咱們說句笑話，如果有人在常人中七情六慾都有，就讓他升上去當佛，大家想一想可能嗎？他說不定一看那個大菩薩這麼漂亮，他生了邪念了。因為妒嫉心不去會跟佛搞起矛盾來，能允許這種事情存在嗎？那麼怎麼辦？你必須在常人中把各種不好的思想全部去掉，你才能提高上來。

也就是說，你要重視心性修煉，按照宇宙真、善、忍的特性去修煉，把常人中的慾望，不好的心，做壞事的想法去掉。思想境界只要提高上來一點，自身的壞的東西已經去掉一些了。同時你還得吃一點苦，遭一點罪，把自身的業力消掉一些，那麼你就能夠昇華上來一點，也就是說，宇宙的特性對你的制約力不那麼大了。修在自己，功在師父。師父給你一個長功的功，這個功就起作用了，就可以在你的體外把你的德這種物質演化成功。你不斷的提高，不斷的往上修煉，你的功柱也在不斷的往上突破。作為一個修煉人，就得在常人的環境中修煉自己，魔煉自己，逐漸的把執著心、各種慾望去掉。我們人類往往認為是好的東西，可是在高層次上看往往是壞的。所以人們認為好的，在常人中個人利益得的越多，過的越好，在大覺者們看來，這個人就越不好。不好在哪裏呢？他得的越多，他越傷害別人，得到不該得的東西，他會重名利，於是他會失去德。你要想長功，你不注重心性的修煉，你的功根本就長不上來。

我們修煉界講，人的元神是不滅的。過去講人的元神，人們可能會說是迷信。大家知道物理學研究我們人體，有分子、質子、電子、向下研究一直到夸克、中微子等。到了那一步，顯微鏡都看不到了。可是那離生命的本源，物質的本源還差遠去了。大家知道原子核分裂，得有相當的能量撞擊和相當大的熱量才能使它發生聚變，才能使核分裂。人死的時候，人體中的原子核怎麼能夠隨便死掉呢？所以我們發現人死了，只不過是我們這層空間，這層最大的分子成份脫掉了；在另外空間裏那個身體並沒有毀掉。大家想一想，在顯微鏡下看人體是甚麼樣呢？人的整個身體是運動的，你坐在那兒不動，可整個身體是運動的，分子細胞在運動著，整個身體是鬆散的，像沙子組成的一樣。在顯微鏡下看人體就是這樣的，和我們眼睛看人體截然發生了變化。這是因為人的這雙眼睛能給你造成一種假相，不讓你看到這些東西。天目開了，可以放大東西看，本來它就是人的本能，現在叫特異功能，你要想出特異功能，就得返本歸真，往回修。

咱們就説説這個德。它們具體之間的連帶關係是甚麼？我們把它剖析開來講。我們人在許許多多空間中都有一個身體存在。我們現在看人的身體成份，最大的是細胞，這是我們人的肉體。假如當你進入到細胞與分子之間、分子與分子之間，你就會體驗到已經進入另外的空間了。那個身體存在形式是甚麼樣的？你當然不能用現有的這個空間的概念去理解，你身體得同化那種空間存在的形式要求。在另外空間的身體本來就是可大可小的，那時你會發現那也是一個無比廣闊的空間。這就是指的另外空間存在的一種簡單形式，同時同地存在著另外的空間。人在另外許多空間都有一個特定的身體，而在一個特定空間裏，人體周圍存在著那麼一個場。甚麼場啊？這個場就是我們所説的德。德是一種白色物質，它可不是像我們過去所認為的是人精神的東西，人在意識形態中的東西，它完全是一種物質存在，所以過去老人講積德呀，損德呀，那話説的太對了。這個德在人體周圍，它形成一個場。過去道家講師父找徒弟，不是徒弟找師父。甚麼意思呢？他就要看這個徒弟身體帶著德的成份大不大，大，他就好修；不大，他就不好修，他就很難長高功。

同時存在的還有一種黑色物質，我們這裏叫作業力，在佛教中把它叫作惡業。白色物質和黑色物質，兩種物質同時存在。這兩種物質之間是怎麼個關係呢？德這種物質是我們吃了苦，承受了打擊，做了好事得到的；而那個黑色物質是人做了壞事，做了不好的事，欺負了人，得到了這種黑色物質。現在不只是唯利是圖，有的人無惡不做，為了錢，甚麼壞事都幹：殺人害命，用錢買命，同性戀，吸毒等等，甚麼事情都有。人在做不好事情的時候，就會損德。怎麼損呢？當這個人罵別人的時候，他覺的佔了便宜，出了氣了。在這個宇宙中有個理，叫作不失者不得，得就得失，你不失，要強制你失。誰起這個作用？就是宇宙這個特性起這個作用，所以你光想得不行。怎麼辦呢？當他罵別人、欺負別人的時候，他就會把德扔給人家；而對方是屬於委屈的一方，失去的一方，遭受痛苦的一方，所以就給他補償。他這邊罵他，隨著他一罵的時候，就從自己的空間場範圍之內飛走一塊德，落在人家身上。他罵的越重，給人家的德越多。打人、欺負別人也是一樣。他打他一拳，踢他一腳，就隨之這個人打的多重，德就落過去多大。常人看不到這層理，他認為受了欺負了，他受不了：你打我，我回頭得打你。「啪」回給他一拳，把這個德推回去了，倆個人都不失不得。可能他想：你打我一下，我打你兩下，要不就不能出這口氣。他又多打一下子，從自身又飛走一塊德給了對方。

為甚麼把這個德看的這麼重呢？這個德的轉化是怎麼一種關係呢？在宗教中講：有了這個德，今生不得來世得。他得甚麼？他德大，可能會做大官，發大財，要甚麼有甚麼，就是用這個德交換來的。宗教中還講，這個人要是沒有德，就形神全滅。他的元神就銷毀了，他百年之後全都死了，啥也沒有了。而我們修煉界講德可以直接演化成功。

我們就講德怎麼演化成功的。在修煉界有這麼一句話，叫作「修在自己，功在師父」。可有的人講安鼎設爐，採藥煉丹，意念活動，他覺的很重要。我告訴你，一點也不重要，你想多了就是執著心。你想重了，你不就是執著追求了嗎？修在自己，功在師父，你有這個願望就可以了。而真正做這件事情，是師父給做的，你根本就做不了。你一個常人的身體，就能夠演化這種高能量物質構成的那種高級生命體？根本就不可能，談起來都是笑話。人體在另外空間的演化過程是相當玄妙、相當複雜的，你根本就做不了這些事情。

師父會給你甚麼東西呢？會給你一個長功的功。因為德在人的體外，人的真正的功就是德所生成的。一個人層次高低，功力有多大，全是那個德生成的。它把你的德演化成功，螺旋式的向上長。真正決定人層次高低的功是在體外長，最後螺旋式的長到頭頂之後形成一根功柱。這個人功有多高，一眼就看到他的功柱有多高，這就是他的層次，佛教中講的果位。有的人打坐的時候元神可以離體，一下子上多高了，再往高上，上不去了，不敢上了。他是坐著自己的功柱上去的，他就能上那麼高。因為他的功柱就那麼高，再高他也上不去了，這是佛教中講的果位問題。

衡量心性有多高，還有一個尺度。尺度和功柱不在同一個空間存在，可它卻是同時存在著。你的心性修上來了，比如說在常人之中，別人罵你一句，你沒吱聲，你心裏很坦然；打你一拳，你也不吱聲，一笑了之，過去了，這人心性就已經很高了。那麼你是個煉功人，你應得的是甚麼？你不是得功嗎？你的心性提高上來了，你的功就長上來了。心性多高功多高，這是個絕對的真理。過去有人在公園練功也好，在家裏練功也好，練的倒挺用心的，很虔誠，練的也不錯。一出門就不是他了，我行我素，在常人中為了名、利跟人家去爭去鬥，他的功能長嗎？根本就長不了，他的病也好不了，也是這個原因。為甚麼有人長期練功就不好病呢？氣功是修煉，是超常的東西，不是常人中的體操，必須重心性才能好病或長功。

有些人認為安鼎設爐、採藥煉丹，這個丹就是功了，不是。這個丹它只儲存一部份能量，它不是能量的全部。丹是個甚麼東西呢？大家知道，我們還有另外的一部份修命的東西，身體還要出功能，還有許許多多術類的東西。這些東西大部份是鎖著的，不讓你使出來。有許多功能，上萬種功能，形成一個鎖一個。為甚麼不出呢？目地是不讓你運用它在常人社會裏邊隨便去幹事情，不能夠隨便的干擾常人社會，也不能夠隨便的在常人社會中顯現你的本事，因為這會破壞常人社會的狀態。有許多人是在悟中修的，你都給他顯現出來，人家一看是真的，都來修了，十惡不赦的人都來修了，那就不行。不能讓你這樣去顯示；你還容易做壞事，因為你看不到它的因緣關係，你看不到它的本質，你認為是做好事，可能做的是壞事，所以不讓你用。因為一做壞事，就要掉層次了，白修，所以很多功能是鎖起來的。怎麼辦呢？到開功開悟那一天，這個丹就是一顆炸彈，它要把所有的功能，身體所有的鎖和百竅全部炸開，「啪」一震，全部震開，是幹這個用的。和尚百年之後火化時就有舍利子，有人說那是骨頭、牙。常人怎麼沒有啊？就是那個丹炸開了，它的能量釋放出來了，它本身包含著大量另外空間的物質。它畢竟也是物質存在的東西，可是它也沒有甚麼用。現在的人把它看成是很珍貴的東西，它有能量、有光澤、很堅硬，就是這個東西。

不長功還有一個原因，就是不知道高層次中的法，不能修煉上去。甚麼意思呢？就像我剛才講的，有些人練了許多功法，我告訴你學的再多也沒有用，也只是個小學生，在修煉中是個小學生，都是低層次中的理。你拿著這種低層次中的理去往高層次上修煉，是沒有指導作用的。在大學裏讀著小學課本，你還是個小學生，學的再多也沒用，反而更糟。不同層次中有不同層次中的法。法在不同的層次中有不同的指導作用，所以你拿低層次中的理指導不了你往高層上的修煉。我們在以後所要闡述的都是要在高層次中修煉的理，我是結合著不同層次中的東西在講，所以在你今後的修煉中一直是有指導作用的。我有幾本書，還有錄音帶，錄像帶，你從中會發現，你看過、聽過一遍以後，隔一段時間再看、再聽，保證對你還有指導作用。你也在不斷的提高著自己，不斷的對你有指導作用，這就是法。以上是煉功不長功的兩個原因：不知道高層次中的法就沒有法修；沒有向內去修，不修煉心性不長功。就這兩個原因。

法輪大法的特點

我們法輪大法是佛家八萬四千法門中的一法門，在我們這一次人類文明歷史時期從來沒有公開傳出過，但是，在史前一個時期廣泛度過人。我在末劫最後時期再一次把他洪傳出來，所以他是極其珍貴的。我講了德直接轉化成功這樣一種形式。功其實不是煉出來的，它是修出來的。很多人追求長功，只注重怎麼練，沒有注重怎麼修，其實功完全是靠修心性修出來的。那麼為甚麼我們這裏也教人煉功啊？首先說一說和尚為甚麼不煉功？他主要是打坐、念經、修心性，他就長功，他就長他層次高低的功。因為釋迦牟尼講放棄世間一切，包括本體，所以不需要形體動作。道家不講普度眾生，他面對的人，不是各種心態、各種層次、甚麼人都有、有的人私心大、有的人私心小。他是選徒弟的，找三個徒弟，還得其中有一個是真傳的，註定這個徒弟德是高的，是好的，不會出問題的。所以他重點傳了他手法上的東西，去修命了。煉神通術類等東西，這要有一些動作了。

法輪大法也是性命雙修的功法，就要有動作去煉了。動作一方面是用來加持功能，甚麼叫加持？用你強大的功力把你的功能加強，要越來越強；另一方面在你身體裏還要演化出許多生命體。

到高層次上修煉，道家講元嬰出世，佛家講金剛不壞之體，還要演化出許許多多術類的東西。這些東西都要通過手法去演煉的，動作是煉這個的。完整的一套性命雙修功法，那就又要修，又要煉。我想大家明白了這功是怎麼來的，真正決定你層次高低的功，根本就不是煉出來的，是修出來的。是你在修的過程當中，在常人中提高了你的心性，同化了宇宙的特性，宇宙的特性就不制約你了，你就能昇華上來。這個德就開始演化成功，隨著你心性標準的提高，它就升上來，它就是這樣一種關係。

我們這套功法，是真正屬於性命雙修功法，我們煉的功儲存在身體的每一個細胞當中，一直到極微觀狀態下所存在的物質本源微粒成份中，都儲存著那個高能量物質的功。隨著你功力越來越高，它的密度越來越大，它的威力也越來越大。這種高能量物質是帶有靈性的，因為它儲存在人身體的每一個細胞當中，直到生命的本源，它久而久之就形成了和你身體的細胞是一個形態的，和分子排列程序也是一樣的，和一切原子核的形態是一樣的。但是本質卻發生了變化，已不是原有肉體細胞所構成的這種身體了，你不就不在五行中了嗎？當然你的修煉還沒有結束，你還在常人中修煉，所以表面上看如常人，唯一的區別就是你與同齡人比較顯的很年輕。當然，首先得去你身體不好的東西，包括疾病。但是，這裏可不治病，我們是清理身體，名詞也不叫治病，我們就叫清理身體，為真正修煉的人清理身體。有些人就是來治病的。很重的病人，我們不讓他進班，因為他放不下治病這個心，他放不下有病的想法。他得了重病，很難受，他能放的下嗎？他修煉不了。我們一再強調，重病人我們是不收的，這裏是修煉，和他想的事情差的太遠，他可以找其他氣功師去做這個事情。當然有許多學員是有病的，因為你是個真正修煉的人，我們要給你做這件事情。

我們法輪大法學員修煉一段時間以後，從表面上看改觀很大，皮膚變的細嫩，白裏透紅，年歲很大的人都會出現皺紋減少，甚至很少很少的，這是一個普遍現象。我這裏不是講的玄天玄地的，我們在座的許多老學員知道這一點。而且老年婦女還會來例假，因為性命雙修功法，需要經血之氣來修你的命。來例假，但不會多，在現階段那麼一點，夠用就可以了，這也是一個普遍現象。不然的話，你缺少它怎麼去修命？男子也是，老年的、青年的都會感覺到一身輕。真正修煉的人，你會感覺到這種變化的。

我們這套功法煉的很大，不像有許多功法模仿著動物去練。這套功法煉的簡直太大了。釋迦牟尼、老子當時講的理，都是我們銀河系範圍之內的理。我們法輪大法煉的是甚麼呀？我們是按照宇宙演化原理修煉，按照宇宙的最高特性——真、善、忍的標準指導我們修煉。我們煉了這麼大的一個東西，等於是煉宇宙。

我們法輪大法還有一個極其特殊的和所有功法都不一樣的最大特點。目前在社會上所流傳的氣功都是屬於走丹道的，煉丹的。煉丹的氣功要想在常人中達到開功開悟是很難做到的。我們法輪大法不走丹道，我們這套功法是在小腹部位修煉一個法輪，在學習班上我親自給學員下上。我在講法輪大法的時候，我們要陸陸續續給大家下法輪的，有的人有感覺，有的人沒感覺。大多數人有感覺，因為人的身體素質都不一樣。我們煉法輪，而不煉丹。法輪是宇宙的縮影，具備著宇宙的一切功能，他能夠自動的運轉、旋轉。他在你小腹部位永遠要轉下去，一旦給你下上去之後，不再停了，常年永遠這樣轉下去。他在正轉的過程中，會自動的從宇宙中吸取能量，他自身還會演化能量，供給你身體所有各個部份演化所需要的能量。同時，他反（時針）轉的時候會發放能量，把廢棄物質打出去之後，在身體周圍散掉了。他發放能量時，會打出去很遠，從新帶進新的能量。他打出去的能量，在你身體周圍的人都會受益。佛家講度己度人，普度眾生，不但要修己，還要普度眾生，別人會跟著受益，能給別人無意中調整身體、治病等等。當然能量是不會丟的，當法輪在正（順時針）轉時，他自己會往回收，因為他常轉不止。

有的人想了：為甚麼這個法輪會常轉不止？也有人問我：他為甚麼會轉呢？原理在哪呢？能量聚集多了能形成個丹這好理解，法輪旋轉就不可思議。我給大家舉個例子，宇宙在運動著，宇宙中所有的銀河系，所有的星系都在運動著，九大行星圍繞著太陽轉，地球還在自轉著。大家想一想，誰推它了？誰給它加的力呀？你不能用常人中的那種概念去認識它，它就是這樣一種旋機。而我們的法輪也是這樣的，他就是運轉的。他解決了常人在正常生活狀態下煉功的問題，增加了煉功時間。怎麼增加呢？因為他旋轉不止，不停的從宇宙中吸取能量，演化能量。你上班，他在煉你。當然還不只是法輪，我們要給你身體下上許許多多的機能、機制，都連帶著法輪是自動運轉、自動演化的。所以這個功完全都是自動在演化人，這樣就形成了一種「功煉人」，也叫「法煉人」。你沒煉功的時候，功煉你；你煉功的時候，功也在煉你。你吃飯、睡覺、上班，都在功的演化當中。你煉功幹甚麼呢？你煉功是加持法輪，加持我給你下的所有這些機能和氣機。在高層次中修煉的時候，都是無為的，動作也是隨機而行的，沒有任何意念導引，也不講呼吸等。

我們也不講甚麼時間、地點煉功。有人講了，甚麼時間煉功好啊？子時，辰時，午時？我們不講時辰，你子時沒煉功，功煉你了；你辰時沒煉功，功也在煉你；你睡覺了，功也在煉你；你走路，功也在煉你；你上班，功還在煉你。這不大大的縮短了你的煉功時間嗎？我們很多人抱著一種真正得道的心，那當然是修煉的目地，修煉的最終目地就是得道、圓滿。可是有些人在他有生之年，年齡已經很有限了，不一定夠用了，我們法輪大法能夠解決這樣一個問題，使煉功進程縮短。同時又是性命雙修的功法，你在不斷的修煉的時候，就會不斷的延長你的生命，你不斷的煉，不斷的延，根基好而年歲大的人，你的煉功時間也就夠用了。但是有一個標準，超出你的天定、原來的生命進程，以後延續來的生命，完全是給你煉功用的，你稍微思想一出偏差，就會帶來生命危險，因為你的生命進程早就過去了。除非你走出世間法修煉以後，沒有這個控制了，那個時候就是另外一個狀態了。

不講方位，也不講收功。因為法輪常轉不止，也不能收停。來電話了，來人敲門了，你立刻就去辦事，也不用收功。你去辦事時，法輪馬上會順時針旋轉，一下子把體外散射的能量吸收回來。人為的捧氣灌頂，你再捧也會丟的。法輪是有靈性的東西，他自己知道做這些事情。也不講方位，因為整個宇宙都在運動著，銀河系在運轉著，九大行星圍著太陽在旋轉，地球還在自轉著。我們按照宇宙那麼大的理在煉，哪裏是東南西北？沒有。對著哪個方位煉，都是對著全方位在煉；對著哪個方位煉，都等於同時對著東南西北在煉。我們法輪大法會保護學員不出偏差的。怎麼保護呢？你真正作為一個修煉的人，我們法輪會保護你。我的根都紥在宇宙上，誰能動了你，就能動了我，說白了，他就能動了這個宇宙。我講的話聽起來很玄，以後你往下學，你就明白了。還有其它的，太高的我不能講。我們會由淺入深的系統的闡述高層次上的法。如果你自己的心性不正可不行，你去求，那可能就出問題。我發現許多老學員的法輪還是變形了。為甚麼呢？你摻進其它東西練了，你要了別人的東西了。那麼法輪為甚麼不保護你呢？給你了，就是你的東西，受你的意識支配。你想要的誰都不管，這是這個宇宙的理。你不想修了，誰也不能強制你去修，那等於是在幹壞事。誰能強制你轉變你的心呢？你得自己去要求自己。取眾家之所長，把誰的東西都拿來了，今天練這個功，明天練那個功，目地把你的病去掉，祛沒祛病呢？沒祛，只是給你往後推移了。在高層次中修煉，要講一個專一的問題，要把住一門去修，修煉哪一門，一定要把心放在哪一門上，直到在這一門中開功開悟，你才能轉入別的功法再修，那是另一套東西了。因為真正傳下來一套東西，是經過相當久遠年代留下來的，它都是一個相當複雜的演化過程。有人憑感覺練功，你的感覺算甚麼？甚麼也不是。真正的演化過程在另外空間，極為複雜玄妙，差了一點也不行，就像精密儀器你把其它零件加上一個馬上就壞了。你所有各個空間的身體都在發生著變化，非常玄妙的，差一點都不行的。我不是給你講了嘛，修在自己，功在師父。你隨便的把別人的東西拿來了，往裏一加，帶有別的信息，就干擾了這一法門的東西，你就會走偏，而且會反映到常人社會中來，會帶來常人的麻煩，是你自己要的，別人就不能管，這是個悟性問題。同時你摻進去的東西使功已經亂套了，你已經不能修了，會出現這個問題。我也不是叫大家非學法輪大法不可。你不學法輪大法，你在其它功法中得到真傳了，那我也贊成。但是我告訴你，真正往高層次上修煉，一定要專一。有一點我也得跟你講：目前像我這樣真正往高層次上傳功的，沒有第二個人做。你以後就知道我給你做了件甚麼事情，所以希望你也不要悟性太低了。有許多人想要往高層次上修煉，這個東西給你擺在面前了，你可能還反應不過來，你到處拜師，花多少錢，你找不到。今天給你送到門上來了，你可能還認識不到呢！這就是悟不悟的問題，也就是可度不可度的問題了。

第二講

關於天目的問題

有許多氣功師也談到了天目的一些情況，但是，法在不同層次中有不同的顯現形式。修煉到哪一個層次中的人，他只能看到哪一層次中的景象，超出這個層次的真相他就看不見，也不相信，所以他認為自己這一層次中看到的東西才是對的。他沒有修煉到那麼高層次中去的時候，他認為那些東西是不存在的，不可信的，這是層次決定的，他的思想也不能夠昇華上去。也就是說，在人的天目這個問題上，有人講這麼回事，有人講那麼回事，結果講的很亂，誰也沒有最後把它說清楚，其實這個天目也不是低層次上所能講的清的。過去，因為天目的結構屬於秘中之秘，是不叫常人知道的，所以歷來也沒有人去講。而我們這裏也不是圍繞著過去那種理論去講，我們用現代的科學，用最淺白的現代語言把它解釋出來，並講它的根本問題。

我們所說的天目，實質上就是在人的兩眉之間往上一點連結松果體這個位置上，這是主通道。

身體還有許許多多的眼睛，道家講每個竅都是一隻眼睛。道家把身體的穴位叫作竅，中醫叫穴位。佛家講每一個汗毛孔都是一隻眼睛，所以有的人用耳朵識字，還有用手、用後腦勺看，還有的用腳看，用肚子看，都是可以的。

講到天目了，我們首先說一說我們人的這雙肉眼。現在有些人認為這雙眼睛能夠看到我們這個世界中的任何物質、任何物體。所以有些人產生了一種固執的觀念，他認為通過眼睛看到的東西才是實實在在的；他看不見的就不相信。過去一直認為這種人悟性不好，有些人也講不清楚為甚麼悟性不好。看不見就不相信，這話聽起來很在理呀。可是在稍微高一點的層次中看，它就不在理了。任何一個時空，都是由物質構成的，當然不同的時空有不同的物質結構，有不同的生命體的各種顯現形式。

我給大家舉個例子，佛教中講人類社會一切現象都是幻象，是不實的。怎麼是幻象呢？這實實在在擺在那兒的物體，誰能說它是假的呢？物體存在的形式是這樣的，可是它的表現形式卻不是這樣的。而我們的眼睛卻有一種功能，能夠把我們物質空間的物體給固定到我們現在看到的這種狀態。其實它不是這種狀態，在我們這個空間中它也不是這個狀態。例如在顯微鏡下看人是個甚麼樣？整個身體是一個鬆散的，由小分子構成的，就像沙子一樣，顆粒狀的、運動的，電子圍繞著原子核在運動著，整個身體都在蠕動著、運動著。身體表面不是光滑的，不規則的。宇宙中的任何一種物體，鋼、鐵、石頭都是一樣，它裏面的分子成份都是運動的，整個形式你都看不見，其實它都不是穩定的。這張桌子也在蠕動著，可是眼睛卻看不見真相，這雙眼睛能給人造成一種錯覺。

不是我們看不了微觀下的東西，不是人沒有這個本事，而是人天生就具備著這樣一種本事，在一定微觀下的東西他是可以看的到的。恰恰我們人有了這個物質空間的這雙眼睛之後，就能給人製造這樣一種假相：讓人看不見。所以過去講，人們看不見的不承認，修煉界歷來認為這種人悟性不好，被常人的假相迷住了，迷在常人中了，這是宗教中歷來講的這句話，其實我們看也是有道理的。

這雙眼睛能夠把我們現有物質空間的東西固定到這種狀態，除此之外，它沒有甚麼大的本事了。人看東西，也不是在眼睛直接成象，眼睛就像照像機鏡頭一樣，只起到一種工具的作用。看遠處，鏡頭會伸長，我們的眼睛也在起這樣一種作用；看黑的地方，瞳孔要放大，照像機在黑的地方拍照，那個光圈也要放大，不然的話，曝光量不足，都是黑的；走到外面很亮的地方，瞳孔要急劇縮小，不然的話，晃眼，甚麼也看不清，照像機也是這個原理，光圈也要縮小。它只能夠攝取物體，它只是一種工具。我們真正看東西，看一個人，看一個物體存在的形式，是在人的大腦上成象。也就是通過人的眼睛去看，再通過視神經傳導到大腦的後半部份的松果體上，在這一區域中使它反映出圖象來。這就是說真正的反映圖象看東西，是我們大腦松果體這一部份，現代醫學上也認識到這一點。

我們講的開天目就是避開人的視神經，在人的兩眉之間給打出一條通道來，使松果體直接向外看，這就叫開天目。有的人在想：這也不現實啊，這雙眼睛畢竟還能起到工具的作用，它能攝取物體，沒有眼睛也不行啊。在現代醫學的解剖上已經發現了，這個松果體的前半部份，它具備著人的眼睛所有的組織結構。因為它長在人的腦殼裏面，所以它講那是一隻退化了的眼睛。是不是退化的眼睛，我們修煉界還持保留態度。但畢竟現在醫學上已經認識到了在人的腦袋中間那個部位上有一隻眼睛。我們打出這條通道正好是對著它的這一點，正好和現代醫學上的認識相吻合了。這隻眼睛就不會像我們這雙肉眼睛一樣給人製造假相，它能看到事物的本質，看到物質的本質。所以天目層次很高的人，他可以透過我們空間看到另外的時空，可以看到常人看不到的景象；層次不高的人可以有穿透力，隔牆看物，透視人體，他就具備這樣一種功能。

佛家講五通：肉眼通、天眼通、慧眼通、法眼通、佛眼通。這是天目的五大層次，每一層次還分為上、中、下。道家講九九八十一層法眼。我們這裏給大家開天目，但是不給開到天眼通以下。為甚麼呢？雖然你坐在這裏開始修煉了，可是你畢竟是從常人中剛剛起步，有許多常人的執著心還沒有放下。如果開到天眼通以下，你會出現常人所認為的特異功能，你會隔牆看物、透視人體。如果我們把這個功能這樣大面積的傳，人人都給開到這種成度，就會嚴重干擾常人社會，破壞常人社會狀態。國家機密都不能保住；人穿不穿衣服都一樣了；人在房間裏，你在外面都看到了；走在街上看到獎券，那一等獎可能都被你摸去了，這就不行！大家想一想，一個個都是開了天眼通天目的，那是人類社會嗎？嚴重干擾人類社會的現象是絕對不允許存在的。我若真給你開到這一層次上，你可能馬上就會當起氣功師來。有人過去就想當氣功師，這一下開了天目了，正好能給人看病了。我這不是把你領到邪路上去了嗎？

那麼我給你開到甚麼層次上呢？我給你直接開到慧眼通這個層次上。往高層次上開，你的心性不夠；往低層次上開，會嚴重破壞常人社會的狀態。開到慧眼通，你不具備隔牆看物、透視人體這種本事，可是你卻能夠看到另外空間存在的景象。這有甚麼好處呢？它能增強你煉功的信心，你切切實實的看到了常人看不到的東西，你會覺的它是真實存在的。現在不管你看的清也好，看不清也好，都給你開到這個層次上來，對你煉功是有好處的。真正修大法的人，嚴格要求心性的提高，看本書有同樣效果。

決定人天目層次的東西是甚麼？不是給你打開天目之後就甚麼都看的見了，不是這樣的，它還有一個層次的劃分。那麼這個層次是由甚麼決定的呢？有三個因素：第一個因素就是人的天目從裏到外必須得有一個場，我們把它叫作精華之氣。它起甚麼作用呢？就像電視機的螢光屏，要是沒有螢光粉，那麼打開電視機之後，它就是一個燈泡，只有光，沒有圖象。正因為有了螢光粉，它才能夠顯示出圖象來。當然這個例子還不是那麼太恰當。因為我們是直接看，它是通過螢光屏在顯現，大概就是那麼個意思。這點精華之氣是極其珍貴的，是從德裏邊提煉出來的更精華的東西所構成的。往往每個人存在的精華之氣都不一樣，一萬個人中也許能夠找出倆個人在一個層次之中的。

天目的層次直接就是我們這個宇宙中法的體現。他是超常的東西，和人的心性是緊密相關的，一個人的心性低，他的層次就低。因為心性低，他這點精華之氣就散失的多；而這個人心性很高，他從小到大在常人社會中，對名、利、人與人之間的矛盾、個人利益、七情六慾看的很淡，精華之氣可能保存的比較好，所以打開天目之後，就看的比較清楚。六歲以下的小孩，打開之後看的非常清楚，也容易打開，一句話就能打開。

常人社會的大洪流、大染缸的污染，人們認為是對的事情，其實很多都是錯的。人不都想自己過好日子嗎？想過好日子，可能就要損害別人的利益，可能就助長人的自私心理，可能就佔有別人的利益，欺負別人，傷害別人。為了個人的利益，就在常人中去爭去鬥，這不和宇宙的特性相反了嗎？所以人認為對的東西，它並不一定是對的。對小孩教育的時候，大人往往為了他將來在常人社會中能有立足之地，從小就教育「你要學尖一點」。「尖」在我們這個宇宙中看就已經是錯的了，因為我們講隨其自然，對個人利益要看的淡。他這麼尖，就是為了謀取個人利益。「誰欺負了你，你找他老師，找他家長」，「看到錢你要撿」，就這樣教育他。從小到大這個小孩接受的東西多了，慢慢的他在常人社會中自私心理越來越大，他就會佔便宜，他就會損德。

德這種物質損失掉之後它不會散失，它轉化給別人了，可是這種精華之氣它會散掉。如果這個人從小到大很尖滑，個人利益很強，唯利是圖，往往這種人天目打開之後就不行，就看不清，但是也不是說從此以後永遠不行了。為甚麼呢？因為我們在修煉過程中就是要返本歸真，不斷的煉功，就不斷的在回補，從新補償。所以要講心性，我們講整體提高，整體昇華。心性上來了，別的東西都跟著往上上；心性上不來，天目那點精華之氣也不會往回補的，就是這個道理。

第二個因素就是自己煉功的時候，如果根基好的，也能把天目煉開。往往有的人天目剛一開的時候，會嚇一跳。為甚麼嚇一跳呢？因為一般煉功都選在晚上子時，夜深人靜的時候。他煉著煉著，突然間看見眼前一隻大眼睛，一下子把他嚇一跳。這一嚇非同小可，從此以後再也不敢煉了。這多嚇人哪！那麼大一隻眼睛，一眨一眨的看哪，清清楚楚的。所以有的人把它叫魔眼，也有人叫佛眼等等，其實它就是你自己的眼睛。當然，修在自己，功在師父。修煉人整個功的演化過程，在另外空間是很複雜的一個過程，還不是另外一個空間，所有的空間，各個空間中身體都在起著變化。你自己能做的來嗎？做不來的。這些事情是由師父安排的，師父在做，所以叫修在自己，功在師父。你自己只是有這種願望，這樣去想了，真正那件事情是師父給做的。

有些人是自己煉開天目的，我們講是你的眼睛，但你自己演化不出來。有的人有師父，師父看你天目開了，就演化一個眼睛給你，那叫真眼。當然有些人沒有師父，可是卻有一個過路的師父。佛家講：佛無處不在，到處都是，多到這種成度，也有人講：三尺頭上有神靈，就是說太多了。過路的師父一看見你煉的挺不錯的，天目已經開了，缺個眼睛，就演化一個給你，這也算你自己煉出來的。因為度人是不講條件、不講代價、不計報酬、也不計名的，比常人中的模範人物可高的多，這完全是出於慈悲心。

人的天目開了之後，會出現一種狀態：被光晃的很厲害，感覺刺眼。其實不是刺激你的眼睛，而是刺激你的松果體，你感覺到好像是刺眼了。那就是你還沒有這隻眼睛，給你下上這隻眼睛之後，你就不會感到刺眼了。我們一部份人會感覺到、看到這隻眼睛。因為它和宇宙的本性是一樣的，它很天真，也很好奇，也往裏看，看你天目開沒開呀，能不能看，它也往裏邊瞅你。在這時你的天目也開了，它正在看你，突然你看見它時會嚇一跳。其實這就是你的眼睛，你今後再看東西就通過這隻眼睛去看了，你沒有這隻眼睛根本就看不了，開了也看不了。

第三個因素就是層次突破顯現出各個空間的差異，這就是真正決定層次的問題了。看東西除了主通道之外，人還有許多副通道。佛家講每一個汗毛孔都是一隻眼睛；道家講身體所有的竅都是眼睛，就是所有的穴位都是眼睛。當然他講的還是因為法在身體上演變的一種形式，無處不能看。

我們講的層次與這個還不一樣。除了主通道之外，在兩眉、眼皮上面、眼皮下面和山根幾個部位還有幾個主要的副通道。它們就決定了層次突破的問題。當然一般的修煉人，如果這幾個地方都能看，這個人突破的層次已經很高了。有的人眼睛也可以看，他把眼睛也修煉成了，也具備著各種功能的形式。但是這隻眼睛要是掌握不好，他老是看了這個體看不了那個體，也不行，所以有的人往往一隻眼睛看那邊，一隻眼睛看這邊。而這隻眼睛（右眼）下面沒有副通道，因為這和法有直接關係，人們做不好的事情好用右眼睛，所以右眼睛底下沒有副通道。這是指在世間法修煉中所出現的幾個主要的副通道。

到極高層次，走出世間法修煉以後，還會出現一種複眼似的那種眼睛，就是在整個臉的上半部會產生一隻大眼睛，裏面有無數的小眼睛。有的很高的大覺者修煉出來的眼睛特別多，滿臉都是。所有的眼睛都通過這隻大眼睛去看，想看甚麼就看甚麼，一眼看去把所有層次都看了。現在動物學家、昆蟲學家研究蒼蠅。蒼蠅的眼睛很大，用顯微鏡一看，它裏邊有無數個小眼睛，把它叫作複眼。到了極高層次可能會出現這個狀態，比如來高很多很多才可能出現。可是常人卻看不到，一般的層次也看不到它的存在，只看到和正常人一樣，因為它在另外的空間。這是講了層次的突破，就是能夠突破各個空間的問題。

我基本上把天目的結構給大家講出來了。我們用外力給你開天目，就來的比較快，比較容易。我在講天目的時候，我們每個人的前額都會感覺到發緊，肉往起聚，聚起來往裏鑽。是不是這樣的。只要是在這裏真正放下心來學法輪大法的人，人人都會有感覺的，力量還很大，往裏邊頂。我們打出專門給你開天目的功在給你開，同時，也打出去法輪在給你修補。我們在講天目的時候，只要是修煉法輪大法的，我們人人給開，但可不一定人人都能夠看的清，也不一定人人都能夠看的見，這與你自身有直接關係。不要緊的，你看不見不要緊的，慢慢修煉。隨著你不斷提高層次的時候，你會逐漸看的見，由看不清會逐漸看的清。只要你修煉，你橫下這條心去修的時候，你散失的都會回補上來的。

自己開天目比較困難。我講一講自己開天目有幾種形式。比如說我們有的人打坐的時候觀察前額，觀察天目，覺的前額黑乎乎的，甚麼也沒有。時間一長，他覺的前額逐漸的發白。修煉一段時間，他發現前額逐漸發亮，亮過之後要泛紅。到這個時候它就會翻花，就像電影、電視中那樣，花蕾一瞬間開了，會出現這個鏡頭。那紅色原來是平的，一下從中間鼓起來，不斷的翻，不斷的翻。你要想自己把它全部翻透，十年八年也夠嗆，因為整個天目都是堵死的。

有的人天目沒有堵死，他具備了通道，可是因為他不煉功，也沒有能量存在，所以他煉功的時候會突然間眼前出現一個黑黑的圓東西。煉功時間一長，它會逐漸發白，由白到逐漸變亮，最後越來越亮，有點感覺到刺眼。有的人就講：我看到太陽了，我看到月亮了。其實你沒有看到太陽，也沒有看到月亮。那麼你看到的是甚麼？就是你的這條通道。有的人層次突破的比較快，下上眼睛之後，可以直接看的到了。有的人就非常難，他順這條通道，像一個隧道一樣，也有的像井一樣，一煉功的時候就往出奔跑，甚至睡覺的時候都感覺自己往外跑。有的感覺騎馬跑，有的在飛，有的在奔跑，有的像坐在車裏一樣往外衝，可是老是感覺衝不到頭，因為自己開天目是很難的。道家把人體視為一個小宇宙，如果是一個小宇宙，大家想一想，從前額到松果體十萬八千里還不止，所以他老是覺著往出衝，老是衝不到頭。

道家把人體視為一個小宇宙，很有道理。不是說他的組織結構和宇宙很類似，不是講我們這個物質空間身體存在的形式。我們講，現在科學所認識到的物質身體的細胞以下是甚麼狀態？各種分子成份，分子以下是原子，質子，原子核，電子，夸克，現在研究到最小微粒是中微子。那麼到最小最小的微粒是甚麼呢？要研究起來實在太難了。釋迦牟尼在晚年時講了這樣一句話，他說：「其大無外，其小無內」。甚麼意思呢？在如來這個層次上，大，看不到宇宙的邊緣；小，看不到物質的最小微粒，所以他講了「其大無外，其小無內」。

釋迦牟尼還講了三千大千世界學說。他說我們這個宇宙中，我們這個銀河系中，有三千個像我們人類一樣存在著色身身體的星球。他還講了一粒沙裏還有這樣的三千大千世界。一粒沙子就像一個宇宙一樣，裏面還有像我們這樣的智慧的人，有這樣的星球，也有山川河流。聽起來很玄哪！如果是這樣的話，大家想一想，它那個裏面是不是還有沙子？那個沙子裏邊是不是還有三千大千世界？那麼那個三千大千世界裏面是不是還有沙子，那沙子裏是不是還有三千大千世界？所以在如來這個層次上是看不到它的底的。

人的分子細胞也一樣。人們問宇宙有多大，我告訴大家，這個宇宙它是有邊緣的，可是在如來這樣一個層次上，都把它看成是無邊無際、無限的大。而人身體的內部，從分子到微觀下的微粒和這個宇宙一樣大，聽起來很玄的。造就一個人、一個生命，在極微觀下已經構成了他特定的生命成份、他的本質。所以我們現代的科學研究這個東西，還是差的很遠，和整個宇宙中存在著高級智慧星球那些生命比起來，我們人類的科技水平是相當低的。就在同時同地存在著另外的空間我們都突破不了，而外星來的飛碟就直接在另外空間裏走，那個時空的概念都發生了變化了，所以它說來就來，說走就走，快的使人的觀念接受不了。

我們講天目談到這樣的問題，因為你在通道裏向外奔跑的時候，你會感到它是無邊無際的。有的人可能看到另外一種情況：他會感到他不是順著一條隧道在跑，而是順著一條無邊無際的大道在往前奔，道的兩邊有山有水有城市，一直往外奔跑，聽起來更玄。我記的有一個氣功師講過這樣一句話：他說人的一個汗毛孔裏邊就有一座城市，裏面跑火車跑汽車。別人聽了覺的很吃驚，很玄。大家知道，物質在微粒下有分子、原子、質子，最後往下追查下去，如果每一層你能夠看到這一層的面，而不是一個點，看到分子一層的面、原子一層的面、質子一層的面，原子核一層的面，你就看到了不同空間中存在的形式。任何物體包括人身體都是和宇宙空間的空間層次同時存在、相通的。我們現代物理學研究物質的微粒，只研究一個微粒，把它剖析、分裂，原子核分裂之後再研究它裂變之後的成份。如果有這樣的儀器能夠展開，看它這一個層次中，所有的原子成份或者是分子成份在這一層中整個的體現，要能夠看到這個景象，你就突破了這個空間，看到另外空間存在的真相了。人的身體和外面的空間是對應的，它都存在著這樣的存在形式。

自己開天目還有一些不同的狀態，我們主要講了比較普遍的一些現象。還有人看到天目在轉，煉道家功的人經常看到天目裏邊轉，太極盤「叭」裂開了，然後他看到圖象了。但那不是你腦袋裏有太極，是師父一開始就給你下上一套東西，其中之一的是太極，他把你天目封起來了，到你開的時候，它裂開了。他特意給你安排的，不是你腦中原有的。

還有一部份人追求開天目，卻越練越不開，甚麼原因呢？他自己也不清楚。主要因為天目是不能求的，越求越沒有。越求呢，它不但不開，反而從他天目裏邊還要溢出一種東西來，黑不黑，白不白的，它會把你的天目蓋住。時間長了之後，它會形成一個很大的場，越溢越多。天目越不開，越追求它，這個東西溢出越多，結果把他整個身體都包圍住，甚至於它的厚度還很大，帶了很大一個場。這個人天目要是真的開了，他也看不見，因為他被自己這種執著心給封住了。除非將來他不再去琢磨它了，完全放棄這種執著心的時候，它會慢慢的散掉，但是要經過很艱苦的很長的一段修煉過程才能去掉的，這就很不必要。有的人他不知道，師父告訴他不能求，不能求，他就不相信，一味的在求，結果適得其反。

遙視功能

和天目有直接關係的一種功能叫作遙視。有人講：我坐在這裏可以看到北京的景象，看到美國的景象，看到地球那邊去。有人理解不了，從科學上也理解不了，怎麼會這樣呢？有人這麼解釋，那麼解釋，也説不通，認為人怎麼會有這麼大的本事。不是這樣的，在世間法這個層次中修煉的人沒有這個本事。他看的東西，包括遙視，包括許許多多的特異功能，都是在一個特定的空間之內起作用，最大也超不出我們人類生存的這個物質空間，一般都超不過自身的空間場。

我們的身體在一個特定的空間中有一個場存在，這個場和德那個場還不是一個場，不是同一個空間的，但大小是一樣的場範圍。這個場和宇宙有一種對映關係，宇宙那邊有甚麼，在他這個場中能夠對映過來甚麼，都能對映過來。它是一種影像，不是真實的。比如地球上有個美國，有個華盛頓；他的場中也映出個美國，映出個華盛頓，但它是影子。不過影子也是一種物質存在，它是對映過來的關係，隨著那邊的變化而變化，所以有的人所説的遙視功能，就是看他自己空間場範圍之內的東西。當他走出世間法修煉以後，就不是這樣看了，那是直接看了，叫佛法神通，那是威力無比的東西。

在世間法中遥視功能是怎麼回事呢？我給大家剖析出來：在這個場的空間中，在人的前額部位有一面鏡子，不煉功的人是扣著的；煉功的人它就翻轉過來。當人的遥視功能要出來時，它會來回翻轉。大家知道電影膠片每秒鐘二十四個格能使動畫連貫起來，少於二十四個格時就有跳動感了。它的翻轉速度超過每秒二十四格，它把照到的東西印到鏡子上，翻轉過來叫你看，再翻過去之後就抹掉了。然後再照、再翻、再抹，不斷的翻轉，所以你所看到的東西是運動的，這就是它照到了你空間場之內的東西給你看，而空間場中的東西是從大宇宙中對映過來的。

那麼人身後怎麼看呢？這麼小的鏡子，身體周圍不一定全都照的到啊？大家知道，人的天目層次開到超過天眼通、將進入慧眼通的時候，就要突破我們這個空間了。就在這當口上，將要突破還沒有完全突破的時候，天目就會發生一種變化：看物體都不存在了，看人也沒了，牆也沒了，甚麼都沒了，物質不存在了。就是説在這個特定空間中，再縱深看下去的時候，會發現人沒有了，只有一面鏡子立在你這個空間場的範圍之内。而這面鏡子在你的空間場和你的整個空間場一般大，所以它在裏面翻來翻去的時候，就無處照不到。你空間場範圍之内只要是宇宙中對映過來的東西，它全部能夠給你照射進去，這就是我們講的遥視功能。

搞人體科學在測定這個功能的時候，往往容易推翻它。推翻的理由是：比如說某人北京家裏的親戚在幹甚麼呢？當說出這個親戚的名字和大概情況後，他就看到了。他說：這個樓是甚麼樣的，怎麼進的這個門，進了房間，房間的擺設是甚麼樣的。說的全都對。人在幹甚麼呢？說人現在寫字。為了證實這個事實，拿起電話來找到他親戚：你現在幹甚麼呢？我在吃飯呢。這不就和他看的不吻合了？過去否定這種功能的原因就在於此，可他看的環境一點不錯的。因為我們這個空間和時間，我們叫作時空，和功能所存在的那個空間的時空是有一個時間差的，兩邊時間概念不一樣。他剛才是在那寫字，現在在吃飯，有這麼個時間差異。所以往往搞人體科學研究的人，要是站在常規理論上，按照現在科學這麼去推理，去研究，再過一萬年也白搭。因為這些本來就是超出常人的東西，所以人的思想要發生一種轉變，不能再這樣去理解這些事情了。

宿命通功能

還有一種功能和天目有直接關係，叫作宿命通。現在在世界上有六種功能被公認了，其中包括天目、遙視，還有宿命通。甚麼叫宿命通？就是可以知道一個人的將來和過去；大的可以知道社會的興衰；再大的可以看到整個天體變化的規律，這就是宿命通功能。因為物質是按照一定規律運動的，在特殊空間當中，任何物體都有在另外許許多多空間中存在的形式。舉個例子說，人的身體一動，人身體裏的細胞都跟著動，而在微觀下的所有分子、質子、電子，最小最小，所有的成份都跟著發生了運動。而它卻有它獨立存在的形式，在另外空間裏存在的身體形式也會發生一種變化。

咱們不是講物質不滅嗎？在一個特定的空間當中，人們做完這個事情，就是人一揮手幹甚麼事情，都是物質存在的，做甚麼事情都會留下一個影像和信息。在另外空間裏，它是不滅的，永遠會存在那裏，有功能的人一看到過去存在的景象，就知道了。將來你有宿命通功能之後，你看一看我們今天在這裏講課那種形式，它還會存在著，已經同時存在那裏。在一個人降生的時候，在一個特殊的沒有時間概念的空間當中，人的一生已經同時存在了，有的還不止一生呢。

可能有人想了：那我們個人奮鬥，改造自己，就沒有必要了？他接受不了。其實個人奮鬥可以改變人生的小的東西，一些小的東西，通過個人奮鬥可以發生一些變化。但正因為你努力改變就可能得到業力了，不然的話就不存在造業的問題了，就不存在做好事做壞事的問題了。硬這樣做的時候，他就會佔別人的便宜，他做了壞事了。所以在修煉上一再講要順其自然，就是這個道理，因為你經過努力就會傷害到別人。本來你生命中沒有這個東西，可是在社會中本來屬於別人的東西你得到了，你就欠了人家的。

大的事情他要想動，常人是根本動不了的。也有一個辦法能動，就是這個人盡做壞事，無惡不做，他可以改變他的人生，但是面臨他的是徹底的毀滅。我們在高層次上看，人死了，元神不滅。元神怎麼不滅呀？其實我們看到人死了之後，放到太平間裏的那個人，它只不過是我們這個空間中的人體的細胞。內臟上、身體裏邊各個細胞組織，整個的一個人體，在這個空間中的細胞脫落下來了，而在另外空間比分子、原子、質子等成份更小的物質微粒的身體根本就沒有死，它在另外的空間裏，在微觀下的空間中還存在著。而無惡不做的人面臨的就是整個的細胞全部解體，佛教中叫作形神全滅。

還有一個辦法可以使人改變他的一生，這是唯一的一個辦法，就是這個人從此以後走上一條修煉的路。那麼為甚麼走上修煉道路可以改變他的人生？這個東西誰能輕易動的了啊？因為這個人一想走上修煉的路，這個意念一動，就像金子一樣閃光，震動十方世界。佛家對宇宙的概念是十方世界學說。因為在高級生命看來，人的生命不是為了當人。他認為人的生命是在宇宙空間中産生的，和宇宙是同一性質的，是善良的，是真、善、忍這種物質構成的。可是他也有群體性的關係，他在群體中發生著社會關係的時候，有些就變的不好了，所以就往下掉；在這個層次中他又呆不了了，他變的更壞了，他又掉一個層次；掉、掉、掉、掉，最後就掉到常人這個層次中來了。

在這個層次中，這個人就應該毀滅，消滅掉了。可是那些大覺者們出於大慈悲心，就特意造出了這麼一種空間，就像我們人類社會這個空間。在這個空間，給他多了一個人的肉身，多了這麼一雙侷限在我們這個物質空間看物體的眼睛，也就是掉在迷中來，讓他看不到宇宙的真相，而在其它空間中都可以看的到的。在這個迷中，在這個狀態下，給他留這樣一個機會。因為在迷中，所以也就最苦了，有這個身體，就讓他來吃苦。人在這個空間要能夠返上來，道家煉功講返本歸真，他要有修煉的心，就是佛性出來了，把這顆心看的最珍貴，人們就會幫他。人在這麼苦的環境下還沒有迷失，還要往回返，所以人就會幫他，無條件的幫他，甚麼都可以幫他。為甚麼我們可以為修煉的人做這件事情，而不能為常人做呢？就是這個道理。

那麼作為一個常人要想治病，甚麼也幫不了你，常人就是常人，常人就應該是常人社會的狀態。許多人講，佛普度眾生啊，佛家講普度眾生啊。我告訴你，你翻一翻佛教中所有的經典，沒有說是給常人袪了病算普度眾生的。這些年就是那些假氣功師在禍亂這件事情。真正的那些氣功師，鋪路的那些氣功師，根本就不講叫你給人治病的，他只是教你自己鍛練，袪病健身。你是個常人，你學了兩天你怎麼能治病？那不是騙人嗎？那不助長執著心嗎？追求名利、追求超常的東西在常人中顯示！那是絕對不允許的。所以有的人越是追求越是沒有，不允許你這樣做的，也不允許你這樣隨意破壞常人這個社會狀態的。

這個宇宙就有這麼個理，你要返本歸真的時候，人家就會幫你，他認為人的生命就是應該往回返的，而不是應該在常人中的。要叫人類甚麼病都沒有了，過的舒舒服服的，叫你當神仙你都不去了。沒有病，又沒有苦，要甚麼有甚麼，這多好，真是神仙世界了。可是你是變的不好了掉到這一步上來的，所以你不會舒服的。人在迷中容易做壞事，在佛教中叫作業力輪報。所以往往有些人他自己有了甚麼魔難，有了不好的事情的時候，都是在業力輪報中還他的業。佛教中還說，佛無處不在。一個佛一揮手，全人類的病都沒有了，這是保證能做的到的。這麼多佛怎麼就不做這件事情？因為他是以前做了不好的事欠下的，他才遭這個罪。你要給他治好了，就等於破壞宇宙的理，就等於這個人可以做壞事，欠人家的可以不還，這是不允許的。所以誰都維護著常人社會的狀態，誰都不去破壞它。唯一真正要尋找你舒舒服服的沒有病，能夠達到真正解脫的目地，就唯有修煉！叫人修正法，才是真正的普度眾生。

有許多氣功師怎麼能治病啊？他為甚麼講治病？有的人可能想到這個問題了，大多數這一類的都不是正路的。真正的氣功師出於慈悲心，出於憐憫，在修煉過程中看眾生都苦，他幫人家，這是允許的。可是他治不好，他只能暫時給你把這個病抑制住；或者是給你推移一下，現在不得將來得，把病推到後邊去；或者是給你轉化一下，轉化到你的親人身上。而真正能夠徹底的把你這個業消掉，他就做不了，不允許給常人隨便這樣做，而只能夠給修煉的人做，就是這個道理。

佛家講普度眾生這句話的涵義：是把你從常人最苦的狀態中拿到高層次上去，永遠不吃苦了，解脫了，他講的是這個涵義。釋迦牟尼不是講涅槃的彼岸嗎？這是他普度眾生的真正涵義。要叫你在常人中都享福了，錢有的是，你家的床都是錢墊起來的，甚麼罪都沒有，那叫你當神仙你都不幹了。作為一個修煉的人，可以給你改變人生道路，也唯有修煉才能改變的。

宿命通功能的形式是在人的前額部份有一個像電視機的小螢光屏。有的人在前額的這個部份；有的人離前額的距離很近；有的人在前額的裏邊。有的人閉著眼可以看到；如果它很強的話，有的人睜著眼可以看到。可是別人看不到，這是在他的空間場範圍之內的東西。也就是說，這種功能出來之後，還有一種功能作為載體，把另外空間中看到的景象反映過來，所以就在這個天目中看到了。看到一個人的將來，看到一個人的過去，看的非常準確。算卦算的再明白，小的事情、細部也推算不出來，他卻能夠看的非常清楚，年代都可以看的出來。變化的細部都可以看的出來，因為他看見的就是不同空間人或物的真實反映。

只要是修煉法輪大法的，天目人人給開。可是我們以後談到的一些功能，這個就不給開了。隨著層次不斷提高的時候，宿命通功能自然會出現，將來修煉中會遇到這種情況。出現這種功能的時候，就知道是怎麼回事，所以這些法呀、理呀我們都給講出來。

不在五行中，走出三界外

甚麼是「不在五行中，走出三界外」？這個問題說出來很尖銳。過去有許多氣功師談到這個問題，被不相信氣功的人給噎的夠嗆。「你們練功的誰走出五行了，你們誰不在三界了？」有些人他不是氣功師，他這個氣功師是自己封的。說不清楚就別說了，他還敢說，人家就堵他的嘴。給修煉界造成很大損失，造成很大的混亂，人家就藉此來攻擊氣功。不在五行中，走出三界外，是修煉界的一句話，它來源於宗教，是在宗教中産生的。所以我們不能夠脱離這個歷史背景，不能脱離當時的環境去講這個問題。

甚麼是不在五行中？我們中國古老的物理學、現在的物理學也都認為中國的五行學説是對的。金、木、水、火、土這五行構成了我們宇宙中萬事萬物，這是對的，所以我們講這個五行。説這個人走出五行，用現在的話講，就是走出我們這個物質世界，聽起來夠玄的。大家想這樣一個問題，氣功師是有功存在的。我做過試驗，許許多多的氣功師也都做過這樣的測驗，測定他的能量。因為這個功中的物質成份我們現有的很多儀器都能夠測出來，也就是氣功師發出的成份只要有那樣一種儀器存在，就能夠測定功的存在。現在的儀器可以測定紅外、紫外、超聲、次聲、電、磁、伽瑪射線、原子、中子。氣功師都有這些物質，還有些氣功師發出來的物質測定不了，沒有儀器。凡是有儀器的全部能測定出來，發現氣功師發出的物質是極其豐富的。

在一個特殊的電磁場的作用下，氣功師可以發出強大的輝光，特別漂亮。功力越高，發出的能量場越大。而常人也有，卻是很小、很小的一種輝光。在高能物理學研究中，人們認為能量就是中子、原子這些東西。許多氣功師也都測過，比較有名望的氣功師都搞過。我也被測定了，測定發出的伽瑪射線和熱中子超過正常物質放射量的八十倍到一百七十倍。這時，測試儀器的指針指到極限了，因指針到頭了，最後多大還不知道。這麼強大的中子，簡直不可思議！人怎麼會發出這麼強大的中子？這也證明我們氣功師是有功存在的，是有能量存在的，這一點在科技界得到證實了。

走出五行，還得是性命雙修的功法，不是性命雙修的功法，只長他的層次高低的功。而不修命的功法，還不存在這個問題，它不講走出五行。性命雙修功法，它的能量是在身體所有的細胞中儲存。我們一般煉功的人，剛剛長功的人，發出的能量顆粒很粗，有間隙，密度不大，所以威力很小。等到層次越高的時候，其能量密度比一般水分子還要超過百倍、千倍、億倍，都有可能的。因為層次越高，它的密度越大、越細膩，威力越大。在這樣的情況下，能量儲存在身體的每一個細胞當中，還不只是我們這個物質空間身體的每個細胞中，在其它空間所有的身體，分子、原子、質子、電子，一直到極微觀下的細胞當中，都被這種能量充實著。久而久之，人的身體就完全充滿了這種高能量物質。

這種高能量物質是有靈性的，它是有本事的。它一多了，密度一大，充滿人體所有的細胞後，它就能夠把人的肉體細胞，最無能的細胞抑制住了。一旦抑制住之後，就不會產生新陳代謝了，最後完全代替了人的肉體細胞。當然我講起來容易，要修到這一步可是個緩慢過程。你修到這一步的時候，你的身體所有細胞都被這種高能量物質給代替了，你想一想，你的身體還是五行構成的嗎？還是我們這個空間的物質嗎？它已經是從另外空間採集的高能量物質所構成的了。那個德的成份也是另外空間中存在的物質，它也不受我們這個空間的時間場的制約。

現在科學認為時間是有場存在的，不在時間場的範圍之內就不受時間的制約。另外空間它的時空概念和我們這邊都不一樣，它怎麼能制約另外空間的物質呢？根本就不起作用了。大家想一想，這個時候你不就不在五行之中了？你還是個常人的身體嗎？根本就不是了。但有一點，常人卻看不出來。雖然他身體改變到這種成度了，還不算修煉的結束，他還要繼續突破層次往上修的，所以他還得在常人中修煉，人們都看不見他可不行。

那以後怎麼辦呢？他在修煉過程當中，他所有的分子細胞雖然被高能量物質代替了，可是那個原子是有排列程序的，分子、原子核的排列程序沒有發生變化。細胞的分子排列程序就是那樣一個狀態，摸上去是軟的；骨頭的分子排列程序密度要大，摸上去是硬的；血液的分子密度就非常小，它就是液體。常人從表面上看不出你的變化來，他的分子細胞還保持著原來那樣一種結構和排列程序，他的結構沒有發生變化，可是他裏邊的能量發生改變了，所以這個人從此以後不會自然衰老，他的細胞不會消亡，那麼他就青春長駐了。在修煉過程中，人會顯的年輕，最後就定在那裏了。

當然，那個身體要碰到汽車說不定還會骨折，拉一刀還會出血。因為他的分子排列程序沒有變，只是他不會自然消亡，不會自然老化，沒有新陳代謝，這就是我們所說的走出五行。這裏哪有甚麼迷信？用科學道理都可以解釋的通的。有些人說不清楚就隨便說，人家就要說你搞迷信。因為這句話它來源於宗教，不是我們現代氣功起出來的名詞。

甚麼是走出三界？我那天講了，長功的關鍵是我們修煉了心性，同化於宇宙的特性，宇宙的特性對你不進行制約了，你的心性升上來了，那個德的成份就演化成功。不斷的向上長，向上升，昇華到高層次上之後，就形成一根功柱。這根功柱有多高，你的功就有多高。有這樣一句話：大法無邊，全憑你那顆心去修，看你能修多高，全靠你的忍耐力和吃苦能力。你自身的白色物質用完了，你自己的黑色物質經過吃苦它也可以轉化成白色物質。還不夠用，親朋好友的，他不修煉，你替他承擔罪過，你也可以長功，這是指修煉到極高層次的人。一個常人修煉你可不要有替親人承擔罪過的想法，那樣大的業力一般人是修不成的。我這裏講的是不同層次的理。

宗教中所說的三界，是說九層天或者三十三層天，也就是說天上、地上、地下，構成了三界內眾生。它講三十三層天內的一切生物都要進行六道輪迴。六道輪迴的意思就是今生是人，下生說不定是動物了。佛教中講：要抓緊有生之年，現在不修甚麼時候修？因為動物是不允許修煉的，是不允許聽法的，修了也不得正果的，功高還要遭天殺。你幾百年得不到一個人體，上千年得到一個人體，得到一個人體也不知道珍惜了。你要托生成一個石頭萬年不出，那個石頭不粉碎了，不風化了，你是永遠出不來，得個人體多不容易啊！要真能夠得大法，這個人簡直太幸運了。人身難得，講這個道理。

我們煉功講層次問題，這個層次全憑自己去修煉，如果你想超出它的三界，你的功柱修的很高很高的，你不就突破它的三界了嗎？有的人打坐元神離體的時候，一下子上了很高。有的學員給我寫心得體會談到：老師，我上了多少多少層天，我看到甚麼景象了。我說你再往高上一上。他說：我上不去了，不敢上了，再也上不去了。為甚麼？因為他的功柱就那麼高，他是坐著他的功柱上去的。

這就是佛教中講的果位，修到那個果位上去了。可是這對修煉人來說，還不是到了果位的頂點。他還在不斷的往上升，不斷的昇華，不斷的提高。你的功柱要突破了三界的界限，你不就走出三界了嗎？我們測定了一下，發現宗教所說的三界，只不過是我們九大行星範圍之內。有人講十大行星，我說那根本不存在的。過去的那些氣功師，我看有的功柱衝到銀河系以外，相當高，那個三界在他早就過去了。我剛才講到的這個走出三界外，其實就是個層次問題。

有所求的問題

有許多人抱著有求之心走入我們修煉場的。有的人抱著求功能，有的人想聽聽理論，有的人想治病，還有的人想來得個法輪，甚麼心態都有。還有的人說：我們家還有人沒來參加學習班，我給點學費，你給他個法輪吧。我們經過了多少代的人，經過了一個極其久遠的年代，講出來的數字都很嚇人的，這樣一個久遠年代形成的東西，你花幾十元錢就買個法輪？我們為甚麼能無條件的給大家呢？就是因為你要做個修煉的人，這顆心是用多少錢都買不來的，是佛性出來了，我們才這樣做的。

你抱著有求之心，你就是為了這個東西來的嗎？你思想中想的是甚麼，在另外空間裏我的法身甚麼都知道。因為兩個時空的概念不一樣，在另外空間裏看，你的思維構成是一個極其緩慢的過程。在你想之前，他都能夠知道，所以你得把你不正確的思想都放棄掉。佛家是講緣份的，大家都是緣份化來的，得到了這可能就應該你得，所以你要珍惜，不要抱著任何有求之心。

過去宗教修煉，佛家講空，甚麼也不想，入空門；道家講無，甚麼也沒有，也不要，也不追求。煉功人講：有心煉功，無心得功。抱著一種無為的狀態修煉，只管修煉你的心性，你的層次就在突破，你該有的東西當然就有。你放不下，不就是執著心嗎？我們這裏一下子傳這麼高的法，當然對你的心性要求也是高的，所以不能抱著有求之心來學法。

為了對大家負責任，我們是往正路上領大家，這個法得給你講透。有人求天目的時候，這個天目自己會堵，會把你自己封起來。而且我還告訴大家，在世間法修煉的時候，人所出的一切功能都是肉身所自帶的一種先天的本能，我們現在叫作特異功能。它只能在現有的空間，我們這個空間之內發揮它的作用，制約於常人。這些小能小術你追求它幹甚麼？追求來追求去，到了出世間法以後，在另外的空間裏不起作用。到走出世間法修煉的時候，所有這些功能全部都得扔掉，把它們壓入一個很深的空間中去，存放起來，作為你將來修煉過程中的一個記載，只能起這麼一點作用。

走出世間法以後，人要從新修煉。那種身體就是我剛才講的走出五行的身體，他是一個佛體。那種身體還不叫作佛體嗎？這個佛體得從新開始修煉，從新開始出功能，他不叫功能，叫作佛法神通。他威力無窮，制約於各個空間，是真正發揮效力的東西，你說你還追求功能有甚麼用？凡是追求功能的人，你是不是想在常人中去用，在常人中去顯示，不然你要它幹甚麼？看不到、摸不著，當個擺設還得找個好看的東西呢！保證在你的潛在意識中有想用它的目地。它是不能夠當作常人中的技能來求的，它完全是一種超常的東西，是不能夠叫你在常人中顯示的。顯示本身就是一種很強的執著心，非常不好的心，是修煉人要去的心。你要用它掙錢，要用它發財，在個人奮鬥中達到你常人中的目標，那就更不行。那是用高層次的東西干擾常人社會，破壞常人社會，想法更壞，所以就不允許隨便使用的。

往往我們出功能在兩頭比較多，小孩和年歲大的老人。特別是年歲大的婦女，往往心性能把握的住，她在常人中沒有甚麼執著心。出了功能之後，她容易把握，沒有那個顯示心理。年輕人為甚麼不容易出呢？特别是男青年，他還想在常人社會中奮鬥一番，還要達到甚麼目標呢！一旦出了功能，就會運用它，實現他的目地，作為他實現目地的一種本事了，那是絶對不允許的，所以他就不會出功能。

修煉的事情，可不是一個兒戲，也不是常人中的技能，是個非常嚴肅的事情。你想不想修，你能不能修，全看你自己的心性如何去提高了。如果這個人真正要是能夠把功能求來，那可壞了。你看他甚麼修煉不修煉，根本不去想這個事情了。因為他的心性在常人基礎上，功能還是求來的，他可能甚麼壞事都會幹了。銀行有的是錢，搬點來；大街上獎券有的是，摸它個一等獎。為甚麼没有這種事情存在呢？有的氣功師講：不重德出了功能容易幹壞事。我說這是錯誤的說法，根本就不是那麼回事兒。你不重德，不修心性，根本就不會出功能。有的人心性好，在哪個層次上一旦出了功能，後來他把握不住，做了不該做的事，也有這種現象存在。但是他一做壞事，功能就減弱或没了。這一丢就永遠的丢了，而且最嚴重的是能夠使人起執著心。

有的氣功師講，學他的功三天能治病、五天能治病，像做廣告一樣，這叫氣功商。大家想一想，你是一個常人，你發點氣就能把別人的病給治了？常人身上也有氣，你也有氣，你剛剛練功，只不過你的勞宮穴打開了，能納氣能發氣。你去給別人治病的時候，別人身上也是氣，說不定給你治了呢！氣與氣之間哪有制約作用？氣根本就治不了病。而且你在給他治病時，你和病人形成一個場，病人身上的病氣全都跑到你身上來了，一樣的多，根雖然在他身上，病氣要是多了也會導致你得病的。你一旦覺的你能治病的時候，你會開門去給人治病，來者不拒，你會起執著心的。給人看好病，多高興！為甚麼能看好？你沒想一想，假氣功師身上都有附體，為了讓你相信，給了你那麼一點信息。你治了三個五個、十個八個就沒了。它是一種能量的消耗，從此以後這點能量再也沒有了。你自己沒有功，哪來的功啊？我們氣功師經過幾十年修煉，過去修道很不容易的。不抓住正法門去修，在偏門上修，在小道上修，是相當難的。

你看有些大氣功師挺出名的，一修幾十年，才能修出來那麼一點點功。你沒有修，參加個學習班你就來功了？哪有那個事？你從此以後產生執著心了。執著心一出，你治不好病，你要著急。有的人為了保住自己的名，甚至於他看病的時候想甚麼呢？這個病叫我得了吧，讓他的病好。那不是出於慈悲心，他那個名利心根本就沒有去，根本就生不出慈悲心來。他怕自己丟名，恨不得讓自己得這個病，他都怕丟這個名，求名的心多強啊！他這個願望一發出，那好，那個病一下子就轉化到他身上來了，真起了這個作用，他回家得病去，人家好了，給別人看完病自己回家難受去。你覺的治好了病，別人叫你一聲氣功師，你高興的沾沾自喜，美壞了。這不是執著心嗎？治不好病時垂頭喪氣，這不是名利心在起作用嗎？而且你所看的病人的病氣都會跑到你身上來。那個假氣功師教你怎麼怎麼往外排，我告訴你，根本就排不出去，一點都排不出去，因為你自身沒有辨別好氣壞氣的能力。久而久之，你身體裏面全是黑的，那就是業力。

真正修煉的時候，你可就夠嗆了，你怎麼辦？你得吃多少苦才能把它轉化成白色物質呀？很難的，特別是根基越好的人越容易出這個問題。有的人一味的追求治病、治病。你有所求，那個動物可就看見了，它就要上來，這就是附體。你不是要治病嗎？叫你治。可是它可不是無緣無故叫你治的，不失者不得，很危險的，最後你把它招來了，你還修煉甚麼？就徹底完了。

有些根基好的人是用自己的根基跟人家換業。那人是有病的，他的業力大，你要治一個重病人，你看完病回家別提多難受了！我們很多在過去看過病的人就有這種感覺，病人好了，可你回家大病一場。時間長了，業力轉換過來多了，你給人家德換業力，不失不得嘛。別看你要的是病，業也得用德去交換。這個宇宙中可有這個理，是你自己要的，誰也管不了，也不能說你好。

宇宙中有一個特定的東西，就是誰業力多誰就是壞人。你是用自己的根基給他轉換業力，業力多了還修煉甚麼？你的根基整個都被他毀了。那不可怕嗎？別人病好了，他舒服了，你回家難受去。你要是看好倆個癌症病人，你自己就得替他去了，這不危險嗎？就是這樣的，很多人不知道其中的道理。

有些假氣功師，你不要看他名聲多大，有名的名不一定是明白的明。常人知道甚麼呢？一幫哄，就相信了。你別看他現在這樣做，他不但害人，他也害他自己，過一兩年你看他甚麼樣，修煉是不允許這樣破壞的。修煉能治病，但不是為用來治病的。它是一種超常的東西，不是我們常人中的技能，你把它拿來隨意這麼破壞是絕對不允許的。現在有些假氣功師真是搞的烏煙瘴氣，把氣功作為求名發財的手段，他是搞擴大勢力的邪惡團體，比真正的氣功師多出許多倍來，常人都這麼說、這麼幹，你就相信了？認為氣功就是這樣的，不是的。我講的可是真正的理。

常人在人與人之間發生各種社會關係的時候，為了個人利益做了壞事，欠下了東西，就要去承受償還。假如說，你隨便治，你就是真能治好的話，那能允許嗎？佛無處不在，那麼多的佛怎麼不做這件事情啊？他叫人類都舒舒服服多好！他為甚麼不做呢？人自己的業力就得自己還，誰都不敢破壞這個理的。個人在修煉過程中，可能他出於慈悲偶爾幫助人一下子，但那也只不過把病往後推了一下。你現在不遭罪以後遭罪，或者給你轉換一下子，你不得病你丟錢、遭災，可能是這樣。真正能做這件事情的，一下子把那個業給你消掉了，那只限於修煉的人，而不能給常人做。我這裏可不是在講我這一家的理，我是在談我們整個宇宙的真理，我在談修煉界的實際情況。

我們這裏可不教你治病，我們是往大道上、正路上領你，往上帶你。所以我在辦班的時候都講，法輪大法的弟子都不允許看病，你看病就不是我法輪大法的人。因為我們往正路上帶你，在世間法的修煉過程當中一直在給你淨化身體，淨化身體，淨化身體，直到被高能量物質完全轉化。你還自己往身上整那些黑東西，你怎麼修煉哪？那是業力呀！根本就不能修煉了。給你弄多了，你承受不住，吃苦吃的太大你就不能修了，就是這個道理。我把這個大法傳出來，你可能還不知道我傳的是甚麼東西。這個大法既然能傳出來，就有辦法去保護他。你要是給人看病，你身體裏所下的一切修煉的東西，我的法身就全部收回來。不能叫你為了名利隨便毀壞了這麼珍貴的東西。不按法的要求做，就不是我們法輪大法的人，你的身體還給你退回到常人的位置上去，把不好的東西歸還給你，因為你要當常人。

從昨天開始聽完課之後，我們很多人感到一身輕。但是極少數病重的人先行了，昨天開始難受了。昨天我把大家身體上不好的東西摘掉後，我們大多數人感到一身輕，身體非常舒服。可是，我們這個宇宙中有個理叫不失不得，不能夠全部都給你拿下去，你一點不承受這是絕對不允許的。也就是說你病的根本原因、身體不好的根本原因我們給你拿掉了，可是你還有一個病的場。在天目層次開的很低的時候，看到身體裏有一團一團的黑氣，混濁的病氣，它也是一個濃縮了的、濃度很大的一個黑氣團，它一旦散開會充滿你整個身體的。

從今天開始，有的人會感到全身發冷，像得了重感冒一樣，可能骨頭都得疼。大多數人會感覺到局部不舒服，腿疼、頭暈。以前你有過病的地方可能覺的練氣功練好了，也可能哪個氣功師給看好了，但又從新翻出來了。那是因他沒給你治好，只是給你往後推了，還在那個位置上，叫你現在不犯，將來犯。我們都得把它翻出來，都得給你打出去，全部從根上去掉。這樣一來，可能你覺的病又犯了，這是從根本上去業，所以你會有反應，有的人會有局部的反應，這麼難受，那麼難受，各種難受都會上來，都是正常的。我告訴大家，不管怎麼難受，千萬要堅持來聽課，只要你走進課堂，你甚麼症狀都沒了，不會出現任何危險。這一點跟大家說，你覺著「病」的怎麼難過，希望你都堅持來，法難得。你越難受的時候說明物極必反，你整個身體要淨化了，必須全部淨化了。病根已經摘掉了，就剩這點黑氣讓它自己往出冒，讓你承受那麼一點難，遭一點罪，你一點不承受這是不行的。

在常人社會中為了名、利，人與人之間的爭奪，你睡不好、吃不好，你把身體已經搞的相當不像樣了，在另外的空間看你的身體，那骨頭都是一塊塊黑的。就這樣的身體，一下子給你淨化出來，一點反應沒有也不行，所以你會有反應。有的人還會連拉帶吐。過去有許多地方的學員給我寫心得體會中提到這個問題說：老師啊，我從學習班聽完課回家，一路上盡找廁所，一直找到家。因為內臟都得淨化。有的個別人還會睡覺的，我講完了他也睡醒了。為甚麼呢？因為他腦袋裏邊有病，得給他調整。腦袋要調整起來，他根本受不了，所以必須得讓他進入麻醉狀態，他不知道。但有的人聽覺部份沒問題，他睡的很香，可是卻一個字沒落，都聽進去了，人從此精神起來了，兩天不睡覺也不睏。都是不同狀態，都要調整的，整個身體全部要給你淨化。

真正煉法輪大法的人，你能夠把心放的下的時候，從現在開始都有反應。放不下的那些人哪，他嘴上說放下了，他其實根本放不下，所以就很難做的到。也有一部份人到後來聽明白了我講課的內容，他放下了，身體淨化了，別人都一身輕了，他才開始祛病，才開始難受起來了。每個班上都有這種落後的，悟性差一點的，所以你不管遇到甚麼情況都是正常的。在其它地方辦班的時候，都出現這個情況，有的人很難受，趴在椅子上不走，等我從講台上下來給他治。我不會動手治的，就這一關你都過不去，今後在你自己修煉的時候，你會出現許多大難的，這都過不去，你還修煉甚麼呢？這麼點事你還過不去嗎？都能夠過的去的。所以大家不要再找我治病，我也不治病，你一提「病」這個字，我就不願聽。

人就是很難度的，每個班上總是有那麼百分之五、百分之十的人跟不上。人人都得道是不可能的，就是都能夠堅持煉下去的人，還要看你能不能夠修的出來，還得看你能不能下決心修，人人成佛這不可能。真修大法的，看書一樣會有同樣狀態出現，同樣得到應該得到的一切。

第三講

我把學員都當作弟子

大家知道嗎？我做了一件甚麼事情啊？我把所有的學員都當作弟子來帶，包括自學能真正修煉的人。往高層次上傳功，不這樣帶你不行，那就等於不負責任，亂來了。我們給你這麼多東西，叫你知道了這麼多常人不該知道的理，我把這個大法傳給你，還要給你許許多多的東西。身體給你淨化了，而且還牽扯其它的一些問題，所以不把你當作弟子帶，根本就不行的。隨隨便便就給一個常人洩露這麼多天機，那是不允許的。但是有一點，現在時代也變了，咱們也不搞磕頭做揖的那種形式了。那種形式沒有甚麼用，搞起來像宗教一樣，我們不搞這個。因為你就是磕頭了，拜師了，你出了門還是我行我素，在常人中你該幹甚麼還幹甚麼，為了你的名利，你去爭，你去鬥，那有甚麼用？你可能還會打著我的旗號，敗壞大法名譽呢！

真正修煉的事情是全憑你這顆心去修的，只要你能夠修，只要你能夠踏踏實實的堅定的修下去，我們就把你當作弟子帶，不這樣對待都不行的。但是有些人，他不一定能夠真正的把自己當作修煉的人修下去，有些人是不可能的。但是很多人會真正的修煉下去的。只要你修下去，我們就把你當作弟子帶。

天天光煉這幾套動作，就算是法輪大法的弟子了嗎？那可不一定。因為真正修煉得按照我們所說的那個心性標準去要求的，得真正的去提高自己的心性，那才是真正的修煉。你光去煉那些動作，心性提高不上來，沒有強大的能量加持一切，談不上修煉，我們也不能把你當作法輪大法的弟子。你長此下去，別看你煉功，不按照我們法輪大法的要求，你不提高心性，在常人中你還是我行我素，說不定你還會遇到其它麻煩事，弄不好你還會說煉我們法輪大法把你煉偏了，這都是可能的。所以你得真正按照我們心性標準的要求去做，那才是真正修煉的人。我跟大家講清楚了，所以大家再也不要找我做甚麼拜師這些形式上的事情，你只要真正的修，我就這樣對待你。我的法身已經多的無法計算了，別說這些學員，再多我也管的了。

佛家功與佛教

佛家功不是佛教，這一點我給大家講清楚，其實道家功也不是道教。我們有些人老是搞不明白這些事情。有些人是廟裏的和尚，也有一些是居士，他覺的他對佛教中的事知道的多一些，他就在我們的學員中大肆宣傳佛教中的事情。我告訴你，你不要這樣搞，因為這是不同法門中的東西。宗教有宗教的形式，而我們這裏是傳我們這一法門修煉的一部份，除法輪大法專修弟子外不講宗教形式，所以不是末法時期的佛教。

佛教中的法只是佛法中的一小部份，還有許多高深大法，各個層次中還有不同的法。釋迦牟尼講，修煉有八萬四千法門。佛教中才有幾個法門，它只有天台宗、華嚴宗、禪宗、淨土、密宗等等這麼幾個法門，連個零頭還不夠呢！所以它概括不了整個佛法，它只是佛法的一小部份。我們法輪大法也是八萬四千法門中的一法門，和原始佛教以至末法時期佛教沒有關係，和現在的宗教也沒有關係。

佛教是二千五百年前在古印度由釋迦牟尼創立的。當時釋迦牟尼在開功開悟之後，他記憶中想起了他自己以前修煉的東西，把它傳出來度人。他那一法門不管出了多少萬卷經書，其實就三個字，他那一法門的特點就叫作「戒、定、慧」。戒，就是戒去常人中的一切慾望，強制的讓你失去對利益的追求，斷絕世俗間的一切東西等等。這樣他的心就變的空了，甚麼也不想了，也就能夠定的下來，它是相輔相成的。定下來之後，要打坐實修，靠定力往上修，這就是那一法門真正修煉的部份了。他也不講手法上的東西，不改變自身的本體。他只是修他層次高低的這個功，所以一味的修煉他的心性，不修命也就不講功的演化。同時他在定中增強他的定力，在打坐中吃苦，消他的業。慧，那就是指人開悟了，大智大慧了。看到宇宙的真理了，看到宇宙各個空間的真相了，神通大顯。開慧、開悟，也叫開功。

當時釋迦牟尼創立這一法門的時候，在印度有八種宗教同時流傳。有一種根深蒂固的宗教叫婆羅門教。釋迦牟尼在有生之年，一直和其它宗教發生著意識形態上的鬥爭。因為釋迦牟尼傳的是正法，所以在整個傳法過程當中，他傳的佛法越來越強盛。而其它宗教就越來越衰弱，就是那個根深蒂固的婆羅門教也處於瀕臨滅亡的狀態。但是到釋迦牟尼涅槃以後，其它宗教又開始興盛起來，特別是婆羅門教，又從新開始興盛。而佛教中卻出現了一種甚麼情況呢？有些僧人在不同層次中開了功了，開了悟了，可是開的層次比較低。釋迦牟尼達到了如來那個層次，而許多僧人沒有達到這個層次。

在不同層次中佛法有不同的顯現，但是越高越接近真理，越低離真理越遠。所以那些僧人在低層次上開功開悟了，他們就用自己在那個層次中看到宇宙中的顯像，了解到的情況和悟到的理，去解釋釋迦牟尼講過的話。也就是說，有的僧人對釋迦牟尼所講過的法進行這麼解釋，那麼解釋。還有一些僧人用自己所參悟的東西當作釋迦牟尼的話在講，不去講釋迦牟尼原來的話了。這樣致使佛法面目皆非，根本就不是釋迦牟尼所傳的法了，最後就使佛教中的佛法在印度消失了。這是一次重大的歷史教訓，所以後來印度反倒沒有佛教了。在消失之前佛教經過多次的改良，最後結合了婆羅門教的東西，在印度形成了一種現在的宗教，叫印度教。也不供奉甚麼佛了，供奉另外一些東西了，也不信釋迦牟尼了，它是這樣一種情況。

佛教在發展過程中，出現了幾次比較大的改良。一個是在釋迦牟尼不在世之後不長的時間，有人根據釋迦牟尼講過的高層次的理，創立了大乘佛教。認為釋迦牟尼公開講的法是講給一般人聽的，用於自身解脫，達到羅漢果位，不講普度眾生，就把它叫作小乘佛教。東南亞國家的和尚保持了原始的釋迦牟尼時代的修煉方法，我們漢地把它叫作小乘佛教。當然他自己是不承認的，他們認為他們是繼承了釋迦牟尼原有的東西。確實是這樣的，他們基本上繼承了釋迦牟尼時代的修煉方法。

經過改良的這種大乘佛教傳入我們中國後，在我們中國就固定下來了，就是當今在我們國家所流傳的這種佛教。它實際上和釋迦牟尼時代的佛教已經面目皆非了，從裝束上一直到整個參悟狀態、修煉過程都發生變化了。原始佛教只把釋迦牟尼作為祖尊來供奉的，可現在的佛教出現了眾多的佛和大菩薩等，而且是多佛的信仰。出現了對很多的如來佛的信仰，成了一種多佛的佛教。如阿彌陀佛、藥師佛、大日如來等等，也出現了許多大菩薩。這樣一來整個的佛教就和當初釋迦牟尼創立的時候已經完全不一樣了。

在這期間還發生過一種改良過程，由龍樹菩薩傳出了一種密修方法，從印度經過阿富汗，然後進入我們新疆傳入漢地，正好是唐代，所以把它叫作唐密。因為我們中國受儒家影響比較大，道德觀念和一般的民族不一樣。這個密宗修煉法中有男女雙修的東西，不能夠被當時的社會所接受，所以在唐代會昌年間滅佛的時候就把它給鏟除了，唐密在我們漢地就消失了。現在日本有叫作東密的，當時就是從我們中國學去的，可是他沒有經過灌頂。按密宗講，沒有灌頂的學了密宗的東西，就屬於盜法，不承認是親授的。另一支由印度、尼泊爾傳入西藏，叫藏密，一直流傳到現在。佛教基本上就是這麼個情況，我極簡單的、概括的說了一下它的發展演變過程。整個佛教在發展過程中，還出現了像達摩創立的禪宗，還有淨土宗、華嚴宗等等，都是按著釋迦牟尼當時所講過的東西參悟出來的，這些也屬於改良的佛教。佛教中有這麼十幾個法門，它都走入了一種宗教形式，所以它都屬於佛教。

本世紀所產生的宗教，何止是本世紀，前幾個世紀在世界各地有許多新教產生，這些大多都屬於假的。大覺者們度人，都有自己的一個天國，釋迦牟尼、阿彌陀佛、大日如來等等，這些個如來佛他們度人，都有一個自己主持的世界。在我們這個銀河系，這樣的世界有一百多個，我們法輪大法也有法輪世界。

有些假的法門度人往哪度啊？它度不了人，它講出來的不是法。當然有一些人創立了宗教，初期的目地他不想當一個破壞正教的魔。他在不同層次開功開悟了，看到一點理，可是他離度人的覺者差遠去了，他很低。他發現一些理，發現常人中的一些事是錯的，他也告訴人家怎麼去做好事，開始時也不反對其它宗教。人家最後信奉他了，認為他講的有道理，然後越來越相信他了，結果這些人崇拜他，不崇拜宗教了。他自己名利心一起來，叫大眾把他封為甚麼東西，從今以後他立起來一個新的宗教。我告訴大家，這些都是屬於邪教，即使它不害人，它也是邪教。因為它干擾了人們信正教，正教是度人的，它卻不能。久而久之發展下去，背地裏幹壞事。最近有許多這類的也流傳到我們中國來了，如所謂的觀音法門就是其中的一個。所以大家千萬注意，據說在東亞某國有二千多種，在東南亞和其它西方國家，信甚麼的都有，有一個國家就直接了當的有巫教。這些東西都是末法時期出現的魔。末法時期不只是指佛教，是指一個很高層次往下很多空間都敗壞了。末法不只是指佛教末法，而是人類社會沒有維持道德的心法約束了。

修煉要專一

我們講修煉要專一，你不管怎麼去修，都不能夠摻雜進去其它的東西亂修。有的居士，他又修佛教中的東西，又修我們法輪大法的東西。我告訴你，最後你啥也得不著，誰也不會給你的。因為我們都是佛家的，可這裏有個心性問題，同時又有專一的問題。你只有一個身體，你的身體產生哪一門的功？怎麼給你演化？你要去哪裏？你按哪一法門修你就是去哪裏。你按照淨土修，那你就是去了阿彌陀佛的極樂世界；你按照藥師佛的修，那麼你就去了琉璃世界，在宗教中就是這樣講的，叫作不二法門。

我們這裏講的煉功，也確實是整個功的演化過程，都是按它自己那個修煉法門走的。你說你往哪走吧？你腳踩兩隻船，甚麼也得不到。不但煉功和廟裏修佛之間不能夠混，修煉方法之間、氣功與氣功之間、宗教與宗教之間也不能夠混。就是同一宗教，其間的幾個法門也不能混同的修，只能選定一法門。你修淨土，那就是淨土；你修密宗，那就是密宗；你修禪宗，那就是禪宗。你如果腳踩兩隻船，又修這個，又修那個，甚麼也得不到。也就是說在佛教中都要講不二法門，也不允許你摻著修的。它也是煉功，它也是修煉，它的功的生成過程都是按它自己那一法門中所修煉的、所演化的過程在走。在另外空間裏也有一個功的演化過程，也是一個極其繁雜極其玄妙的過程，也不能夠隨便的摻進其它東西去修的。

有些居士，一聽到是煉佛家功，就拉著我們的學員到廟裏皈依。我告訴你，我們在座的學員，誰也不要去做這樣的事。你破壞我們的大法，也破壞佛教中的戒律，同時你也在干擾學員，你使人家甚麼也得不到，這就不行。修煉是個嚴肅的問題，一定要專一。我們在常人中傳的這部份，雖然不是宗教，可是修煉的目標是一致的，都是要達到開功、開悟，功成圓滿這樣一個目地。

釋迦牟尼講，到末法時期，寺院中的僧人都很難自度，何況居士，更沒有人管了。別看你拜了師了，那個所謂的師也是個修煉的人，他不實修也白搭，不修這顆心，誰都上不去。皈依是常人中的形式，你皈依了就是佛家的人了？佛就管你了？沒有那個事。你天天磕頭把頭磕破了，一把一把的燒香，也沒有用，你得真正實修你那顆心才行。到了末法時期，宇宙已經發生了很大的變化，甚至連宗教信仰的地方也不行了，有功能的人（包括和尚）也發現了這個情況。目前全世界只有我一個人在公開傳正法，我做了一件前人從來沒有做過的事情，而且在末法時期開了這麼一個大門。其實是千年不遇的，萬年不遇的，但能不能度也就是能不能修還得靠自己，我講的是一個龐大的宇宙的理。

我也不是叫你非得去學我這個法輪大法不可，我講的是一個理。你要修煉，你就必須專一，不然的話，你根本就修煉不了。當然你要不想修煉的話，我們也不管你了，法是講給真正修煉的人聽的，所以一定要專一，連其它功法的意念都不能夠摻雜進去的。我這裏不講意念活動，我們法輪大法沒有任何意念活動，所以大家也不要往裏邊加甚麼意念的東西。一定要注意這一點，基本沒有意念活動，佛家講空，道家講無。

我有一次把自己的思想和四、五個層次極高的大覺者、大道連在一起。要說高呢，在常人看來簡直高的聳人聽聞。他們想知道我心裏想的是甚麼。我修煉這麼多年，別人想知道我的思想根本不可能，別人的功能根本就打不進來。誰也知道不了我，他也知道不了我想甚麼，他們想了解我的思想活動，所以他們經過我同意，有一個階段把我的思想和他們連上。連上之後，我有點受不了，不管我層次多高，也不管我層次多低，因為我在常人中，我還做著一種有為的事情，度人的事情，心在度人。

可是他們那顆心靜到甚麼成度啊？靜到一種可怕的成度。你要一個人靜到這種成度還行，四、五個人坐在那裏邊，都靜到那種成度，像一潭死水甚麼都没有，我想感受他們感受不了。那幾天我真的心裏頭很難受，就感到那麽一種滋味。我們一般人想像不到，感覺不到的，完全是無為的，是空的。

在很高層次上修煉根本就没有意念活動，因為你在常人打基礎這個層次上，那套基礎已經打完了。到了高層次上修煉，特別是我們的功法是自動的，完全都是自動的修煉。你只要提高你的心性，你的功就在長，你甚至於不需要做任何手法了。我們的動作是加強自動的機制，為甚麽在禪定中他老是打禪不動呢？根本就是無為的了。你看道家講這個手法、那個手法，甚麽意念活動、意念引導。我告訴你，道家稍微跳出那個氣的層次之後，就甚麽都没有了，根本就不講這個意念、那個意念。所以有些練過其它氣功的人他老放不下甚麽呼吸呀、意念呀等等。我教給他大學的東西，他老是問我小學生的事，怎麽引導啊，怎麽意念活動啊，他已經習慣於這樣了，他認為氣功就是這樣，其實不是這樣的。

功能與功力

我們有許多人對氣功中的名詞認識不清楚，也有些人老是混淆不清。他把功能說成功力，功力說成功能。我們靠自己的心性所修出來的這種功，是同化了宇宙特性，自己的德在演化成功。這就決定了一個人層次高低、功力大小，他的果位高低的問題，這就是最關鍵的功。在修煉的過程當中，人會出現一種甚麼狀態？就是可以出現一些特異功能，我們簡稱叫作功能。剛才我所說的提高層次的功，叫作功力。層次越高功力越大，功能越強。

功能只是修煉過程的副產品，它不代表層次，不代表一個人的層次高低、功力大小，有的人可能出的多一些，有的人出的少一些。而且功能也不是作為一種主修的東西來追求所能得到的。這個人必須確定了他真正要修煉的同時，他才能夠出功能的，不能當作主要的目地去修。你要煉這些東西幹甚麼？就想在常人中用？那是絕對不能讓你隨便在常人中用的，所以你越求越沒有。因為你是在求，求本身就是執著心，修煉要去的就是執著心。

有很多人在修煉到很高深境界當中，他沒有功能。師父給他鎖著，怕他把握不好自己做了壞事，所以一直不讓他施展他的神通，這樣的人是相當多的。功能是受人的意識所支配的。當人睡覺的時候，可能把握不住自己，做個夢說不定第二天早上就天翻地覆了，那就不允許。因為是在常人中修煉，所以凡是有大功能的一般都不允許用，大多數是鎖上的，但也不是絕對的。有很多修煉的不錯的人，能把握好自己的，是允許有一部份功能的。這樣的人，你叫他把功能拿出來隨意顯示，他絕不會拿出來的，他能夠把握的住自己。

返修與借功

有的人沒有煉過功，或者只是在哪個氣功學習班上學了那麼兩下子，可那都是屬於祛病健身的，也不是甚麼修煉。也就是說，這些人他沒有得過真傳，可是他突然在一夜之間來了功了。我們就講一講這種功是怎麼來的，有幾種形式。

有一種是屬於返修的。甚麼是返修？就是我們有些人年歲比較大了要修煉，從頭修已經來不及了。在氣功高潮中他也想修煉，他知道氣功可以為別人做好事，同時自己也可以得到提高，他有這樣一種願望，想要提高，想要修煉。可是前些年在氣功高潮中，那些氣功師都是普及氣功，而沒有人真正的去傳高層次上的東西。就是到今天為止，真正公開在高層次上傳功，也只有我一個人在做，沒有第二個人。凡是返修的，都是五十歲往上的，年齡比較大的人，根基非常好，身上帶的東西很好，幾乎都是人家要教的徒弟，承傳的對像。可是這些人歲數大了，想要修了，談何容易！上哪去找師父？但是他一想修煉，這顆心就這麼一想，就像金子一樣發亮，震動十方世界。人們說佛性佛性的，就是指這個佛性出來了。

在高層次上看，人的生命不是為了當人。因為人的生命是在宇宙空間中產生的，是和宇宙的真、善、忍特性同化的，是性本善的、善良的。可是由於生命體多了之後，他也產生了一種社會的關係，所以從中有些人就變的自私或不好了，就不能在很高的層次上呆了，就往下掉，掉到一個層次中。在這個層次中他又變的不好了，再往下掉，往下掉，最後就掉到常人這個層次中來了。掉到這層次上，是要把人徹底銷毀的，可是那些大覺者們出於慈悲，決定在最苦的環境中再給人一次機會，就創造了這麼一個空間。

在其它空間的人都不存在這樣的身體，他可以飄起來，他還可以變大、縮小。而這個空間讓人有這樣一個身體，我們這個肉身。有了這個身體之後，冷了不行，熱了不行，累了不行，餓了不行，反正是苦。有病了你要難受，生老病死的，就是讓你在這個苦中還業，看你還能不能返回去，再給你一個機會，所以人就掉在迷中來了。掉到這裏邊來之後，給你創造了這雙眼睛，不讓你看到其它的空間，看不到物質的真相。你要能夠返回去，最苦也就最珍貴，在迷中靠悟往回修苦很多，返回去就快。你要再壞下去，生命就要銷毀了，所以在他們看來，人的生命，當人不是目地，是叫你返本歸真，返回去。常人悟不到這一點，常人在常人社會中，他就是常人，想怎麼發展，怎樣過的好。他越過的好，他越自私，就越想佔有，他越和宇宙的特性相背離，他就走向滅亡。

在高層次上就是這樣看的，你覺的往前進，實際上是往後退。人類覺的在發展科學在進步，其實也只不過是按著宇宙規律在走。八仙中張果老倒騎驢，很少人知道他為甚麼倒騎驢。他發現往前走就是後退，他就掉過來騎。所以有些人一想修煉的時候，覺者們就把這個心看的極其珍貴，就可以無條件的幫助。就像我們今天坐在這裏的學員，你要修煉我可以無條件的幫你。但是作為一個常人，你想看病，想求這個，求那個，就不行，就不能幫你。為甚麼呢？因為你想做常人，常人就是應該生老病死，就是應該那樣，一切都是有因緣關係的，不能夠打亂的。一個人在你的生命中本沒有修煉，現在你想修煉了，那麼就要從新給你安排以後的路，就可以給你調整身體。

那麼人要想修煉，這個願望一出，覺者們看見了，簡直太珍貴了。可是怎麼去幫呢？世間哪有師父教？又是五十多歲的人了，大覺者們不能教，因為他要給你顯現出來教你，給你講法、教功，那是洩露天機，他也得掉下來的，人自己幹壞事掉到迷中來了，就得在迷中悟著修，所以覺者不能教。看著活生生的佛給你講法，又教你功，十惡不赦的人都會來學，誰都會相信了，那還悟甚麼呢，就不存在悟的問題了。因為人是自己掉到迷中來的，應該毀滅的，給你一次在這迷中讓你往回返的機會。能返回去就返回去，返不回去，那就是繼續輪迴和毀滅。

路是自己走，你要想修煉怎麼辦？他想個辦法，因為當時氣功出現高潮，這也是一種天象的變化。所以為了配合這種天象，人家就在他心性所在的位置上給他加功，給他往身上加上一種軟管道，像自來水龍頭一樣，打開之後它就來。他要想發功功就來，他不發功，他自身還沒有功，就這樣一個狀態，這叫作返修，從上往下修圓滿。

我們一般的修煉，是從下往上修，直到開功修圓滿。所說的返修，年齡大了從下往上修來不及了，所以他從上往下修來的就快了，也是當時造成的一種現象。這種人他的心性必須很高，在他心性的位置上給他加了那麼大的能量。目地是幹啥呢？一個是配合當時的天象，這人做好事的同時，他可以吃苦。因為面對常人，各種常人的心都在干擾你。有的人你給他看好病了，他都不理解你，你給他看病時打下去多少壞東西，給他治到甚麼成度，當時不一定有明顯的變化。可他心裏就不高興，都不感謝你，說不定還罵你騙他！就針對這些問題，讓你的心在這個環境中去魔煉。給他功的目地是叫他修煉，往上提高的。在做好事的同時開發自己的功能，長自己的功，可是有些人不知道這個道理。我不是講了嗎？不能給他講法，悟的到就悟的到，是個悟的問題，悟不到那就沒有辦法了。

有些人來功時，突然有一天晚上睡覺熱的不行，被子也蓋不住了，早上起來摸哪兒哪兒就有電。他知道來了功了，誰身體哪塊痛了，一胡嚕還滿不錯的，挺好。他知道從今以後來了功了，當起氣功師了，掛上牌子，他自己給自己封個氣功師幹上了。開始的時候，因為這個人不錯，他給人家看好了病，人家就給他錢，送他甚麼東西，他可能都不要，拒絕。可是架不住在常人這個大染缸中被污染，因為這一類返修的沒有經過真正的修煉心性，把握自己的心性很困難。慢慢的由給小紀念品接受了，逐漸給大東西也要了，最後給少了也不幹了。最後他說：給我那麼多東西幹甚麼，給錢吧！給錢少了還不幹呢。正傳氣功師他也不服了，滿耳朵灌的都是人家誇他怎樣有本事。誰要說他不好，他也不高興了，名利心全起來了，他以為他比別人高明，他了不起。他以為給他這個功，是讓他當氣功師，發大財的，其實是讓他修煉的。名利心一起來，他的心性實際上就掉下來了。

我講了，心性多高，功多高。掉下來可這個功也就不能給他那麼大了，也得隨著心性給，心性多高，功多高。這個名利心越重，在常人中掉的越狠，他的功也跟著往下掉。最後他完全掉下來的時候，功也不給了，甚麼功都沒有了。前些年出現不少這樣的人，五十多歲的婦女比較多見。那個老太太你看她練功，也沒得甚麼真傳，也許在哪個氣功班上學了那麼幾個祛病健身的動作，有一天突然來了功了。心性壞了，名利心一起來就掉下去，結果現在啥也不是了，功也沒了。現在這種返修掉下來的非常多，所剩的也是寥寥無幾。為甚麼呢？她不知道這是叫她修煉的，她以為是讓她在常人中發財、出名，當氣功師呢，其實是讓她修煉的。

甚麼是借功？這個沒有年齡限制，但是有一個要求，就是必須得心性特別好的人。他知道氣功可以修煉，他也想修煉。這個心一想要修煉，可是去哪找師父？前些年確實是有真正的氣功師在傳功，可是他們傳的都是祛病健身的東西，沒有人往高層次上傳，人家也不教。

講到借功，我還講一個問題，人除了他的主元神（主意識）之外，還有副元神（副意識）。有的人副元神有一個、兩個、三個、四個，還有五個的。這個副元神和他的性別不一定一樣，有的是男的，有的是女的，都不一樣。其實主元神也不一定同肉身一樣，因為我們發現現在男的女元神特別多，女的男元神特別多，正好符合現在道家所說這種陰陽反背、陰盛陽衰的天象。

人的副元神層次往往比主元神來的高，特別是有一些人，他的副元神來的層次特別高。副元神可不是附體，他和你同時從娘胎裏生出來的，和你叫一個名字，都是你身體的一部份。平時人們想甚麼問題，做甚麼事情，由主元神說了算。副元神主要起到控制人的主元神儘量不做壞事，但主元神很執著的時候副元神也無能為力。副元神不受常人社會所迷，而主元神容易受常人社會所迷。

有些副元神來的層次很高，可能就差那麼一點得正果。副元神想修煉，可是主元神不想修煉也沒有辦法。有一天主元神在氣功高潮中，也想學功，往高層次上修煉，當然思想是很樸素的，並沒有想追求名利這些東西。副元神可高興了：我想修煉，我說了不算；你想修煉，正合我意。可是上哪去找師父？副元神挺有本事，他就離體找他生前認識的大覺者。因為有的副元神層次很高，就可以離體，去了之後一說想修煉，要借功。人家一看這個人也是不錯，修煉那當然幫啊，這樣副元神給借來了功。往往這個功有散射能量，是由管道輸送的；也有是借來成形的東西，成形的東西往往伴有功能存在的。

這樣一來，他可能同時伴有功能，這個人也是像我剛才講的，晚上睡覺熱的不行，第二天早上睡醒覺，來功了。摸哪哪有電，能夠給人家治病了，他也知道是來功了。哪來的？他不清楚。他大概的知道是從宇宙空間中來的，可是具體怎麼來的，他不知道，副元神不告訴他，因是副元神修煉，他只知道來了功了。

往往借功的人不受年齡限制，年輕人較多，所以前些年也出來一些二十多歲、三十多歲、四十多歲的都有，年歲大的也有。年輕人就更不容易把握自己，你看他平時挺好，在常人社會中沒有甚麼本事的時候，他名利心很淡。一旦出人頭地的時候，往往就容易受名利干擾，他覺的在有生之年還有很長的路，還想要奔奔，奮鬥一番，達到一個常人的甚麼目標。所以一旦出了功能，有了本事的時候，在常人社會中往往他就把它作為一種追求個人目標的手段了。那麼就不行了，也就不允許這樣用了，越用這個功越少，最後也是啥都沒有了。這樣的人掉下來的就更多，我看現在一個都沒有了。

剛才我所講的這兩種情況都是屬於心性比較好的人得的功，這功不是自己煉出來的，是從覺者那兒來的，所以功本身是好的。

附體

我們可能有許多人在修煉界聽說過有關動物、狐黃白柳等等這些東西附體的事。到底是怎麼回事呢？有人講練功開發特異功能，其實不是開發特異功能，那個特異功能就是人的本能。只不過是隨著人類社會的向前發展，人越來越著眼於我們這個物質空間有形的東西，越來越依賴於我們現代化的工具，所以我們人的本能就越來越退化，最後使這種本能完全消失了。

要想有功能，還得經過修煉，返本歸真，把它修出來。而動物沒有這麼複雜的思想，所以它和宇宙特性是溝通的，它是有先天本能的。有的人講動物會修煉，說狐狸會練丹，那個蛇等等會修煉。不是它會修煉，初期它也根本不懂得甚麼練不練的，就是它有先天的那種本能。那麼在特定的條件下，特定的環境下，時間長了可能就發揮了效應，它就能夠得功，還能夠出現功能。

這樣一來，那麼它就有本事了，我們過去講得了靈氣了，有了本事了。在常人看來，動物如何如何厲害，可以輕易的左右於人。其實我說不厲害，在真正的修煉者面前，它甚麼也不是，你別看它修了千兒八百年了，還不夠一個小指頭捻的。我們講動物有這種先天的本能，它能夠有本事。可是我們這個宇宙中還有個理，就是不許動物修成。所以大家看到古書中寫著，幾百年要殺它一次，一大劫一小劫的。動物到一定時間要長功，就要消滅它，打雷劈它等等，不准許它修煉。因為它不具備人的本性，它是不能夠像人這樣去修煉的，沒有具備人的特點，它修成保證就是魔，也就不允許它修成，所以要招天殺的，它也知道這一點。可是我講了，人類社會現在大滑坡，有些人無惡不做，到這種狀態的時候，人類社會不危險嗎？

物極必反！我們發現人類社會在史前時期每次不同周期毀滅時，都是人類處於道德極其敗壞的情況下發生的。現在我們人類生存的空間和許多其它空間，都處在一個極其危險的境地上了，在這個層次當中的其它空間也一樣，它也要趕緊逃離，它也想往高層次上上，提高層次它就以為可以逃離。可是談何容易？要想修煉，就必須得有人體，所以就出現了練功人被附體，是其中一個原因。

有人想了，為甚麼這麼多大覺者，這麼多高功夫師父不管呢？我們這個宇宙中還有一個理：你自己求的，你想要的別人不願干涉。我們這裏教大家走正路，同時把法給你講透，叫你自己去悟的，學不學還是你自己的問題。師父領進門，修行在個人。沒有人強迫你、逼著你修的，修不修是你個人的問題，也就是說，你要走哪條路，你想要甚麼，你想得甚麼，誰也不會干涉你，只能勸善。

有些人你看他練功，其實都叫附體得了。為甚麼招來附體了？全國各地練功的人，有多少人身後有附體的？要講出來很多人會不敢練功，為數相當嚇人的！那麼為甚麼會出現這麼一種狀態？這些東西在禍亂常人社會，怎麼會出現這麼厲害的現象？這也是人類自己招來的，因為人類在敗壞，到處都是魔。尤其那些假氣功師身上都帶有附體，他傳功就是傳這個東西。在人類歷史上都不允許動物上人體的，上來就要殺它，誰看見都不允許的。可是在我們當今社會裏有人就求它、要它、供它。有人想了：我沒有明確求它呀！你沒求它，可你求功能，正法修煉的覺者能給你嗎？求就是常人中的執著，這種心是要去的。那誰能給呢？只有其它空間的魔和各種動物能給，那不等於是求它了嗎？它就來了。

有多少人是抱著正確的想法去練功的？煉功要重德，要做好事，要為善，處處事事都這樣要求自己。在公園裏練也好，在家裏練也好，有幾個人這樣想的？有的人也不知道他練的甚麼功，一邊練著，悠盪著，嘴裏還講：啊！我那個兒媳婦就是對我沒孝心；我那個老婆婆，她怎麼那麼壞！有的人還從單位叨到國家大事，沒有他叨不到的，不符合他個人觀念的還氣的不行。你說這是煉功嗎？還有人練功在那練站樁，累的腿直哆嗦，可是他腦子沒有閒著：現在的東西都這麼貴，物價也漲了，我們單位也開不出工資來，我怎麼就不能練出功能呢？我練出功能來，我也當個氣功師，我也發財了，我也給別人看病賺錢了。他一看別人出了功能，他就更著急，他一味的追求功能，追求天目，追求能治病。大家想一想，這和我們宇宙中的特性，真、善、忍相差多遠哪！整個都是背離的。說嚴重一點，他在練邪法！可是他是不自覺的。他越這樣想，發出的意念越壞。這個人他不得法，他不知道重德，就以為練功通過手法就可以練出功來的，他想要甚麼就能夠追求出來，他以為是這樣。

就是因為自己的思想不正，才招來了不好的東西。那個動物可看見了：這人想練功發財；那人想出名，想得功能。好傢伙，他這個身體還不錯，帶的東西也挺好，可是他的思想可真壞，他追求功能呢！可能他有師父，不過他有師父我也不怕。它知道正法修煉的師父看到他這麼追求功能，越追求越不會給，正好是執著心要給去的。他越有這個想法，就越不給他功能，他就越不悟，越追求想法越不好。最後那師父唉聲嘆氣，一看這個人完了，就不再理他了。有的人没有師父，可能有個過路的管一管。因為覺者在各個空間多了，那個覺者一看這個人，瞅瞅他，跟他一天一看不行，走了；明天又來一個，瞅瞅這個人不行，又走了。

動物知道，他有師父也好，有過路師父也好，他所追求的東西，他的師父不能給。因為動物看不見大覺者所在的空間，所以它也不害怕，它鑽了一個空子。我們宇宙中有個理，他自己追求的，自己想要的，别人一般情況不能干涉，它鑽了這樣一個空子：他想要，我給他，我幫他這不是錯吧？它給。它一開始不敢上，它先給他點功試試。他有一天突然的真追求來功了，還能治病了。它一看挺好，就像演奏的樂曲來個前奏：他願意要，那麼我就上去吧，上去給的多，給的痛快。你不是要天目嗎？這回甚麼都給你，它就上來了。

他那追求的思想，正追求這些東西，天目開了，還能發出功來了，還來點小功能。他可高興壞了，他以為自己終於把這個東西追求來了，練出來了，其實，他啥都沒練出來。他覺的他能夠透視人體了，能看到人身體哪有病了。其實他天目根本就沒開，是那個動物控制了他的大腦，那個動物用自己的眼睛去看，往他的大腦上反映，他就以為自己天目開了。發功，你發吧，他一伸手發功的時候，那動物的小爪子從他身後邊也伸出來；他一發功的時候，那個小蛇腦袋吐著芯子，就往那病處、那個長包的地方用舌頭一舔一舔的。就這一類的相當的多，這些人的附體都是他自己求來的。

因為他追求，他想發財，想出名。好，這功能也有了，也能治病了，天目還能看見了，這他就高興了。動物一看，你不要發財嗎？好，我讓你發財。一個常人的大腦被控制那簡直是輕而易舉的事情。它能控制很多人來找他看病，多多的來。好傢伙，他這邊給看著病，而那邊，它指使報社的記者上報紙宣傳。它控制著常人在做這些事情，哪個來看病的人要給錢少了都不行，讓你腦袋疼，反正你得多給錢。名利雙收，財也發了，名也出來了，這氣功師也當上了。往往這些人不講心性，甚麼都敢說，天老大，他老二。他敢說他是王母娘娘、玉皇大帝下凡，他都敢說他是佛。因為他沒有真正經過心性的修煉，所以他練功就追求功能，結果就招來了動物附體。

有人可能想了：這有甚麼不好，反正能掙錢能發財就行，還能出名，有不少人這樣想。我告訴大家，其實它是有目地的，它不是無緣無故的給你。這個宇宙中有個理，叫作不失者不得。它得啥？我剛才不是談到這個問題了嗎？它要得你身體的那點精華修成人形，它就從人體上採集人的精華。而人體的精華就這一份，要想修煉，就這一份東西。你要叫它得去，你就不用想修煉了，那你還修煉甚麼呢？你啥都沒了，你根本就修煉不了。有的人可能說了：我也不想修煉，我就想發財，有錢就行，管它呢！我告訴大家，你要發財，我給你講出這個道理來，你就不這樣想了。為甚麼呢？如果它從你身上離開的早，你就會四肢無力。從此以後，一輩子都這樣，因為人的精華被它提的太多了；它要從你身上離去的晚，你就是個植物人，下半輩子你只一口氣兒躺在床上。你有錢你能花嗎？有名你能享受的了嗎？可不可怕？

這種事情在當今練功的人中就特別的突出，特別多。它不但附體，還把人的元神弄死，它鑽到人的泥丸宮裏去，蹲在那裏。看上去它是個人，可是它不是人，現在都出現這種情況了。因為人類的道德水準都發生變化了，有的人幹壞事，你告訴他在幹壞事，他都不相信。他認為掙錢、追求錢、發財，這就是天經地義的了，這就是對的，所以傷害別人，損害別人，為了掙錢無惡不做，甚麼他都敢幹。它不失，它是不得的，它能平白無故給你東西嗎？它想得你身上的東西。當然我們講了，人都是因為自己這個觀念不對，心不正招來的麻煩。

我們講法輪大法。修煉我們這一法門，只要你心性把握的住，一正壓百邪，你不會出現任何問題。你心性要把握不住，你追求這個，追求那個，肯定會招來麻煩的。有的人就是放不下原來練的那些東西，我們講煉功要專一，真正修煉要專一。你別看有些氣功師都寫出書來了，我告訴你那書中啥都有，和他練的東西一樣，它是蛇，它是狐狸，它是黃鼠狼。你看那些書，這些東西就從字裏往外跳。我講了，這個假氣功師比真氣功師多出許多倍來，你也分不清的，所以大家一定要把握住。我這裏也不是非得要你一定修法輪大法不可，你修哪一門都行。但過去有句話：千年不得正法，也不修一日野狐禪。所以，一定要把握住，真正的修煉正法，不要摻進任何東西去修，連意念都不能加進去。有些人的法輪都變形了，為甚麼變形？他說我沒練那個功啊？可是他一練功，他意念就往裏加他原來的東西，那不就帶進去了嗎？附體這個問題，我們就講這麼多。

宇宙語

甚麼是宇宙語？就是這個人突然間能說一種莫名其妙的話，嘀哩嘟嚕、嘀哩嘟嚕的，說的是甚麼，他自己也不知道。有他心通功能的人，能夠知道一個大概意思，卻不能知道他具體說的是甚麼。而且有的人可以說出多種不同的語言來。有的人還覺的很了不起，認為是本事，是功能。它也不是功能，也不是修煉者的本事，也代表不了你的層次。那是怎麼回事呢？就是你的思想被外來的一種靈體給控制住了，你還覺的挺好，你喜歡要，你高興，你越高興，它控制你就越牢固。作為一個真正的修煉人，你能被它控制嗎？而且它來的層次非常的低，所以我們作為真正修煉的人，不要招惹這些麻煩。

人是最珍貴的，是萬物之靈，你怎麼能夠被這些東西控制著？你的身體都不要了，多可悲呀！這些東西有的附在人身上；也有不附在人身上，離開人一段距離，可是它操縱了你，控制著你。你想說它就讓你說，嘀哩嘟嚕的說。還能傳，哪個人想學，一膽大，一張口，他也說出來了。其實那東西也是一窩一窩的，你想說它就上來一個叫你說。

為甚麼會出現這個情況？也是像我所說的，它要提高自己的層次，可是那邊沒有苦吃，就不能修煉，不能提高。它就想了一個辦法，幫人做好事，可是又不懂得怎麼去做，但它知道它發出的能量，可以使有病的人產生一點制約作用，可以解除病人當時的痛苦，但不能給治好，所以它知道用人的嘴把它發出去能夠起到這樣的作用，就是這麼回事。也有人把它說成是天話，也有人把它說成是佛話，這是謗佛。我說那簡直就是胡鬧嘛！

大家知道，佛不輕易開口的。要在我們這個空間張口說話，他可以使人類發生地震，那還了得！那轟轟的動靜。有的人說：我的天目看見了，他跟我講話了。他不是跟你講話了。有的人看到我的法身也是，不是跟你講話，他打出的意念是帶有立體聲音的，你聽到了就像他講話一樣。他通常可以在他的那個空間中講話，可是傳導過來之後，你聽不清他說的是甚麼。因為兩個空間的時空概念不一樣，我們這邊空間的一個時辰，就是現在的兩個小時。而在那個大的空間當中，我們這一個時辰就是他的一年，比他的時間反倒慢。

過去有句話說「天上方一日，地上已千年」，是指那個沒有空間、沒有時間概念的單元世界，就是大覺者所呆的世界，比如極樂世界、琉璃世界、法輪世界、蓮花世界等等，是那些地方。而那個大的空間的時間反倒快，你要是能夠接收到、聽到他說話，有的人天耳通，這耳朵開了，可以聽到他說話的時候，你聽不清。你聽甚麼都那樣，就像鳥叫，就像電唱機放的快轉一樣，聽不出個來。當然有的人可以聽到音樂，也可以聽到說話。但是他必須得通過一種功能作為載體，消去這個時間差，傳到你耳朵裏來，你才能夠聽的清的，就是這樣一種情況。有人說是佛的語言，它根本就不是。

那個覺者互相之間一見面，倆個人一笑，甚麼都明白了。因為這是無聲的思維傳感，接收到的是帶有立體聲音的。他倆一笑的時候，已經交換完了意見。也不光是採用這種形式，有時也採用另外一種方法。大家知道，在密宗，西藏的喇嘛講究打手印，可是，你問問那個喇嘛手印是啥？他告訴你說是無上瑜伽。具體是啥？他也不知道。其實就是大覺者的語言。人多的時候，他打那個大手印，非常漂亮的，各種大手印；人少的時候，他打小手印，也很好看，各種姿式的小手印，非常複雜，非常豐富，因為它是語言嘛。過去這都是天機，我們都講出來了。西藏所用的只是為了單一煉功的那麼幾個動作，它把它歸納出來了，系統化了。它只是煉功的那種單一的語言，而且是那幾種煉功的形式，真正的手印，是相當複雜的。

老師給了學員一些甚麼

有些人看到我之後拽著我的手，握起來就不撒開。其他人一看別人握手，他也與我握手。我知道他心裏想甚麼。有的人想跟老師握握手，覺的很高興；有的人想得點信息，拽起來就不撒手。我們告訴大家，真正修煉是你個人的事，這裏可不是祛病健身，給你點信息，給你祛祛病，我們也不講這個的。你的病由我來直接給你祛的，在煉功點上由我的法身給祛，看書自學也由我的法身給祛。你以為摸摸我的手就可以長功？那不是笑話嗎？

功是靠自己的心性去修的。你不去實修，那功是長不上去的，因為它是有心性標準在那裏。你長功的時候，層次高的可以看到你那個執著心、那個物質去掉了，在頭頂上就會生出一個尺度來。而且這種尺度是功柱式的存在，尺度多高，功柱多高，它代表你自己修出來的功，也代表著你的心性高低。別人誰給你加上多少都不行，加上一丁點兒都擱不住，都得掉下來。我馬上可以叫你達到「三花聚頂」，可是你一出門功就掉下去。那不是你的，不是你修出來的，擱不上，因為你的心性標準沒在那裏，誰給加都加不上，那完全是靠自己修出來的，修煉自己那顆心。紮紮實實的往上長功，不斷的提高自己，同化宇宙特性，你才能上來。有人找我簽名，我就不願意簽。有人說老師給簽過名了，他要顯示，要老師信息保護。這不又是執著心嗎？修煉得靠自己，你講甚麼信息呢？在高層次上修煉你能講這個東西嗎？那算甚麼？那只是祛病健身講的。

你自己煉出的那個功，在極微觀下，那個功的微粒上和你的形像一模一樣。到走出世間法的時候，你就是佛體修煉了。那功都是佛體形狀的，非常漂亮，坐在蓮花上，每個小微粒上都是。而動物那個功，都是小狐狸、小蛇那東西，極微觀下的小微粒上都是這些東西。還有甚麼信息，茶葉水把它攪和攪和你喝去吧，反正它也是功。常人就是為了暫時解除痛苦，把病往後推一推，抑制抑制，反正常人就是常人，他把身體搞的怎麼壞，咱們也不管。我們是煉功人，我才給你講出來這些事情。今後大家可不要做這些事情，甚麼信息呀，這個那個的，可千萬別要那些東西。有的氣功師說：我給你們發信息，你們在全國各地接著。接甚麼接？我跟你講，這些事情不能夠起甚麼大作用的，假如說它是有好處的，那只不過是求得祛病健身。而我們作為一個煉功人，功是自己修出來的，別人發的甚麼信息功不能提高層次，只是給常人祛病。一定要把心擺正，修煉誰也代替不了，只有你自己真正的去修煉，自己才能提高層次。

那麼我給大家一些甚麼呢？大家知道我們有許多人没煉過功，身體是有病的；有許多人雖然練功多年，可還是在氣中徘徊著，也没有功。當然有些人給人治病，你不知道是咋治的？我講附體的問題時，我已經把能真修大法人的身體所帶的附體，不管是甚麼東西，身體上從裏到外帶的所有不好的這種東西，全部都拿下來了。真正自修的人看此大法時，也會給你清理身體，而且你家裏的環境，也得清理出來。過去你供過的那個狐、黄的牌位，你趕快扔了它，都給你清理了，都不存在了。因為你要修煉，我們就可以給你開最方便之門，給你做這些事情，但只限於真正修煉的人。當然有些人没有想修煉，到現在他也没有明白過來，那我們也管不了，我們管的是真正修煉的人。

還有一種人，過去人家説他身上有附體，他自己也感覺有。可是一旦給他拿掉之後，他那個心病去不了，他老是覺的那個狀態還存在，他認為還有，這已經是一種執著心了，叫疑心。久而久之，他自己弄不好還會招來的。你自己得把心放下，根本就不存在了。有些人我們在以前辦班就給他處理過了，我已經做了這些事情，把所有的附體給拿掉了。

道家在低層次上煉功要打一些基礎，要形成周天，丹田那塊田得形成，還有其它一些方面的東西也要形成。我們這裏要下法輪、氣機，一切修煉的機制等許許多多，上萬而不止，這些都得給你，像種子一樣給你種上。把你的病去掉之後，把該做的都做了，該給的東西全部下給你，你才能在我們這一法門中真正的修煉出來。不然的話，甚麼都不給你，那就是祛病健身。説白了，有些人不講心性，還不如做體操呢。

真正修煉就得對你負責任，這些人自修也同樣可得，但必須是真修的，我們把這些東西都給真修者。我講了，得真正把你當弟子帶的。除此之外，高層次上的法一定要學透，知道怎麼樣去修煉；五套功法一步到位，全部學會。將來你可以達到一個相當高的層次，你都意想不到的那麼高層次，得正果是沒有問題的。只要你修煉，這個法我是結合著不同層次在講，今後你在不同層次修煉當中，你會發現他都會對你有指導作用。

作為一個修煉人，今後的人生道路會改變的，我的法身要從新給你安排的。怎麼安排？有些人生命進程還有多少？他自己也不知道；有些人過一年、半年可能要得大病，一病可能要好幾年；有的人可能要得腦血栓或者其它病，根本動不了。在今後的人生道路中，你怎麼修煉呢？我們都得要給你清理，不能讓這些事情發生。可是咱們有言在先，只能給真正修煉的人做這個事情，隨便給常人做那可不行，那等於幹壞事。常人生老病死這些事情都是有因緣關係的，不能隨便給破壞的。

我們把修煉的人看的是最珍貴的，所以只能給修煉的人動。怎麼動呢？如果師父的威德很高，也就是師父的功力很高，他可以給你消業。師父功高可以給你消去很多，師父功低只能消去一點。我們舉例說，把你今後人生道路中各種業力都要集中起來，把它消下去一部份，消去一半。剩下一半你也過不去，比山還高。怎麼辦呢？可能你得道的時候，將來有很多人都要受益的，這樣一來，有很多人替你承擔一份。當然對他們來說不算甚麼。你自己還有許多演煉出來的生命體，而且你自己除了主元神、副元神，還有許多的你，都要替你承擔一份。到你過劫難的時候，就所剩無幾了。說是所剩無幾，那還是相當的大，你還是過不去，那怎麼辦呢？就把它分成無數的若干份，擺在你修煉的各個層次之中，利用它來提高你的心性，轉化你的業力，長你的功。

還有，一個人要想修煉，可不是那麼一件容易的事情。我講了這是一件非常嚴肅的事情，而且它是超出常人的，比常人中任何事情都要難一些。那不是超常的嗎？所以比常人中任何事情對你的要求都要高的。我們人是有元神的，元神是不滅的。如果元神是不滅的，大家想一想，你的元神在你的生前社會活動當中是不是做過壞事？很可能的。殺過生，欠過誰甚麼東西，欺負過誰，傷害過誰，就可能做了這些事情。如果是這樣的話，你在這邊修煉，它在那邊看的可很清楚。你祛病健身它不管你，它知道你往後推，你現在不還將來還，將來還起來更重。所以你暫時不還，那它不管。

你說你要修煉了，它可不幹了：你要修煉，你要走了，你長出功來，我都搆不著你了，我碰不著你了，它可不幹了。它千方百計的阻撓你，不讓你修煉，所以採取各種方法干擾你，甚至於真會來殺你。當然你倒不會因為在這兒正打坐腦袋就搬家了，這是不可能的，因為得符合常人社會的狀態。可能一出門撞汽車上了，從樓上掉下來了，或者出現其它危險，就可能出現這些事情，是相當危險的。真正修煉可不像你想像的那麼容易，你想修煉，就修煉上去啦？你要真正的修煉，馬上就遇到生命危險，馬上就牽扯這個問題。有許許多多氣功師不敢往高層次上傳功帶人。為甚麼？他就是做不了這件事情，他保護不了你。

過去有許多傳道的人，他只能教一個徒弟，他維護起一個徒弟來還差不多。可是這麼大面積的，一般人就不太敢做了。但是我們這裏跟大家講了，我可以做這件事情，因為我有無數的法身，具備我非常大的神通法力，可以展現很大的神通，很大的法力。而且我們今天做這件事情也不像我們表面上看的那麼簡單，我也不是頭腦一熱才出來做的。我可以告訴你，有許多大覺者都在注視著這件事情，這是我們在末法時期最後一次傳正法。我們做這件事情也不允許走偏的，真正往正道上修煉，誰也不敢來輕易動你的，而且你有我的法身保護，不會出現任何危險。

欠債要還，所以在修煉的路上可能要發生一些危險的事情。但是出現這類事情的時候，你不會害怕，也不會讓你真正的出現危險。我可以給大家舉些例子。我在北京辦班的時候，有一個學員，騎自行車過馬路，走在馬路一拐彎的時候，有一輛高級轎車在急轉彎處把我們這位學員給撞了，這位學員是個女的，五十多歲。那轎車一下子就撞上她了，撞的夠狠的，就聽那動靜「噹」的一聲撞在頭上了，她的頭正好撞在車棚上。這時這個學員的腳還跨在車子上，頭撞上了，卻不覺的疼。不但不覺的疼，也不出血，連包都沒有。那司機可嚇壞了，跳下車來趕快問她，說撞壞沒有，咱們上醫院吧？她說沒事。當然，我們這個學員心性很高，不會給人家找麻煩。說沒有事兒，可那轎車被撞進一個大坑去。

像這類事情，都是來取命的，可是不會遇到危險。我們上次在吉林大學辦班時，有個學員從吉林大學正門出去，推個車子，剛走到中間，兩輛轎車一下子就把他夾在中間，眼看就要撞上了，可是他一點都沒有害怕。我們往往遇到這種事情都不害怕，在那一瞬間，車就停住了，沒有出現問題。

在北京還有這麼一件事。冬天黑的比較早，人們也睡的比較早。馬路上沒有人，很靜。有個學員騎著自行車往家趕，前面只有一輛吉普車在跑，跑著跑著，那輛車突然剎車了。他沒有注意，還低頭在往前騎。可是那個吉普車突然間又向後倒車，急速的倒車，車倒的還挺快，這兩股力合在一起，那也是來取命的。眼看就撞到一起的那一瞬間，一股力量一下子就把他的自行車拖後半米多遠，而且吉普車馬上頂著他的車軲轤急剎住了，可能車裏司機發現後邊有人。這個學員當時也沒有害怕，凡是遇到這種情況都不害怕，可能以後會後怕。他首先想到的是：哎呀，是誰把我拽回來了，我得謝謝他。回頭剛要說謝謝，一看馬路上一個人也沒有，靜靜的。他立刻明白了：是老師在保護我呢！

還有一件長春的事。有個學員家旁邊在蓋樓，現在這個樓蓋的可夠高的，那個手腳架都是兩寸粗的鐵管子，四米長。這學員從家裏走出來不遠，一根鐵管子就從那高樓上垂直下來了，直奔他頭頂穿下來了，馬路上的人都驚呆了。他說：誰拍我？他還以為誰照他腦袋拍一下呢。就在這一瞬間回頭的時候，看到頭頂上一個大法輪在那兒旋呢，這根鐵管子順著頭就滑下來了。滑下之後插到地上不倒。那要真插到人身上，大家想一想，那麼重，那真是串糖葫蘆一樣，一穿到底的，是很危險的！

這類事情很多，數不勝數，可是沒有出現危險的。這類事情不一定都遇的到，我們個別人會遇到這種事情。遇到也好，不遇到也好，保證你不會出現任何危險，這一點我可以保證的了。有些學員，他不按照心性要求去做，只煉動作不修心性，他不能算煉功人。

講到老師給些甚麼，我就給大家這些東西。我的法身一直要保護到你能夠自己保護你自己為止，那時侯你將走出世間法的修煉了，你已經得道了。但是你必須把你自己作為一個真正的修煉人，才能做到這一點。有個人手裏拿著我的書，在大街上一邊走一邊大叫：有李老師保護不怕汽車撞。這是破壞大法，不會保護這種人的，其實真修弟子不會這麼做的。

能量場

我們煉功時周圍會出現一個場，這個場是甚麼場？有人說是氣場、磁場、電場。其實你叫它甚麼場都不對，因為這種場包含的物質是極其豐富的。構成我們宇宙所有空間的物質，幾乎這個功裏邊都有，我們把它叫作能量場還比較合適，所以我們通常就叫它能量場。

那麼這場起甚麼作用呢？大家知道，我們正法修煉的人會有這麼一種感覺：因為是正法修煉過來的，它是講慈悲的，它是和宇宙真、善、忍特性同化的，所以我們學員坐在這個場裏都有感受，思想裏沒有壞念頭，而且我們許多學員坐在這裏連抽煙也想不起來，感覺到一種非常祥和的氣氛，非常舒服，這就是正法修煉者所攜帶的這種能量，在這個場的範圍之內所起的作用。將來你從這個班上下去之後，我們絕大部份人都是有功的了，真正出了功的，因為我傳給你的是正法修煉的東西，你自己也按這個心性標準去要求自己。隨著你不斷的煉功，按照我們心性的要求去修煉，逐漸的你的能量會越來越大。

我們講度己度人，普度眾生，所以法輪他會內旋度己，外旋度人。外旋時他發放能量，使別人受益，這樣一來，在你能量場的覆蓋面之內的人都會受益，他可能覺的很舒服。不管你走在街上也好，在單位、在家裏都可能起到這樣一種作用。在你的場範圍之內的人可能無意中你就給他調了身體，因為這種場可以糾正一切不正確狀態。人的身體是不應該有病的，有病就屬於不正確狀態，它就可以糾正這種不正確狀態。有壞思想的人，想不正確的東西的時候，在你場的強烈作用下，也能改變他的思想，他可能當時不想壞事了。可能有人想罵人，突然間改變思想，不想罵了。只有正法修煉的能量場，才能起到這樣一種作用。所以在過去佛教中有這樣一句話，叫作「佛光普照，禮義圓明」，就是這個意思。

法輪大法學員怎麼樣傳功

我們有許多學員回去之後，覺的功法很好，想傳給親朋好友。可以，你都可以去傳，傳誰都可以。但是有一點，我們要跟大家聲明，我們給大家這麼多東西，是不能夠用價值來衡量的。為甚麼給大家呢？是叫你修煉的，只有修煉，才能夠給你這些東西。那麼也就是說，你們將來傳功的時候，不能夠用這些東西來求名求利，所以你不能夠像我這樣辦班來收費的。因為我們要印書、印資料，到處去傳功，需要費用。我們收費，在全國已經是最低的了，而我們給的東西是最多的，我們是真正的往高層次上帶人的，這點大家自己有體會。作為一個法輪大法學員，你將來出去傳功，我們對你有兩點要求：

第一個要求是不能夠收費。我們給你這麼多東西，不是叫你來發財、求名的，是為了度你，是為了叫你修煉。如果你收費了，我的法身會把你所有的東西全部都收回來，那麼你也就不是我們法輪大法的人了，你傳的也就不是我們法輪大法了。你們傳功的時候是不求名不求利的，義務為大家服務。我們全國各地的學員都是這樣做的，各地輔導員也都是這樣以身作則的。來學我們的功，只要你想學，那麼你就來學，我們可以對你負責任，分文不取的。

第二個要求是不要往大法裏邊摻雜個人的東西。就是在傳功過程當中，不管你天目開了也好，你看到甚麼也好，出了甚麼功能也好，你不能用你看到的那個情況來講我們法輪大法。你在那個層次上看到的那點事可差遠去了，和我們講的法的真正涵義相差甚遠。所以今後你在傳功時，千萬注意這個事情，這樣才能保證我們法輪大法原有的東西不變。

也不允許像我這種形式傳功，不准採取我這樣的大報告的形式來講法，你講不了法。因為我講的東西，意義是很深遠的，結合了高層次的東西在講。你在不同層次修煉，將來你提高以後，你回去聽這個錄音，你會不斷的提高，你不斷的聽，你一直會有新的領會、新的收穫的，讀書更是這樣。我這些話是在結合著很高深的東西在講，所以這個法你是講不了的。不允許你用我的原話當成你的話講，否則，就是盜法行為。你只能用我的原話講，加上老師是怎麼講的，書上是怎麼寫的，只能這樣去談。為甚麼呢，因為你這樣一說，就帶有大法的力量存在了。你不能用你知道的事情當成法輪大法來傳，否則你傳的就不是法輪大法，你等於破壞我們法輪大法。你按照你的想法，按照你的思想去講，那不是法，不能夠度人，也不能夠起到任何作用，所以誰也講不了這個法。

你們傳功的方法，就是在煉功點上，或者是在傳功場上可以給學員放錄音、錄像，然後由輔導員教他們煉功。可以按照座談會這種形式，大家互相切磋，互相談，互相講，我們要求這樣做。同時，不得管傳播法輪大法的學員（弟子）叫作老師、大師等，大法的師父只有一個。進門不分先後都是弟子。

你們傳功時，可能有人想了：老師能下法輪，能給人調整身體，我們也做不了啊。不要緊的，我已經跟大家講了，每個學員身後都有我的法身，還不只一個，所以我的法身會做這些事情。你教他的時候，如果他有緣份，當時就可以得到法輪。如果緣份差一點，經過調整身體，煉功之後逐漸的也可得到，我的法身就會幫助他去調整身體。不止這些，我告訴你，讀我的書，看我的錄像，或聽我的錄音去學法學功，真正把自己視為煉功人，也同樣會得到該得到的這些東西。

我們也不讓學員去給別人治病，法輪大法學員是絕對禁止去給別人治病。我們是教你往上修的，不讓你起任何執著心，也不讓你自己把自己身體搞壞的。我們的煉功場比其它任何功法的練功場都好，我們那個場只要你去煉功，比你調病要強的多。我的法身坐一圈，煉功場的上空還有罩，上面有大法輪，大法身在罩上面看場。那個場不是一般的場，不是一般的練功那樣的場，是個修煉的場。我們很多有功能的人都看到過我們法輪大法這個場，紅光罩著，一片紅。

我的法身也可以直接下法輪，但是我們不助長執著心。你教他動作的時候，他説：哎呀，我有法輪了。你以為是你下的，這可不是。我跟大家説這個事，就是別助長這個執著心，都是我的法身在做。我們法輪大法弟子就這麼傳功。

誰要篡改法輪大法中的功法，他就是破壞大法，破壞這一法門。有人把功法變成順口溜，這是絕對不允許的。真正的修煉方法都是從史前時期留下來的，是相當久遠年代留下來的，修煉出無數大覺者。誰都沒有敢動一動這個東西，這也是我們這個末法時期才出現這樣的事情。在歷史上都不會有這樣的事情出現的，大家千萬注意這一點。

第四講

失與得

在修煉界經常談到失與得的關係，常人中也在談失與得的關係。我們煉功人怎樣對待失與得？這和常人不一樣，常人想得到的就是個人的利益，怎樣過的好，過的舒服。我們煉功人卻不是這樣，正好相反，我們不想追求常人要得的東西，而我們所得到的又是常人想得都得不到的，除非修煉。

我們一般所指的失，也不是很小範圍之內的失。有人談到失，就想，是不是施捨點錢財，看誰困難幫著點兒，看街上要飯的給點。這也是一種捨，也是一種失，但這只是在這一個問題上對金錢或者是在物質上看的淡一些。對於財的捨棄，當然它也是一方面，也是比較主要的一方面。但是我們講的失不是這麼小範圍的，我們人在修煉過程當中，作為一個煉功的人要捨棄的心太多了，顯示心、妒嫉心、爭鬥心、歡喜心，很多很多的各種執著心都得把它去掉。我們所講的失是一個廣義的，在整個修煉過程中，應該失去常人所有的那種執著，各種慾望。

可能有人想了，我們是在常人中修煉的，都失去了這不和和尚一樣了嗎？和尼姑一樣了嗎？都失去了，好像做不到。我們這一法門，在常人中修煉的這一部份，要求就在常人社會中修煉，最大限度的保持著和常人一樣，不是在物質利益上叫你真正失去甚麼東西。不怕你當多大官，也不怕你有多大的財，關鍵是你能不能把那顆心放下。

我們這一法門就是直指人心，在個人的利益上，在人與人之間的矛盾當中，能不能把這些問題看淡看輕，這是關鍵問題。廟裏邊修煉和在深山老林裏修煉，是讓你完全與常人社會隔絕，強制的讓你失去常人中的這顆心，從物質利益上不讓你得到，從而讓你失。在常人中修煉的人不這樣走，要求就在常人的這種生活狀態當中怎樣把它看淡，當然這很難，這也是我們這一法門最關鍵的東西。所以我們講的失就是一個廣義的，不是一個很狹隘的。咱們講做件好事，施捨點錢財，你看現在街上要飯的，有些是職業要飯的，他比你都有錢。我們要著眼於大處，不是著眼於小處。修煉嘛，應該堂堂正正的著眼於大處去修煉。我們在失的過程當中，我們真正失去的就是那種不好的東西。

人往往認為自己追求的東西都是好的，其實在高層次上看，都是為了滿足在常人中那點既得利益。宗教中講：你錢再多，官再大也就是幾十年，生帶不來，死帶不去。這個功為甚麼這麼珍貴呢？

就是因為它直接長在你的元神身上，生帶的來，死帶的去，而且它直接決定你的果位，所以就不好修。也就是說，你捨棄的是不好的東西，這樣才能夠使你返本歸真。得到的那是甚麼呢？就是層次的提高，最後得正果，功成圓滿，解決的是根本的問題。當然，我們要想失去常人的各種慾望，能夠達到一個真正修煉人的標準，一下子要做到這一點還不容易，得慢慢去做。我說慢慢去做你聽到了，你說老師告訴慢慢去做，那就慢慢去做吧。那可不行！你對自己要有個嚴格要求，但是我們允許你慢慢的提高。你今天一下子做到了，你今天就是佛了，所以也不現實，你慢慢的會做到這一點的。

我們失去的實質是不好的東西，是甚麼呢？就是業力，它和人的各種心是相輔相成的。比如說我們常人有各種不好的心，為了個人利益，做了各種不好的事情，會得到這種黑色物質——業力。這和我們自己的心是有直接關係的，要想去掉這個不好的東西，首先得把你這顆心扭轉過來。

業力的轉化

白色物質和黑色物質之間有一種轉化過程。人與人之間發生矛盾之後，它有一個轉化過程。做了好事得到白色物質——德；做了壞事得到黑色物質——業力。還有一個承傳過程，有的人講是不是前半生做了不好的事情？還不一定都是這樣，因為人積的這些業力不是一生一世的。修煉界講元神不滅。如果元神不滅，那他可能就有他的生前社會活動，那麼他在生前活動中可能欠下過誰、欺負過誰，或者是做過其它不好的事，殺過生等等，那麼就會造成這種業力。這些東西在另外的空間它會往下積，總是帶著，白色物質也是這樣，不止這一種來源。還有一種情況，家族中、祖輩上也可以往下積。過去老人講這樣一句話：積德呀積德，祖上積德；這個人在失德呀，在損德。那話講的都非常的對。現在常人已經聽不進去這句話，你跟那些年輕人講，說缺德少德的，他根本不往心裏去。其實它的意義確實是很深的，它不只是近代人的思想和精神標準，而是真正的物質存在，我們人的身體這兩種物質都有。

有人講：是不是黑色物質多了之後，就不能夠往高層次上修煉了？可以這麼說，黑色物質多的人，它影響悟性。因為它在你身體周圍形成一個場，正好把你包在裏邊，和宇宙真、善、忍的特性就隔絕開了，所以這種人悟性可能要差。人家講修煉啊，氣功啊，他一概視為迷信，根本就不相信，他覺的可笑。往往是這樣，但不絕對。是不是這個人想修煉就很難了，就不能夠長高功了？還不是的，我們講大法無邊，全憑你這顆心去修。師父領進門，修行在個人，全看你自己如何去修。能不能修，全看你自己能不能忍受，能不能付出，能不能吃苦。如能横下一條心，甚麼困難也擋不住，我說那就沒問題。

黑色物質多的人，往往比白色物質多的人要多付出。因為白色物質直接同化宇宙真、善、忍特性，所以只要他的心性提高上來，能夠在矛盾中提高自己，那他就長功，就這麼痛快。德多的人悟性高，也能吃苦，勞其筋骨，苦其心志，哪怕是在身體這方面承受多一些，在精神上承受少一些，都能長功的。黑色物質多的人就不行，必須得先經過這樣一個過程：首先得把黑色物質轉化成白色物質，就是這樣一個過程，也是極其痛苦的。所以往往悟性不好的人要多吃苦，業力大悟性差，他就更不容易修煉。

舉個具體例子，你看他怎麼修煉。禪定中修煉要長期盤腿，腿一盤又疼又麻，時間一長，開始鬧心，鬧的很厲害。勞其筋骨，苦其心志，身體不舒服，心也不舒服。有些人盤腿怕疼，拿下來了，不想堅持。有些人盤腿時間稍微長一點，就受不了。把腿一拿下來，白煉。一盤腿疼了，趕快活動活動完了再盤，我們看這就不起作用。因為在他腿疼的時候，我們看到黑色物質在往他腿上攻。黑色物質就是業力，吃苦就能消業，從而轉化成德。一疼那業力就開始往下消，業力越往下壓，他腿疼的越厲害，所以他腿疼不是無緣無故的。往往打坐的人腿疼是陣痛，痛一陣，特別難受，過去之後又緩過來，不一會又開始痛，往往是這樣的。

因為業力是一塊一塊的消，消下去一塊腿好過一點，一會又上來一塊，就又開始痛。黑色物質消下去之後，不是散掉了，這物質也是不滅的，消下去之後直接轉化成白色物質，這白色物質就是德。為甚麼它能這樣轉化呢？因為他吃苦了，他自己付出了，他承受了痛苦。我們講，德就是自己承受了痛苦，吃了苦，做了好事得來的，所以在打禪中會出現這個問題。有的人腿稍微一疼，蹦下來了，活動活動再盤，根本不起作用。有人站樁，胳膊舉累了，受不了，放下來了，根本不起作用。這點苦算甚麼？我說人煉功這樣舉著胳膊就能修成了，那簡直太容易了。這是人們在禪定中修煉出現的情況。

我們這一法門主要還不是這樣走，但也有一部份在這方面起作用。我們大多數是在人與人之間心性的摩擦當中去轉化業力，往往在這其中體現。人在矛盾當中，在人與人之間那種摩擦當中甚至超過那種痛苦。我說身體上的痛苦最容易承受，咬咬牙就過去了。人與人之間勾心鬥角的時候，那個心是最難把握的。

舉個例子，有這麼個人，一上班聽到倆個人說他壞話，說的很難聽，氣就不打一處來。可是我們講了，作為一個煉功人，就得做到打不還手，罵不還口，用高標準要求自己。他就想：老師告訴了，我們煉功人不和人家一樣，得高姿態。他沒有和那倆人發生口角。可是往往矛盾來的時候，不刺激到人的心靈，不算數，不好使，得不到提高。所以心裏放不下，會煩心，可能會出現勾著人的心，老想回頭看看那倆個說他壞話的形像。回頭一瞅，那倆個人面目表情惡狠狠的，正說在火頭上，他一下子就受不了了，火就上來了，可能馬上跟人家幹起來了。人與人之間發生矛盾的時候，那個心很難守的住。我說都在打坐中過去，那還容易了，可是不會總這樣。

所以在今後煉功中，你會遇到各種各樣的魔難。沒有這些魔難你怎麼修啊？大家都是你好我也好，沒有利益上的衝突，沒有人心的干擾，你坐在那兒心性就提高上來了？那是不行的。人得在實踐中真正的去魔煉自己才能夠提高上來。有人說：我們煉功怎麼老遇到麻煩事兒？和常人中的麻煩事差不多少。因為你就在常人中修煉，他不會突然間給你來個大頭朝下，飄起來掛在那兒，把你弄到天上吃點苦，他不會來這個的。都是常人中的狀態，誰今天惹你了，誰惹你生氣了，誰對你不好了，突然間對你出言不遜了，就看你怎麼對待這些問題。

為甚麼遇到這些問題？都是你自己欠下的業力造成的，我們已經給你消下去無數無數份了。只剩下那麼一點兒分在各個層次之中，為提高你的心性，設的一些魔煉人心、去各種執著心的魔難。

這都是你自己的難，我們為了提高你的心性而利用了它，都能讓你過的去。只要你提高心性，就能過的去，就怕你自己不想過，想過就能過的去。所以今後遇到矛盾的時候，你不要把它看成是偶然的。因為矛盾產生的時候，會突然間出現，可是卻不是偶然存在的，那是為了提高你的心性的。你只要把你當作煉功人，你就能夠把它處理好。

當然，難、矛盾來之前不會告訴你的，都告訴你了，你還修煉甚麼？它也不起作用了。它往往突然間出現，才能考驗人的心性，才能使人的心性得到真正的提高，看能不能夠守住心性，這才能看的出來，所以矛盾來了不是偶然存在的。在整個修煉過程當中，在業力轉化上就會出現這個問題，它比我們一般人想像的勞其筋骨要難的多。你煉煉功，多煉一會兒，手舉的酸了，或者是腿站的累了，這就長功了，你多煉多少小時就能長功了？那只起轉化本體的作用，但還需要能量來加持，它不起提高層次的作用。苦其心志才是真正提高層次的關鍵。說勞其筋骨就能夠提高上來，我說中國農民最苦，都應該是大氣功師了？你再勞其筋骨也不如他，天天頂著烈日在地裏幹活，又苦又累的，不是那麼簡單的事情。所以我們講了，真正要想提高，就得真正的使這顆心得到提高，那才真正能提高。

業力在轉化過程當中，為了使自己能夠把握的住，不出現像常人一樣的把事情做壞，所以我們平時要保持一顆慈悲的心，祥和的心態。突然間遇到甚麼問題的時候，你就能夠把它處理好。往往你的心總是那麼慈悲祥慈悲的，突然間出現問題的時候，你有個緩衝餘地，思考餘地。心裏老想和別人爭，鬥來鬥去的，我說一遇到問題你就得跟人家幹起來，保證是這樣的。所以你遇到甚麼矛盾，我說就是要使你本身黑色物質轉化成白色物質，轉化成德。

我們人類發展到今天這樣一個成度，幾乎人人都是業滚業滚來的，人身上都有相當大的業力。所以往往在業力轉化問題上會出現這個情況，你在長功的同時，心性提高的同時，你的業力也在同時消，同時轉化。在遇到矛盾時，可能就會表現在人與人之間心性魔煉當中，你能忍的住，你的業力也消了，你的心性也提高上來了，你的功也長上去了，它們就熔合在一起了。過去的人德大，他的心性本來就是高的，只要吃一點點苦就能長功。現在的人不是這樣，一吃苦就不想修了，而且越來越不悟，也就更難修。

在修煉中，在具體對待矛盾的時候，別人對你不好的時候，可能有兩種情況存在：一個是你可能生前有過對人家不好，你自己心裏頭不平衡，怎麼對我這樣？那麼你以前怎麼對人家那樣？你說你那個時候不知道，這一輩子不管那輩子事，那可不行。還有一個問題，在矛盾當中，牽扯一個業力轉化的問題，所以我們在具體對待的時候，應該高姿態，不能像常人一樣。在單位裏，在其它工作環境中也是一樣，搞個體也是一樣，也有人與人之間的交往，不可能不和社會接觸，至少還有鄰里之間的關係。

在社會交往當中，都會遇到各種各樣的矛盾。我們常人修煉的這一部份，不管你有多少錢，當多大官，你搞個體經營、開公司，做甚麼生意都沒關係，公平交易，把心擺正。人類社會各行業都是應該存在的，是人的心不正，而不在於幹甚麼職業。過去有個說法，甚麼「十商九奸」，這是常人講的，我說那是人心的問題。要人心都擺的正，公平交易，你多付出，就應該多掙錢，那也是在常人中你付出才得到的，不失不得，勞動所得。在各種階層都可以做個好人，不同階層存在不同的矛盾。高階層有高階層的矛盾形式，都可以正確對待矛盾，在哪個階層如何做個好人，都可以放淡各種慾望、執著心。在不同階層都可體現出好人來，都可以在自己所在階層中修煉。

現在國內無論國營企業或其它企業中，人與人之間的矛盾極其特殊。在其它國家，在歷史上從來沒有的一種現象，所以在利益上矛盾顯的特別尖銳，勾心鬥角，為一點小利爭鬥，發出的思想、使出的招術都很壞，做好人都難。比如這個人到單位裏來上班，感覺到單位裏氣氛不對勁兒。後來有人告訴了：誰誰把你張揚的夠嗆，上領導那兒告你的狀，把你搞的很臭。別人都用奇異的眼光看著你。一般人這還受的了？哪能受這種氣呀？他搞我，我搞他。他有人，我也有人，咱們幹吧。在常人中，這樣做了，常人會說你是強者。可是作為一個煉功人，那就差勁透了。你和常人一樣去爭去鬥，你就是常人，你要比他來的更歡，你還不如他那個常人了。

我們怎麼對待這個問題？遇到這種矛盾的時候，我們首先應該冷靜，不應該和他同樣去對待。當然我們可以善意的去解釋，把事情說清楚都沒有關係，可是你太執著了也不行。我們如果遇到這些麻煩的時候，不要和人家一樣去爭去鬥。他這麼搞，你也這麼搞，你不就是個常人嗎？你不但不要和他一樣去爭去鬥，你心裏頭還不能恨他，真的不能恨他。你一恨他，你不就動了氣嗎？你就沒做到忍。我們講真、善、忍，你的善就更無從有了。所以你不能跟他一樣的，你真的不能生他的氣，別看他把你搞的上下很臭，抬不起頭來。你不但不能生他的氣，你心裏頭還得謝謝他，真得謝謝他。在常人可能就這麼想：那不是阿Q了嗎？我告訴你，不是這麼回事。

大家想一想，你是個煉功人，是不是得用高標準要求你呀？不能用常人那個理來要求你了吧。你是個修煉人，你得到的不是高層次上的東西嗎？那就得用高層次的理來要求你。你跟他一樣去做，你不就跟他一樣了？那為甚麼還要謝謝他呢？你想一想你得到的是甚麼？這個宇宙中有個理，叫作不失者不得，得就得失。他在常人中把你搞的很臭，他算得到的一方，他佔了便宜。他把你搞的越臭，轟動的越厲害，你自己承受的越大，他損的德越多，這些德都給了你了。同時你自己在承受的時候，你可能心放的很淡，沒有把它放在心上。

在這個宇宙中還有個理：你是承受了很大的痛苦了，所以你自身的業力也要得到轉化。因為你付出了，承受多大，轉化多大，都變成德。煉功人不就要這個德嗎？你不就兩得了，業力還消下去了。他要不給你製造這樣一個環境，你上哪去提高心性呢？你好我也好，一團和氣坐那兒就長功，哪有那個事啊？正因為他給你製造了這樣一個矛盾，產生了這樣一個提高心性的機會，你從中能夠提高自己的心性，你這個心性不就提高上來了？三得。你是個煉功人，你心性上來你功不就上來了嗎？一舉四得。你怎麼不應該感謝人家？你心裏真得好好謝謝人家的，確實是這樣的。

當然，他發出的心是不好的，否則就不會給你德了，可他確實給你製造了一個提高你心性的機會。就是說我們一定要重心性的修煉，在修煉心性的同時會消去業力，轉化為德，你才能提高層次，這是相輔相成的。到高層次上看，這個理都發生變化了。常人他可看不明白這個事兒，你到高層次上看這個理，整個都發生變化了。在常人中你看這個理以為是對的，可它不是真的對。到高層次上看才真正是對的，往往是這樣。

理我給大家講透了，希望在今後修煉中，大家能把自己當作一個煉功人，真正的去修煉，因為這個理擺在這兒了。可能有些人，因為他在常人中，他覺的常人這個切切實實的物質利益擺在那兒，還是這個來的實惠。在常人洪流中，他還是不能夠高標準要求自己。其實，做一個常人中的好人有英雄模範人物做榜樣，那是常人中的榜樣。你要想當一個修煉者，全憑你自己那顆心去修，全憑你自己去悟，沒有榜樣。好在大法我們今天講出來了，過去你想修，還沒人講呢。這樣你遵照大法去做可能做的好一些，能不能修，能不能行，突破到哪個層次，全看你自己了。

當然，業力的轉化形式也不完全像我剛才講的那樣，在其它方面也會表現出來。在社會上，在家庭中都會出現。走在街上，或者是在其它社會環境當中，也可能遇到麻煩事。在常人中放不下的心，都得讓你放下。所有的執著心，只要你有，就得在各種環境中把它磨掉。讓你摔跟頭，從中悟道，就是這樣修煉過來的。

比較典型的還有這樣一種情況：我們有許多人在修煉過程中，往往你煉功的時侯，你愛人就特別不高興，你一煉功，就跟你打仗。你做別的事情，他還不管。你説你打打麻將怎麼耽誤時間，他也不高興，可是不像煉功那樣。你煉功也惹不著他，鍛練身體，又不影響他，多好。可是，只要你一煉功，他就跟你連摔帶打。有人因為煉功，倆口子幹的都要離婚了。很多人都沒有想一想為甚麼會出現這個情況？過後你問問他：我煉功你咋生那麼大氣呀？他説不出來啥，真説不出來啥：是呀，我也不應該生那麼大氣啊，那時就是發那麼大的火。其實是怎麼回事？在煉功的同時，業力要轉化，不失者不得，失的還是壞東西，你得付出。

可能剛一進家門，你愛人就劈頭蓋臉給你來一通，你要承受過去了，你今天的功沒白煉。有人也知道煉功要重德，所以跟他愛人平時挺好的。一想：我平時説一不二的，今天他騎到我頭上來了。火憋不住，跟他幹起來了，這一下今天又白煉了。因為那個業力在那兒，他幫你往下消你不幹，和人家幹起來了，沒消成。這些事情很多，我們好多人都遇到過這個情況，沒有想一想為甚麼。你幹別的事情他都不怎麼管你，本來是件好事，他卻老是跟你過不去。其實就是幫助你消業，可是他自己不知道。他可不只是表面上跟你幹，心裏對你還挺好，不是這樣的，真的是發自內心的生氣。因為業力落到誰那兒誰難受，保證是這樣的。

提高心性

過去許多人因為心性守不住，出現的問題很多，煉到一定層次之後上不去了。有人自來心性比較高，煉功中一下子天目開了，達到某一境界當中了。因為這個人根基比較好，心性很高，所以他的功也上的很快。到了他心性所在位置的時候，他的功也長到這兒了，他要再提高他的功，那麼這個矛盾也就突出了，就得需要他繼續提高他的心性。特別是自來根基好的，他就覺的他這功長的不錯的，煉的也挺好的，突然間怎麼這麼多麻煩事來了呢？怎麼甚麼都不好了，人家對他也不好了，領導也看不上他了，家裏頭環境搞的很緊張。怎麼會突然出來這麼多矛盾呢？他自己還不悟。因為他根基好，達到了一定的層次，出現了這樣一個狀態。可是那哪是修煉人最後圓滿的標準哪？往上修還早去了！你得繼續提高自己。那是自己帶的那麼一點根基起的作用，你才能達到那種狀態的，再提高，那標準也得提高上來。

有的人講：我多掙點錢，把家裏安頓好，我就啥也不管了，我再去修道。我說你妄想，你干涉不了別人的生活，左右不了別人的命運，包括妻子兒女、父母兄弟他們的命運，那是你說了算的嗎？另外，你沒有後顧之憂了，你甚麼麻煩都沒有了，你還修煉甚麼？舒舒服服的在那煉功？哪有那種事啊？那是你站在常人角度上想的。

修煉就得在這魔難中修煉，看你七情六慾能不能割捨，能不能看淡。你就執著於那些東西，你就修不出來。任何事情都是有因緣關係的，人為甚麼能夠當人呢？就是人中有情，人就是為這個情活著，親情、男女之情、父母之情、感情、友情，做事講情份，處處離不了這個情，想幹不想幹，高興不高興，愛和恨，整個人類社會的一切，全是出自於這個情。這個情要是不斷，你就修煉不了。人要跳出這個情，誰也動不了你，常人的心就帶動不了你，取而代之的是慈悲，是更高尚的東西。當然一下子斷了這個東西還不容易，修煉是個漫長的過程，是一個慢慢去自己執著心的過程，但是你得自己嚴格要求自己。

我們作為一個煉功人，矛盾會突然產生。怎麼辦？你平時總是保持一顆慈悲的心，一個祥和的心態，遇到問題就會做好，因為它有緩衝餘地。你老是慈悲的，與人為善的，做甚麼事情總是考慮別人，每遇到問題時首先想，這件事情對別人能不能承受的了，對別人有沒有傷害，這就不會出現問題。所以你煉功要按高標準、更高標準來要求自己。

往往有些人不悟。有的人天目開了，看到佛了，回家拜佛，心裏念叨：你怎麼不管我呀？幫我解決解決這個問題吧！佛當然不管，那一難就是他設的，目地是提高你的心性，在矛盾中你好提高上來。他能給你解決嗎？根本不會給你解決的，解決了你還怎麼長功，怎麼提高心性與層次？讓你長功才是關鍵。在大覺者們看來，當人不是目地，人的生命不是為了做人，就是讓你返回去。人吃多少苦，他認為吃的苦越多越好，加緊還債，他就是這個想法。有的人不悟，求佛不行，就開始怨佛了：你怎麼就不幫我？天天給你燒香磕頭的。有的人因為這個事，把佛像也摔了，從此罵佛。因為他一罵，心性也掉下來了，功也沒了。他知道啥也沒有了，就更恨佛了，他以為佛在害他。他用常人的理去衡量佛的心性，那哪能衡量的了？他用常人的標準去看待高層次上的事情，那哪能行？所以往往就出現這樣的問題，把生活中的苦當作對自己的不公，有許多人垮垮往下掉。

前些年有許多大氣功師，赫赫有名的也垮下來了。當然真正的氣功師都回去了，完成他們的歷史使命回去了。就剩下一些誤在常人中，心性掉下來的那些人還在活動，他已經沒有功了。有一些氣功師過去比較有名望的還在社會上活動，他的師父看見他掉在常人中了，掉在名利裏面已經不能自拔了，已經不行了，人家把他的副元神帶走了，功都在副元神身上。這種典型例子相當的多。

在我們這一法門中，這一類例子比較少，有也不是那麼突出的。在心性的提高方面，突出的例子特別多。有個學員是山東某某市針織廠的，學法輪大法之後還教其他職工煉，結果把一個廠的精神面貌全帶動起來了。針織廠的毛巾頭過去經常往家揣一塊，職工都拿。學功以後他不但不拿了，已經拿家的又拿回來了。別人一看他這樣做，誰也不拿了，有的職工還把自己以前拿的都送回廠，整個廠出現了這個情況。

某市一個輔導站站長到一個工廠去看煉法輪大法的學員煉的怎麼樣，那個廠的廠長親自接見他們：這些職工學了你們法輪大法之後，早來晚走，兢兢業業的幹活，領導分派甚麼活兒從來不挑，在利益上也不去爭了。他們這樣一做，把整個廠的精神面貌全部帶起來了，廠子經濟效益也好了。你們這功這麼厲害，你們老師甚麼時候來，我也去參加。我們修煉法輪大法的主要目地是往高層次上帶人，並沒有想做這樣的事情，可是他卻能夠對社會精神文明起到很大的促進作用。如果人人都向內心去找，人人都想自己怎麼做好，我說那社會就穩定了，人類的道德標準就會回升。

我在太原講法傳功時，有個學員五十多歲，老倆口來參加學習班。他們走在馬路中間的時候，一輛轎車開的非常快，轎車的後視鏡一下子就掛住老太太的衣服了。掛住之後把她拖出十多米遠，

「啪」一下摔在地上，車子開出去二十多米停住了。司機跳下車來之後還不高興：啊，你走路不看。現在這個人就是這樣，遇到問題首先推責任，怨不怨他都往外推。車裏邊坐的人說：看看摔的怎麼樣，送醫院去吧。司機明白過來了，趕快說：大娘怎麼樣？是不是摔壞了？咱們上醫院看一看吧。那個學員慢慢從地上爬起來之後說：沒事兒，你們走吧。撲了撲土，拉著老伴就走了。

到學習班上來跟我講這件事情，我也挺高興。我們學員的心性確實提高了。她跟我講：老師，我今天是學了法輪大法，我要不是學了法輪大法，我今天不會這樣對待的。大家想一想，退了休了，現在物價這麼高，甚麼福利待遇也沒有了。五十多歲的人被汽車拖走那麼遠，摔在地上。哪兒壞了？哪都壞了，趴在地上都不起來。上醫院，走吧，到醫院住著都不出來了。那擱常人可能就那樣。可她是個煉功人，沒有那樣做。咱們就講，好壞出自人的一念，這一念之差也會帶來不同的後果。那麼大歲數，擱個常人，能摔不壞嗎？可她連皮都沒破。好壞出自一念，如果她躺在那兒說：哎呀，我不行了，這不行，那不行。那麼可能就筋斷骨折了，癱瘓了。給你多少錢，你住在醫院裏後半輩子起不來，你能舒服嗎？看熱鬧的人都覺的奇怪，這老太太怎麼不訛他點錢呢，管他要錢。現在的人道德水準都發生扭曲了。司機是開快車了，可是他能是有意去撞人嗎？他不是無意的嗎？可我們現在的人就是這樣的，要不訛他點錢，這看熱鬧的人心裏都不平。現在我說好壞都分不清了，有的人告訴他你是在做壞事呢，他不相信。因為人的道德水準都發生了變化，有的人唯利是圖，只要能弄到錢，甚麼事都幹。人不為己，天誅地滅，都成了座右銘了！

北京有個學員，晚上吃完飯領著孩子到前門去遛彎兒，看見有廣播車在宣傳摸獎券，小孩湊熱鬧，要去摸獎。摸就摸吧，給小孩一塊錢去摸，一下摸了一個二等獎，給一輛高級小孩自行車，小孩樂壞了。他當時腦子「嗡」一下：我是個煉功人，怎麼能求這個東西？我得這不義之財，我得給他多少德呀？對小孩說：咱不要，咱若要自己去買。小孩不高興了：讓你買你還不給買，我自己摸一個你不讓我要。哭著喊著不行，沒辦法，只好推回家去了。回去後，越想越不是滋味，乾脆去給他們送錢吧。轉念又一想，獎券也沒了，我把錢送給他們，他們不得分了嗎？乾脆我拿錢送單位去贊助。

好在單位有不少法輪大法學員，領導也理解他。若在一般的環境下，一般的單位，你說你是煉功人，摸個自行車，你說你不要，要把錢給單位贊助，領導都得想這人精神有毛病。別人也得議論紛紛：這個人是不是煉功出偏了，走火入魔了？我講了，道德水準發生了扭曲了。在五、六十年代的時候，這算個甚麼事兒，平平常常，誰都不會感到驚奇的。

我們講，不管人類道德水準發生多大變化，這個宇宙的特性——真、善、忍，他可是永遠不變的。有人說你好，你不一定真好；有人說你壞，你不一定真壞，因為衡量好壞的標準都發生了扭曲。只有符合宇宙這個特性的他才是個好人，這是唯一衡量好壞人的標準，這是得到宇宙中承認的。你別看人類社會發生了多大變化，人類道德水準大滑坡，世風日下，唯利是圖，而宇宙的變化可不是隨著人類的變化而變化的。作為一個修煉人就不能用常人的標準去要求了。常人說這件事情對，你就按照這個去做，那可不行。常人說好並不一定是好；常人說壞也不一定是壞。在道德標準扭曲了的時代，一個人做壞事，你告訴他是在做壞事呢，他都不相信！作為一個修煉人，就得用宇宙特性去衡量，才能辨別出甚麼是真正的好和真正的壞。

灌頂

在修煉界有這麼一種情況，叫作灌頂。灌頂是佛家密宗修煉方法的一種宗教形式。目地是經過灌頂之後這個人就不能夠再入其它門了，就承認是這一門的真正的弟子。現在奇怪在哪裏呢？練功也出現了這樣一種宗教形式，道家功法也搞灌頂，還不只是密宗。我講了，凡是打著密宗旗號在社會上傳密宗功法的全是假的。為甚麼這麼説呢？因為唐密在我們國家已經消失了一千多年了，根本就不存在；藏密因為受語言的限制，一直没有完整傳入我們漢地來。特別它是密教，必須在寺院中秘密修煉，而且還必須得經過師父密授，師父帶他密修。做不到這一點，是絕對不會傳出來的。

有許多人抱著這樣一個目地上西藏去學功，要跟人家拜師學藏密，將來當氣功師，出名、發財。大家想一想，真正得到真傳的活佛喇嘛都是有很強的功能的，就能看出學功人的心裏想的是甚麼。他來幹甚麼，一看那心就明白了：想上這兒來學這東西，出去當氣功師發財出名，來破壞這一門的修佛方法。這麼嚴肅的修佛法門能叫你當甚麼氣功師為求名利隨便破壞嗎？你是甚麼動機？所以根本就不會傳他，不會得到真傳。當然，寺院也多，可能得到一點皮毛的東西。如果心不正，要當氣功師幹壞事的時候，那就會招來附體。附體動物也有功，但不是藏密。真正去西藏求法的人，一去可能紮在那兒不出來了，這是真修的人。

奇怪，現在有許多道家功法也講灌頂。道家是走脈的，搞甚麼灌頂啊？據我知道，我在南方傳功，特別廣東那地方比較多，有那麼十幾家亂七八糟的功法講灌頂。意思是甚麼呢？他給你灌頂，你就是他的弟子了，不能再學別的功，學別的功他就懲罰你，他幹這個。這不是搞邪門歪道嗎？他傳的是祛病健身的東西，群眾學了之後也就是想得到一個好的身體。搞這個幹甚麼？有人講，練他的功就不能練別的功了。他能把人家度成圓滿嗎？誤人子弟嘛！很多人都這樣幹。

道家是不講這個的，也出了甚麼灌頂。我發現搞的最厲害的那個灌頂的氣功師，他那個功柱有多高？也就是兩三截樓那麼高，挺有名的大氣功師，我看功掉的也挺可憐的。成百上千的人排著隊，他給人家灌頂。他的功是有數的，就那麼高，那功一會兒就下去了，就沒有了，還用甚麼給人灌，那不騙人嗎？真正灌頂，在另外空間裏看，人的骨頭從頭到腳都變成像白玉似的。就是用功、高能量物質淨化身體，整個從頭灌到腳。這個氣功師能做到這一點嗎？他做不到。他幹啥？當然不一定都是搞宗教，目地是學了他的功，就是他的人了，你得參加他的班，學習他的東西。目地是弄你那點錢，誰也不學他的就掙不到錢了。

法輪大法弟子和其它佛家法門的弟子是一樣的，是上師多次給灌頂的，但不叫你知道。有功能的人可能知道，敏感的人也可能感受到，睡覺或在甚麼時候都可能突然一陣熱流從頭頂上下來通透全身。灌頂的目地不是給你加高功，功是你自己修煉出來的。灌頂是一種加持方法，就是給你淨化身體，把你的身體進一步清理。要多次灌，每個層次都要幫你清理身體。因為修在自己，功在師父，所以我們也不講灌頂這種形式。

有些人還搞甚麼拜師。講到這兒，我順便提一下，有許多人要拜我為師。我們現在這個歷史時期和中國封建社會不一樣，跪那兒磕頭就算拜師？我們不搞這個形式。我們有許多人就這樣想的：我磕頭燒香拜佛，心裏虔誠點就長功。我說那都可笑，真正煉功全靠自己去修的，求甚麼都沒有用。不用拜佛，不用燒香，真正的按照修煉人的標準去修煉，他看著你都特別高興。你在外面盡做壞事，你給他燒香磕頭，他瞅著你都難受，不就是這個道理嗎？真正修得靠自己。今天你磕了頭，拜了師，一出門就我行我素的，那有甚麼用？我們根本不講這種形式的，你可能還敗壞我的名譽！

我們給大家這麼多東西，所有的人只要實修，並嚴格用大法要求自己，我都把你當作弟子帶，只要你修煉法輪大法，我們就把你當作弟子帶。你要不修，我們就沒有辦法。你不修了，你掛那個名有甚麼用？甚麼一期學員、二期學員，你光煉這個動作就是我們弟子了？你得真正按我們這個心性標準去修煉，才能達到健康的身體，才能達到真正的往高層次上走的。所以我們不講這些形式，只要你修煉，就是我們這一門中的人。我的法身甚麼都知道，你想甚麼他都知道，甚麼他都能夠做。你不修煉他不管你，你修煉一幫到底。

有的功法中練功人還沒見過師父，說對著哪個方向磕頭，交幾百塊錢就行。這不是自欺欺人嗎？而且這個人還挺甘心，從此以後對其功、其人維護起來了，也告訴別人，不能學別的功了。我看著是挺可笑。還有人搞甚麼摸頂，也不知道他摸一下起甚麼作用。

不只是打著密宗旗號傳功的是假的，所有打著佛教那一門傳功的都是假的。大家想一想，佛教幾千年來的修煉方法就是那種形式，誰一改動那還是佛教了嗎？修煉方法是嚴肅的修佛，而且是極其玄妙的，改動一點就亂套了。因為功的演化過程是極其複雜的，人的感覺甚麼也不是，不能憑著感覺修煉。和尚的宗教形式就是修煉的方法，一動就不是那一門的東西了。每一門都有大覺者主持，每一門也修出很多大覺者，誰都不敢隨意改動那一門的修煉方法，而一個小氣功師，有甚麼威德敢欺主改動修佛的法門？假如真能改動，那還是那一法門嗎？假氣功是可以辨別的。

玄關設位

玄關設位也叫玄關一竅。在《丹經》、《道藏》、《性命圭旨》中可能查到這樣的名詞。那麼它是怎麼回事呢？有很多氣功師説不清楚。因為一般的氣功師所在的層次根本就看不見，也不允許他看。修煉人要想能看到它，在慧眼通的上層以上才能看到，一般的氣功師達不到這個層次，所以看不見。歷來的修煉界都在探討甚麼是玄關呀？哪是一竅呀？怎麼樣設位呀？你從《丹經》、《道藏》、《性命圭旨》中看，它都是圍繞理論在講，根本都不跟你説實質的。講來講去，還給你講糊塗了，講不明白，因為實質的東西是不叫常人知道的。

另外我告訴大家，因為你是我們法輪大法弟子，我才告訴你這樣的話：千萬不要去看那些亂七八糟的氣功書，不是以上的幾本古書，是説現在人寫的假氣功書，你連翻都別翻。你腦子中稍微有一個念頭一出：哎喲，這句話有道理。這念頭一閃，那裏面的附體就會上來。很多是由附體指揮、控制人的名利心寫的。假氣功書多的是，相當的多，很多人他是不負責任的，有些附體、亂七八糟的他都寫。就是以上的幾本古書或其它有關的古書一般都別看為好，這裏有個專一不亂的問題。

中國氣功協會的一個領導人給我講一件事情，把我也樂的夠嗆。説北京有這麼個人，他老去聽氣功講座，聽來聽去，聽的時間長了，他覺的氣功就是這些玩藝兒。因為都在一個層次中，都講這些東西。他和那些假氣功師一樣，以為氣功的内涵就這些了！那麼好吧，他也要寫氣功書。大家想一想，不煉功的人寫氣功書，現在氣功書就是你抄他，他抄你。他寫來寫去，寫到玄關這兒就寫不下去了。玄關誰明白呀？真正的氣功師也沒有幾個明白的。他就問了一個假氣功師。他不知道是假的，本來他也不懂氣功。可是這個假氣功師要叫人家問住了，人家不就知道他是假的了嗎？所以他敢胡説，説玄關一竅在小便頭上。聽起來挺可笑。你還別笑，這本書在社會上都出來了。就是説，我們現在的氣功書都可笑到這種成度了，你説你看那個東西有啥用，沒有用，只能害人。

甚麼叫玄關設位呢？人在世間法修煉當中，修煉到中層以上的時候，就是在世間法的高層次上修煉的時候，人就開始出元嬰。元嬰和我們所説的嬰孩是兩回事。嬰孩很小，歡蹦亂跳的，很淘氣。元嬰不會動，元神不去主宰他，他坐在那兒不動，手結著印，盤著腿坐在蓮花上。元嬰在丹田上生出來，在極微觀下比針尖還小的時候就能看到他。

另外說明一個問題，真正的丹田就一塊，在小腹部位。會陰穴以上，人身體的裏邊，小腹以下，就是這塊田。很多的功，很多的功能，很多術類的東西，法身、元嬰、嬰孩，許許多多的生命體，都是從這塊田上生的。

過去有個别修道的人講上丹田、中丹田、下丹田之說，我說那是錯的。也有的說他的師父傳了多少代了，書上就這麼寫的。我告訴大家，糟糠糟粕這東西古代都有，你别看承傳多少年了，它並不一定是對的。世間小道也一直在常人中流傳著，可是它修不了，甚麼也不是。他把它叫作上丹田、中丹田、下丹田，他的意思就是能生丹的地方就是丹田。這不是笑話嗎？人的意念集中到一點，時間長了，就可以産生能量團，結丹。不信，你的意念老是在胳膊上，老是這麼守著，時間長了，它就結丹。所以有的人看到這個情況，說無處不丹田，聽起來更可笑了，他的認識是結丹了就是丹田。其實它是個丹可不是田，你說無處不「丹」或者上丹、中丹、下丹，這麼說倒是可以的。而真正能夠生出無數的法的那個田只有一塊，就是小腹部位那塊田。所以上丹田、中丹田、下丹田的說法是錯誤的。人的意念守在哪裏，時間長了，就會結丹的。

元嬰就從小腹部位這塊丹田生出來，慢慢的越長越大。長到乒乓球那麼大的時候，整個身體輪廓都看清楚了，鼻子、眼睛都生成了。像乒乓球那麼大的同時，他的身邊又生出了一個圓圓的小泡。生成之後隨著元嬰長，它也跟著長。當元嬰長到四寸這麼高的時候，就出現一片蓮花瓣。等長到五至六寸這麼高時，蓮花瓣基本長成了，一層蓮花出現了，金燦燦的元嬰坐在金色蓮花盤裏，很漂亮。那就是金剛不壞之體，佛家叫作佛體；道家叫元嬰。

我們這一法門兩種身體都修煉，都要，本體也要轉化。大家知道，那個佛體是不能在常人中顯現的，鉚大勁可以顯現出形態來，用常人眼睛可以看到他的光影。而這個身體，經過轉化之後，在常人中和常人一樣，常人看不出來，他又可以穿越空間。當元嬰長到四至五寸高的時候，氣泡也長到這麼高了，它就像一個氣球皮兒一樣，是透明的。元嬰打著坐不動。到這麼大的時候，這個氣泡就要離開丹田了，它已經生成了，瓜熟蒂落，所以就要提升。提升過程是個非常緩慢的過程，但是每天都可以看到它在移動。漸漸的往上移動，往上升。我們仔細體察會感覺到它的存在。

當上升到人的膻中穴位置上的時候，它要在這地方呆一段時間。因為人體的精華，有許多東西（心臟也在這兒）都要在這氣泡裏形成一套。精華的東西要充實到它那個氣泡裏去。過一段時間之後，它又開始提升。當經過人的脖子的時候，感覺到很憋氣，好像血管都卡住了，脹的很難受，也就那麼一兩天就過去了。它就到了頭頂了，我們叫作上泥丸。說是到泥丸，其實它和你整個大腦一般大，你會覺的腦袋發脹。因為泥丸是人生命很關鍵的地方，它也要在裏面形成精華的東西。然後它就從天目這條通道往外擠，那個滋味是很難受的。脹的天目很疼，太陽穴也發脹，眼睛也往裏摳，一直到它擠出來，一下子就懸在前額這個地方，這就叫玄關設位，懸在這裏了。

開了天目的人，到這個時候就看不見了。因為佛道兩家的修煉，為了讓玄關裏面的東西儘快的生成，那個門不開。前面有兩扇大門，後面有兩扇門，都關了，像北京天安門門洞，兩邊各有兩扇大門。為了讓它儘快的形成和充實，所以門不在極特殊情況下不開，天目能看的，到了這一步也看不見了，不讓看了。它懸在這裏的目地是幹甚麼呢？因為我們身體的百脈從這裏交匯，那麼這時百脈都得經過玄關繞一圈出去，都要走玄關，目地是在玄關裏邊再打上一些基礎，形成這一套東西。因為人體就是個小宇宙，它將形成一個小世界，全部人體精華的東西都在裏邊形成。可是它只是形成一套設備，還不能夠完全運用。

奇門功法修煉，玄關是開著的。玄關射出來的時候，是個直筒，但慢慢也會變成圓的，所以它兩邊的門是開的。因為奇門功法不修佛也不修道，自己保護自己。佛道兩家師父多的是，都能保護你，不需要你看，也不會出問題。而奇門功法就不行，他得自己保護自己，所以他得必須保持能看。但是那個時候天目看東西，就像通過望遠鏡直筒去看一樣。然後形成這套東西之後，個把月它就開始回去了。回到頭裏之後，那叫玄關換位。

回去的時候也脹的難受，然後就從人的玉枕穴擠出來。擠出來的滋味也很難受，像頭裂開似的，一下就出來了，它一出來馬上就感覺輕鬆了。出來之後，它懸在很深的空間當中，在很深空間的那個身體形式上存在，所以睡覺硌不著它。但是有一點，在玄關第一次設位時眼前有感覺，它雖然在另一空間，總感覺眼前朦朦的，好像有甚麼東西遮擋似的，不太舒服。因為玉枕穴是很關鍵的一大關，在後邊也要形成一套東西，它又開始回去了。這玄關一竅其實不是一竅，它要多次換位的。它回到泥丸之後開始下降，從身體裏邊下降，一直到命門穴。在命門穴它又射出來了。

人的命門是極其關鍵的主要的大竅，道家叫竅，我們叫關。主要的一大關，那真是鐵門，無數層鐵門。大家知道身體一層層的，我們現在的肉體細胞是一層，裏邊的分子是一層，原子、質子、電子，無限小，無限小，無限小，到極小的微粒，每一面都設一層門。所以有許許多多的功能，許許多多的術類的東西，都被鎖在各層門裏面。其它功法煉丹，丹要爆炸的時候，首先得把命門震開，它要不震開，功能就釋放不出來。玄關在命門穴上形成這套東西之後，它又進去了。進去之後就開始返回到小腹部位，這叫玄關歸位。

歸位之後，不是回到它原來的地方。那時候元嬰已經長的很大了，氣泡就罩在元嬰上，把元嬰包起來了。元嬰長，它也跟著長。道家元嬰一般長到六至七歲小孩模樣時，就讓他離體了，叫元嬰出世。由人的元神主宰著他，他就可以出來活動了。人的身體定在那裏不動，元神出來。一般佛家元嬰修煉到和本人一般大的時候就沒危險了。通常這個時候允許他離體，脫開這個身體，可以出來。那個時候，元嬰長的和本人一樣大，罩也大，那個罩都已經擴大到體外來了，就是那個玄關。因為元嬰都這麼大了，它當然就擴到體外來了。

大家可能看到廟裏的佛像，看到佛像總是在一個圈裏邊，特別是畫的那個佛像，總是有個圈，裏面坐著佛。許許多多佛像都是這樣的，特別是那個古廟畫的佛像，都是這樣。為甚麼坐在圈裏呢，誰也說不清楚。我告訴大家，就是這個玄關。但是現在它已經不叫玄關了，叫作世界，還不能確確實實叫作世界。它只有這套設備，就像我們工廠有一套設備，卻沒有生產能力，必須有能源，有原料之後，它才能生產。前幾年有許多修煉的人講：我比菩薩功高，我比佛功高，別人聽了覺的很玄。其實他講的一點都不玄，功確實是都得在世間煉的很高。

那為甚麼會出現這個情況，修成了比佛還高呢？不能這樣表面理解，他的功確實很高。因為他修到很高層次上之後，達到他開功開悟的時候，功確實是很高的。就在他開功開悟的前夕那一瞬間，把他自己功的十分之八給他撅下來，連他的心性標準都得折斷下來。用這個能量去充實他這個世界，他自己的世界。大家知道修煉人的這個功，特別加上心性標準這個東西，是人一生吃了無數的苦，在艱苦的環境下魔煉、修煉出來的，所以它是極其珍貴的，把這麼珍貴的東西拿出十分之八來充實他的世界。所以將來他修成的時候，想要甚麼伸手即來，要甚麼有甚麼，想幹甚麼就幹甚麼，在他的世界中甚麼都有。這是他的威德，自己經過吃苦修出來的。

他這種能量可以任意的變化任何東西。所以佛想要甚麼，想吃甚麼，玩甚麼，甚麼都有，這是他自己修出來的，就是佛位，沒有這個東西他修不成。這個時候，可以稱其為是一個自己的世界，而他只剩下十分之二的功去圓滿、得道。雖然只剩了十分之二，可是他身體沒有鎖，或者是不帶身體了，或者帶著身體，但身體已經被高能量物質轉化，那時候他神通大顯，威力無比。而在常人中修煉的時候往往是帶著鎖的，沒有那麼大本事，功再高也要受限制，現在就不一樣了。

第五講

法輪圖形

我們法輪大法的標記是法輪。有功能的人，能看到這個法輪是旋轉的，我們那個小法輪章也是一樣，他在旋轉著。我們是按照宇宙真、善、忍的特性，在指導我們修煉。按照宇宙的演化原理在煉，所以我們這個功煉的是夠大的。從某種意義上講，這個法輪圖形是宇宙的縮影。佛家把十方世界視為一個宇宙概念，四面八方，八個方位，可能有的人能看到他上下存在著一根功柱，所以加上上下，正好十方世界，構成這個宇宙，代表著佛家對宇宙的概括。

當然這個宇宙中有無數的星系，包括我們銀河系在內。整個宇宙在運動著，整個宇宙中所有的星系也都在運動著，所以這個圖形裏邊的太極和小的卍字符也在旋轉著，整個法輪也在旋轉著，而中間這個大的卍字符也在旋轉著。從某種意義上講，這象徵我們銀河系，同時也因為我們是佛家的，所以中心是佛家的符號，這是從表面上看。所有不同物質都有在另外空間的存在形式，在另外空間裏是一個極其豐富、極其複雜的一個演化過程和存在形式。這個法輪圖形是宇宙的縮影，他在其它各個空間也有他存在的形式、演化過程，所以我說是一個世界。

法輪在順時針旋轉的時候，能自動吸取宇宙中的能量；逆時針旋轉的時候，能發放能量。內旋（順時針）度己，外旋（逆時針）度人，是我們這個功法的特點。有人說了：我們是佛家的，為甚麼還有太極呢？這個太極不是道家的嗎？因為我們的功煉的很大，等於煉的是整個宇宙。那麼大家想一想，這個宇宙中有兩大家，佛、道兩大家，排除哪一家都構不成完整的宇宙，都不能說是完整的宇宙，所以我們這裏有道家的東西。有人講了：那也不只是道家呀，還有甚麼基督教、儒教，其它的教等等。我告訴大家，儒教修煉到了極高層次上，它是歸為道家的；而西方有許多宗教修煉到高層次上之後，它是歸為佛家的，它是屬於佛家一個體系的。就這麼兩大體系。

那為甚麼太極圖還有兩個上紅下藍，還有兩個上紅下黑的呢？我們一般所知道的，認為太極是黑白兩種物質構成的，陰陽兩氣嘛。那是站在一個很淺的層次中去認識的，在不同空間有不同空間的顯示。在最高層次中的顯示，他的顏色就是這樣的。我們一般認為的道就是上紅下黑這種顏色的。舉個例子說吧，我們有些人開了天目，發現用眼睛看上去是紅的，在另外只相差一層的空間中看他卻是綠的。那個金黃的在另外空間裏看發現卻是紫的，他有這樣一個反差，就是不同空間顏色也發生了不同變化。上紅下藍的太極是屬於先天大道的，包括奇門修煉法門。四面的小卍字符是佛家的，這和中間都是一樣的，都是佛家的。這個法輪顏色比較鮮豔，我們把他作為法輪大法的標記。

我們大家通過天目看到那個法輪並不一定是這種顏色的，這個底色會變，但是圖案不會變。我給你下的小腹部位的法輪在旋轉的時候，你天目看到可能是紅的，可能是紫的，可能是綠的，也可能是無色的。赤橙黃綠青藍紫，他的底色在不斷的變化著顏色，所以你看到的可能是其它顏色，但是裏邊的卍字符、太極的顏色圖案不會變。我們覺的這個圖案的底色比較好看，我們就把他固定下來。有功能的人可以透過這層空間看到許許多多的東西。

有人說了：這個卍字符好像希特勒那個東西。跟大家講，這個符號本身沒有甚麼階級概念。有人說：這個角要是朝向這邊歪就是希特勒那東西了。不在這個，這兩邊都是旋轉的。我們人類社會普遍認識這個圖案是在二千五百年前，是在釋迦牟尼時代認識他的。希特勒在第二次世界大戰的時候到現在才幾十年，他是盜用了這個東西。但它的顏色和我們不一樣，它是黑的，而且它是尖朝上，立起來了，立著用的。這個法輪就講這麼多了，我們只講了他的表面形式。

那麼這個卍字符在我們佛家視為甚麼呢？有人說是吉祥如意，這是常人中的解釋。我告訴大家，卍字符是佛的層次的標誌，只有達到佛的層次才有。菩薩、羅漢沒有，但大菩薩、四大菩薩都有。我們看到這些大菩薩都遠遠的超過了一般佛的層次，甚至於比如來都高。超過如來層次的佛多的數不勝數。如來只有一個卍字符，達到如來以上的層次，卍字符就多起來了。超過如來一倍就有兩個卍字符，再超過就有三個、四個、五個的，多的滿身都是。腦袋上、肩頭上、膝蓋上都會出現；擱不下時，手心、手指肚、腳心、腳趾肚等處都會出現。隨著層次不斷提高，卍字符會不斷的增多，所以卍字符是代表佛的層次的，佛的層次越高，卍字符就越多。

奇門功法

除了佛道兩家功法之外，還有一種奇門功法，他自己叫作奇門修煉。我們一般常人對修煉功法有這樣一種認識：從中國古代一直到今天，人們認為佛道兩家的功法是正統的修煉方法，也把它叫作正法門修煉。這個奇門功法是從來不公布於世的，很少人知道它的存在，只是從藝術作品中聽說過。

奇門功法有沒有？有。我在修煉過程中，特別是後些年我遇到過三位奇門中高人，給我傳了他們一門中的精華，非常獨特的東西，非常好。就是因為他的東西很獨特，所以煉出來的東西非常古怪，不能被一般人所理解。而且還講一句話，叫作非佛非道，不修佛，不修道。人們一聽不修佛也不修道，就把它叫作旁門左道，它自己叫奇門功法。叫旁門左道是有貶意的，但沒有反意，不是說它是邪法，這一點是肯定的。從字面上理解也沒有邪法的意思。歷來把佛、道功法稱為正法門修煉，它這種功法不被人認識的時候，人們說它是旁門，旁邊的門，不是正法門。那左道呢？左就是笨的意思，笨道。左，在中國古代名詞中往往把它說成是笨，旁門左道有這樣一層意思。

為甚麼它不是邪法呢？因為它也有嚴格的心性要求，它也是按照宇宙的特性在修煉，它也不違反這個宇宙特性、宇宙的規律，它也不幹壞事，所以不能說它是邪法。因為不是我們這個宇宙的特性符合了佛道兩家的修煉方法，而是佛道兩家的修煉方法符合了宇宙的特性，才成為正法。奇門功法修煉要符合這個宇宙的特性，那麼它就不是邪法，同樣是正法，因為衡量好壞、善惡的標準是宇宙特性。它按照宇宙的特性去修，所以它也是正路的，只不過它的要求特點和佛道兩家不一樣。它也不講廣泛傳徒弟，傳的面積很小。道家傳功，教一大批徒弟，可是其中只有一個徒弟是真傳的；佛家講普度眾生，誰能修誰修。

奇門功法在承傳上都不能找倆個人的，而是在相當長的歷史時期選定一個人傳的，所以它那個東西歷來都不能被常人看的見。當然在氣功高潮中，我發現這個功法當中有少部份人也出來傳功。可是傳來傳去他發現不行，因為有些東西他師父根本就不讓他傳的。你要想傳功，你就不能挑人了，來的人，心性高低在不同層次中。抱著不同觀念來學的，甚麼樣的人都有，你就沒法挑徒弟傳。所以奇門功法普及不行，容易出現危險，因為它那東西很特殊。

有人想了，佛家修佛，道家修真人，那奇門功法修成了算甚麼呢？他是散仙，他沒有固定的宇宙世界範圍。大家知道，如來佛、釋迦牟尼有娑婆世界；阿彌陀佛有極樂世界；藥師佛有琉璃世界；各如來和大佛有自己的世界。每一個大覺者都有他自己組織的一個天國，他的很多弟子生活在裏面。而奇門功法它沒有固定的宇宙範圍，他只是像個遊神散仙。

練邪法

甚麼是練邪法呢？有這麼幾種形式：有一種人是專練邪法的，因為這個東西在歷代也有人傳。為甚麼傳這個東西呢？因為他追求常人中的名啊、利啊、發財啊，他講這個。當然他心性不高，他不會得功的。他會得甚麼呢？業力。人的業力要是大的時候，也會形成一種能量。但是他沒有層次，他比起煉功人是比不了，可是比起常人來卻能夠制約於常人。因為這種東西也是能量的體現，密集度很大的時候，也可以把人體的功能加強，也能起到這樣一種作用，所以歷來也有些人傳這個東西。他說：我做壞事，罵人，我就長功。他不是長功，實際就是加強了這種黑色物質的密度，因為做壞事可以得到黑色物質——業力。所以他也能夠使身上自帶的那點小功能，受這種業力的加強，也能夠產生點小功能，卻做不了甚麼大事。這種人認為，做壞事也能長功，他有這種說法。

有人講甚麼道高一尺，魔高一丈。那是常人中的一種邪說，那魔永遠也不會高出道的。有這樣一種情況，我們人類所了解的宇宙只是無數個宇宙中的一個小宇宙，我們簡稱宇宙。我們這個宇宙每次經過了久遠年代以後，都會發生一起宇宙的大災難。這一場災難就使宇宙中的一切，包括星球都能夠毀滅，宇宙中的一切生命都可以毀滅。宇宙運動也是有規律的，我們本次宇宙也不只是人類變壞了，有許多生命已經看到了一個情況，就目前而言，這個宇宙空間中早就發生大爆炸了。現在天文學家看不到，是因為我們現在用最大的望遠鏡去看的時候，看到的光景是十五萬光年以前的事情。要想看到現在天體的變化，那得十五萬光年以後才能看的到，那相當久遠的。

目前整個宇宙已經發生了一種很大的變化，每次發生這種變化的時候，整個宇宙中的生命全部處於毀滅，完全處於毀滅狀態。每一次發生這個情況的時候，都要把宇宙中以前存在的這種特性和裏邊的物質都得炸光，一般的都被炸死了，可是歷次都沒有炸乾淨。當新的宇宙被極高極高的大覺者們從新組建起來之後，裏邊卻有一些沒有被炸死的。大覺者們去組建這個宇宙都是按照他自己那個特性，自己的標準去建造這個宇宙的，所以和上一個時期的宇宙的特性有所不同。

沒有被炸死的，就抱著原來那種特性、那種理去在這個宇宙中行事。新組建出來的這個宇宙是按照新的宇宙特性、這個理在行事。所以沒有被炸死的就成了干擾宇宙理的魔了。可是它也不是那麼壞，它只不過是按照上一個周期宇宙的特性在行事，這就是人們所說的天魔。但是它對常人卻沒有甚麼威脅，它根本就不傷害人，它只是抱著它那個理在做事。過去這個是不准常人知道的，我說超出如來層次很高境界的佛多的是，那個魔算甚麼，相比之下很小很小。老、病、死也是一種魔，但這也是維護宇宙特性而生的。

佛教中講六道輪迴，講出了一個修羅道的問題，其實就是不同空間的生物，但不具備人的本性。在大覺者看來，它那是極低極低的，特別無能的，但是在常人眼中很可怕，它有一定能量存在，它把常人視為獸類，所以喜歡吃人。這些年當中，它也跑出來傳功。它算是甚麼東西，它長的能像人樣嗎？很嚇人的，學了它的東西，就得去它那兒和它們同類。有些人練功的時候，思想不正確，符合了它的想法的時候，它就來教你。一正壓百邪，你不追求的時候，誰也不敢動你。你要是產生邪念，追求不好的東西，它就來幫你，你就修到魔道上去了，會出現這個問題。

還有一種情況叫作不自覺的練邪法。甚麼叫不自覺練邪法？就是人在不知道的情況下練了邪法了。這個事情非常普遍，簡直太多了。就像我那天講過的，有許多人練功思想不正確，你看他在那站樁，累的手直哆嗦，腿也直哆嗦。可他腦子沒有閒著，他想：物價要漲了，我得去買點，練完功我就去買，不然的話就漲價。有人想了：單位裏現在分房子了，這房子有沒有我的？分房子的人怎麼怎麼跟我不對付。越想越生氣，他肯定不給我房子，我怎麼跟他打……甚麼念頭都有。就像我講的，從他們家一直叨到國家大事，說到生氣的地方越說越來氣。

煉功得重德，我們在煉功的時候，你不想好事，也不能夠想壞事，最好是甚麼也不想。因為在低層次上煉功的時候要打些基礎，而這基礎卻起著至關重要的作用，因為人的意念活動在起著一定的作用。大家想一想，你的功裏邊加進些甚麼東西，你練出那個東西能是好的嗎？它能不黑乎乎的嗎？有多少人不是抱著這種想法在練功啊？你為甚麼老練功不祛病啊？在練功場有些人沒有想那些壞事，可是老抱著一種求功能、求這求那的、各種心態、各種強烈的慾望在練。其實，已經在不自覺的練了邪法了，你要說他練邪法，他可不高興了：我是哪個氣功大師教我的。可是那個氣功大師叫你重德，你重了沒有？你練功的時候，你盡加進一些不好的意念，你說你能練出好的東西嗎？就是這個問題，這是屬於不自覺的練邪法，非常普遍的。

男女雙修

在修煉界有這麼一種修煉方法，叫作男女雙修。大家可能看到在西藏密宗修煉方法中，在雕刻的佛像或畫像中，看到一個男體抱著一個女體在修煉。而男體有的時候表現形式是佛，抱著一個一絲不掛的女人；也有佛的變化身，變的牛頭馬面金剛像，抱著一個女體，也是一絲不掛的。為甚麼會這樣呢？我們首先跟大家說明這個問題。我們地球上，不只是我們中國受了儒家影響，我們整個人類，在上幾個世紀的古代，人類的道德觀念都差不多少。所以這種修煉方法其實不來源於我們這個地球，它是另外星球傳來的，但是這種方法確實能夠修煉。這種修煉方法當時傳入我們中國的時候，就是因為它有男女雙修和一些秘煉的部份，不能被中國人所接受，所以在唐代會昌年間被漢地皇帝給取消了。不允許它在漢地流傳，那時叫唐密。但它在西藏那個特殊的環境下，特殊的地區，它流傳下來了。為甚麼會這樣修煉呢？男女雙修的目地是要採陰補陽、採陽補陰，互補互修，達到一種陰陽平衡的目地。

大家知道，不管佛家也好，道家也好，特別是道家陰陽學說講了，人體自有陰陽存在。因為人體有陰陽存在，人體才能夠修煉出各種功能、元嬰、嬰孩、法身等生命體。因為有陰陽存在，所以就能夠修煉出許許多多的生命體。不論是男身還是女身，都是一樣的，在丹田那塊田上都能夠生成，這個說法很有道理。道家往往把上半身視為陽，下半身視為陰；也有把後背視為陽，前身視為陰；還有把人的身體左側視為陽，右側視為陰。我們中國有男左女右這個說法，也是從這兒來的，很有道理。因為人身自有陰陽存在，在陰陽的相互作用下，自身就能達到陰陽平衡，也就能夠產生出許許多多的生命體。

這就說明一個問題，我們不採用男女雙修的修煉方法，同樣可以修到很高層次中去。如果採用男女雙修的方法修煉，如果掌握不好，就會入魔，就成了邪法。在很高層次上密宗要想採用男女雙修，必須這個和尚、喇嘛修煉到很高層次中去。那個時候他的師父帶著他進行這種修煉，因為他心性很高，他能把握住，不流於邪的東西。而心性很低的人是絶對不能夠採用的，採用了就是入邪法，保證的。因為心性有限，在常人境界中慾望的心沒去，色心沒去，心性的尺度在那裏了，保證一用就是邪的。所以我們講了，隨便在低層次上傳，那就是傳邪法。

這些年也有不少氣功師傳男女雙修。奇怪在哪兒呢？道家也出現了男女雙修的修煉方法，而且不是現在出現的，從唐代就開始了。道家怎麼出現男女雙修了？道家太極學説，身體是個小宇宙，自有陰陽。真正的正傳大法都是經過一個久遠年代流傳下來的，隨意的改動，隨意的加進任何東西都會搞亂那一法門的東西，使他不能夠達到修煉圓滿的目地。所以那個功法裏沒有男女雙修的東西，千萬不要去修，用了，就出偏，就出問題。特别是我們法輪大法這一法門，沒有男女雙修，也不講這個。這個問題，我們就是這麼看的。

性命雙修

性命雙修這個問題已經和大家闡述過了。性命雙修就是除了修煉心性外，同時又修命，也就是説，改變本體。在改變的過程當中，人的細胞逐漸的被高能量物質代替的時候，會減緩衰老。身體呈現出向年輕人方向退，逐漸的退，逐漸的轉化，最後完全被高能量物質代替的時候，那麼這個人的身體已經完全轉化成另外一種物質身體了。那種身體就像我講的走出五行了，不在五行中，他的身體就是一個不壞的身體了。

廟裏修煉只是修性，所以不講手法，不講修命，它講涅槃。釋迦牟尼傳的方法就講涅槃，其實釋迦牟尼自己有高深大法，本體完全可以轉化成高能量物質帶走。他為了留下這種修法，他自己就涅槃了。他為甚麼這樣教呢？他就是為了讓人最大限度的放棄執著心，甚麼都放棄，最後連身體都放棄了，所有的心都没有了。他為了讓人最大限度的做到這一步，就走了涅槃這條路，所以歷代和尚也都走涅槃這條路。涅槃就是和尚死了，肉身扔了，他自己的元神帶著功上去了。

道家重點落在修命上，因為他選徒弟，不講普度眾生，他面對的是非常好、非常好的人，所以他就講了術類的東西，他講如何去修命的問題了。而在佛家這個特定修煉方法上，特別是佛教這個修煉方法上就不能講這個。不是都不講，有許多高深的佛家大法中也是講的，我們這個法門就講。我們法輪大法這一門本體也要，元嬰也要，這兩個是有區別的。元嬰也是一種高能量物質構成的身體，可他卻不能夠隨便顯現在我們這個空間，而要想在這個空間長期保持和常人一樣的形像，必須有我們的本體。所以這個本體轉化之後，雖然他的細胞被高能量物質代替了，可是他的分子排列程序沒有發生變化，所以看上去和正常人身體差不多少。可還是有區別的，也就是說，這個身體可進入另外空間。

性命雙修的功法，從外觀上給人感覺很年輕，看上去這個人和實際年齡相差很大。那一天有人問我：老師，你看我有多大歲數了？其實呢，她快七十歲了，表面上看才四十多歲。沒有皺紋，臉上光光的，白白的，白裏透紅，這哪像快七十歲的人哪。我們煉法輪大法的人會出現這個情況。說句笑話，年輕的姑娘總好做美容，皮膚想變的白一點，好一點。我說你就真正的煉性命雙修的功法，自然就達到這一步，保證你不用去做美容。這方面的例子我們就不舉了。過去因為各行各業老年人比較多，人家就把我當成年輕人，現在好了，各行各業年輕人比較多。其實我也不年輕了，再奔就五十歲去了，現在都四十三歲了。

法身

佛像上為甚麼會有一個場？有許多人解釋不了，也有人說：佛像上有個場是因為和尚對著佛像念經所產生的，也就是說和尚對著修煉所產生的場。和尚修煉也好，誰修煉也好，可是這種能量是散射的，不定向的，應該整個佛堂的地上、棚上、牆上都有均等的場。那為甚麼偏偏佛像上的場那麼強呢？特別是在深山裏，或者是在哪個山洞裏，或者岩石上雕刻的佛像，往往都有一個場存在。為甚麼會出現這個場呢？有的人這麼解釋，那麼解釋，怎麼解釋也解釋不通。其實佛像上有那個場是因為佛像上有一個覺者的法身。那個覺者的法身在那裏，所以它會有能量的。

釋迦牟尼也好，觀音菩薩也好，如果歷史上確有其人的話，大家想想，他修煉的時候，他是不是也是煉功人呢？人修煉到出世間法以外相當高的一定層次上之後，就會產生法身。法身是在人的丹田部位產生的，是由法和功構成的，是在另外空間體現出來的。法身具備他本人很大的威力，但是法身的意識，法身的思想卻受著主體的控制。可法身自己又是一個完整的、獨立的、實實在在的個體的生命，所以又能夠自己獨立做任何事情。法身做的事情和人的主意識想要做的事情是一樣的，一模一樣的。那個事情叫本人去做也那麼做，法身去做也那麼做，這就是我們所說的法身。我要做甚麼事情，比如給真正修煉的弟子調整身體，都由我的法身去做。因為法身不帶有常人的那個身體，是在另外空間體現的。那個生命體也不是固定不變的，他可以變大和縮小的。有的時候他變的很大，大到看不全法身的整個頭；有的時候會變的很小，小到比細胞還小。

開光

工廠造出來的佛像只是一個藝術品。開光就是把佛的法身請來一個到佛像上去，然後，把佛像作為在常人中一個有形的身體來供奉。煉功人有了這顆敬仰的心，修煉的時候，佛像上的法身就為他護法，看護著他，保護著他，這是開光的真正目地。只有在正式開光的儀式上發出正念，或者是有很高層次的大覺者，或者在很高層次上修煉的具有這種力量的人才能做這件事情。

廟裏講佛像要開光，沒有經過開光的佛像他說就不靈。現在廟裏的和尚，真正的那些大法師，都不在世了。「文化大革命」以後，那些小和尚有些沒有得過真傳的，現在當住持了，有許多東西失傳。問他開光幹甚麼？他說：開光了，佛像就靈了。具體怎麼靈了，他也說不清。所以他那只是舉行儀式，把佛像裏面裝一個小經文，然後把它用紙糊住，對著它念經，他說就是開光了。但是能不能達到開光呢？那得看他怎麼去念經。釋迦牟尼講正念，得一心不亂的念經，真正的能夠使他修的那一法門的世界產生震動，才能招來覺者。那個覺者的法身上去一個，才能達到開光的目地。

有的和尚在那兒念經，心裏卻想著：一會開完光給我多少錢。或者念著經想著：某某對我那麼壞。他那裏也勾心鬥角的，現在末法時期，不承認這種現象也是不行的，我們這裏不是批評佛教，末法時期有的寺院就是不清淨。他腦袋裏想這些事情的時候，發出這麼不好的念頭，那個覺者能來嗎？根本就達不到開光的目地。但不是絕對的，也有個別好的寺院和道觀。

我在某市看到一個和尚，那個手黢黑。弄個經文塞到佛像裏邊，糊巴糊巴，嘴裏叨咕兩下子就算開光了。再拿一個佛像，再叨咕兩下子，開光一個四十元。現在和尚把這也當成了商品，發佛像開光的財。我一看也沒有開光，根本就開不了光，現在和尚竟做出這樣的事情。我還看見一件甚麼事呢？廟裏有個人，好像是個居士，說是給佛像開光，他拿一面鏡子對著太陽，把那個光晃在佛像身上，他就說開光了。都達到這麼可笑的成度！今天佛教發展到這一步上來，它還是一個很普遍的現象呢。

南京造了一尊銅的大佛像，在香港大嶼山上立起來了，很大的佛像。全世界來了許多和尚為佛像開光，其中一個和尚拿著一面鏡子對著太陽，把光晃在佛像的臉上說是開光。那麼大的盛會，那麼嚴肅的場合幹出這種事情來，我覺的真是可悲！不怪說，釋迦牟尼講：到末法時期，和尚自身都難度，度人就更難了。再加上有許多和尚站在自己的角度上去解釋佛經，甚麼王母娘娘經跑到廟裏去了，不是佛教經典中的東西都跑廟裏去了，弄的亂七八糟，現在很亂。當然，真正修煉的和尚還是有的，還是很不錯的。開光實際上就是把覺者法身請來在佛像上這麼一呆，就開光了。

那麼這尊佛像要開不了光就不能供，供了就會帶來非常嚴重的後果。甚麼嚴重的後果？現在我們搞人體科學的發現，我們人的意念，人的大腦思維可以産生一種物質。我們在很高層次中看到它確實是一種物質，可是這個物質卻不像我們現在研究發現的是一種腦電波的形式，而是一種完整的大腦形式。平時常人想問題時發出的大腦形態的東西，因為它沒有能量，發出時間不長就散掉了，而煉功人的能量保持時間就長多了。這尊佛像不是說工廠生産出來它就有了思想，沒有。有的沒有經過開光，他拿到廟裏也沒達到開光的目地。如果找哪個假氣功師、邪門歪道的人開光，那就更危險了，狐狸、黃鼠狼就上去了。

那麼要是沒有開過光的佛像，你上去一拜，就太危險了。危險到甚麼成度呢？我講了人類發展到今天，一切都在敗壞，整個社會，整個宇宙中一切事情也在相繼發生敗壞，我們常人中一切事情都是自己造成的。想求正法，走正道都很難，方方面面都干擾。想求佛，誰是佛？想求都很難。不信我講出來：第一個人如果對著沒有開光的佛像前去一拜可就壞了。現在拜佛的有幾個人心裏想的是求佛要得正果？這樣的人太少了。大多數人拜佛的目地是甚麼呢？消災、解難、發財，求這個。這是佛教經典裏邊的東西嗎？根本就沒有這層東西。

拜佛的人如果是求錢的，對著佛像一拜，或者是觀音菩薩像，或者是如來佛像說：幫我發點財吧。好傢伙，一個完整的意念就形成出來了。他是對著佛像發出去的，所以一下子就上到這個佛像上去了。在另外空間這個體，是可以放大縮小的，上到這個體上，這個佛像就有了一個大腦，就有了思想，但是卻沒有身體。別人也去拜，拜來拜去的，就會給它一定的能量。特別是煉功的人就更危險，一拜就逐漸的給它能量，它就形成了一個有形的身體，可是這個有形的身體是在另外空間形成的。形成之後它在另外空間裏，它能知道宇宙中的一點理，所以它能為人做點事，這樣它也能長出一點功，但它幫人是有條件有代價的。在另外空間它行動自如，控制常人非常自如。這個有形的身體和佛像上的形像一模一樣，就拜出了個假觀音菩薩、假如來佛，是人拜出來的，長的和佛像一樣，佛的形像。假佛、假菩薩的思想卻是極其壞的，是求錢的。它在另外空間裏產生，它有了思想，它知道一點理，它不敢做大壞事，可是它敢做小壞事。有時也幫人，要不幫人完全是邪的，就要殺它。怎麼幫啊？那個人說：求求佛幫助幫助我吧，我家誰有病了。好，幫你吧。它讓你往功德箱中扔錢，它的思想是要錢。往那個功德箱裏邊錢扔的多了，就讓你病好的快。因為它有一定能量，在另外空間裏它可以操縱一個常人的。特別是有功的人去拜，就更危險。煉功人求啥呀？求錢。大家想，煉功的人求甚麼財呀？求給親人消災消病都是對親情的執著。想左右別人的命運，人各有命啊！你要拜它，一叨咕：幫我發點財吧。好，它幫你，它巴不得你多求錢，求多點，它好多拿你點東西，等價交換。別人給它扔的錢功德箱裏面有的是，它讓你得。怎麼得？出門撿個錢包，單位發點獎金，反正讓你想方設法得到錢。它也不能無條件的幫你呀？不失不得，把你的功給來點，它缺功，或者把你煉出的丹等東西拿走，它要這個。

這些假佛有的時候是很危險的。我們很多開了天目的人以為自己看到佛了。有個人講今天廟裏來一幫佛，這個佛叫甚麼名，領一幫來了。說昨天來那一幫是甚麼樣的，今天來一幫是甚麼樣的，不一會又走了，又來一幫。是甚麼？就是屬於這一類的。它不是真佛，它是假的，就這一類的相當的多。

如果廟裏要出現這個情況，就更危險。和尚要拜它，那麼它就管和尚了：你不是拜我嗎？你明明白白的在拜我呢！好，你不是要修煉嗎？我管你，我讓你怎麼修。它給你安排，那麼你修成了，修到哪去？它安排修的，上邊哪個法門也不要。它安排的，所以你將來就歸它管。你這不是白修嗎？我說人類現在要想修得正果都很難的。這種現象相當普遍的，我們很多人在名山大川看到的佛光，大多數都是這一類的，它有能量，是可以顯現出來的。真正的大覺者是不輕易顯現的。

過去叫作地上佛、地上道的，比較少，可現在特別多。它做壞事的時候，上邊也要殺它，一殺它就跑到佛像上去了。常人這個理，一般的大覺者是不輕易動的，越高的覺者越不破壞常人的理，一點不動。總不能突然間一個雷把佛像擊碎了，他不幹這個事，所以它跑到佛像上去就不管了。殺它它知道，它就跑。所以你看的觀音菩薩是觀音菩薩嗎？你看的佛是佛嗎？很難說的。

我們很多人聯想到一個問題：我們家裏的佛像怎麼辦？可能有許多人想到了我。為了幫助學員修煉，我告訴你可以這樣做：你拿著我的書（因書裏有我的照片）或我的照片，你手裏捧著佛像，打著大蓮花手印，然後就像求我一樣，求老師給開一下光。半分鐘就解決問題了。告訴大家，只限於我們修煉的人，給親朋好友開光不好使，我們就管修煉的人。有人說拿老師的像放到親朋好友家裏避邪，我不是給常人避邪的。這是對老師最大的不敬。

講地上佛、地上道的問題。還有一種情況，中國古代有許多人在深山老林裏修煉。為甚麼現在沒了呢？其實不是沒了，是不叫常人知道，一點都沒少，這些人都是有功能的。這些年不是這些人不在了，這些人都在。現在世界上還有幾千，我們國家比較多一些。特別是那些名山大川都有，有些高山中也有。他用功能把洞都堵起來了，所以你看不見他的存在。他修煉比較緩慢，他的招兒比較笨，他抓不住修煉的中心。而我們是直指人心，按照我們宇宙的最高特性去修煉，按照宇宙的那種形式去修煉，當然功長的很快。因為修煉的法門是金字塔形的，只有中間是大道。那些邊緣小道，修煉起來心性不一定高，可能修的不高就開功了，可是與真正修煉的那個大道差遠去了。

他也在承傳帶徒弟，他這一門就修這麼高，他的心性也就這麼高，所以他傳的徒弟都往這麼高修。越是邊緣上世間小道說法越多，修持方法又複雜，抓不住中心去修。人修煉主要是修心性，他還不懂這一點，他以為吃苦就能修煉。所以他經過了一個漫長時間，修了幾百年、上千年，他長出這麼一點功來。實際他不是靠吃苦修出來的，怎麼修出來的？就像人一樣，在年輕時執著心很多；到老的時候，隨著歲月的流逝，前途無望了，這個心就自然放棄了，磨掉了，這種小道也是這個方法。他就靠打坐、定力、吃苦，往上修的時候，他發現也能長功。可是他卻不知道他那顆常人的執著心是在漫長的艱苦的歲月中慢慢磨去的，慢慢的去掉了那顆心而長上來的功。

我們是有針對性的，真正的指出那顆心，去那顆心，那麼修的就非常快。我到過一些地方，經常碰到這些人，修了很多年了。他也講：沒有人能知道我們在這兒，你這個事我們不管，不搗亂。這屬於比較好的。

也有不好的，不好的我們也要處理。舉個例子，我第一次去貴州傳功的時候，正在辦班，有一個人來找我，說他師爺要見我，他師爺是某某，修煉好多好多年了。我一看這個人帶的陰氣，很不好，臉蠟黃的。我說我不去見他，沒有時間，就推了。結果他那老頭子就不高興了，開始跟我搗亂，天天跟我搗亂。我這個人不願意跟人鬥，我也犯不上跟他鬥。他弄來不好的東西我就清理，清理完了，我就傳我的法。

過去明朝有個修道的人，修道時就有蛇附體，後來這個修道的人沒修成死了，這個蛇佔有了修道人的身體，就修出人形來了。那人的師爺就是那條蛇修成的人形。因為他本性不改，又化成一條大蛇跟我搗亂。我一看也太不像話了，我就把它抓到手裏，用了非常強大的一種功，叫作化功，把它下半身化掉了，化成水了，它上半身跑回去了。

有一天，我們貴州輔導站站長被他的徒孫找去了，說他師爺要見她。站長去了，一進洞黑黑的甚麼也看不見，只看見一個影坐在那裏，眼睛放著綠光，一睜開眼洞就亮，一闔上眼洞裏就黑黑的。他用土語說：李洪志又要來了，這一次我們誰也不會去幹那個事了，我錯了，李洪志是來度人的。徒孫問他：師爺，你站起來呀，你的腿怎麼啦？他說：我站不起來啦，我的腿傷了。問他怎麼傷的，他就開始講他搗亂的過程。在北京九三年東方健康博覽上他又跟我搗亂。因為他老幹壞事，他破壞我傳大法，我就把他徹底銷毀了。銷毀之後，他的師姐、師妹、師兄、師弟都想動。當時我說了幾句話，他們都感到震驚，嚇壞了，誰也不敢動了，也明白是怎麼回事了。他們中還有一些完全是常人，修了很長時間。這是講開光問題舉了幾個例子。

祝由科

甚麼是祝由科呢？在修煉界裏，有許多人在傳功過程中，也把它當作修煉範疇的東西在傳，其實它不是修煉範疇的東西。它是像一種訣竅、咒訣、技術的承傳。它採用的形式，甚麼畫符、燒香、燒紙、念咒等等，它能夠治病，治病的方法很獨特。舉個例子說，誰臉上長個癤子，他用毛筆蘸上硃砂在地上畫圈，在圈裏邊劃一個十字，叫這個人站在圈的中心，他就開始念咒訣。然後拿筆蘸硃砂在他臉上劃圈，一邊劃一邊念咒，劃來劃去，往癤子上一點，咒也念完了，說是好了。你一摸，是小了，不疼了，它起作用。這個小病他能治，大病他就不行了。說胳膊疼怎麼辦？嘴裏開始念咒了，他讓你把胳膊伸出來，對著這隻手的合谷穴吹口氣，使它從另一隻手的合谷穴出去，是感覺一股風，再一摸，它不那麼疼了。再有還採用燒紙、畫符、貼符等等，他幹這個。

在道家世間小道上，不講修命，完全是算卦、看風水、驅邪、治病。這些世間小道上多採用它。它能夠治病，但它採用的方法並不好。我們不講它利用甚麼東西治的病了，但是我們修大法的人不要採用它，因為它帶著很低的很不好的信息。中國古代把治病方法分成科目，比如說，接骨、針灸、按摩、推拿、點穴、氣功治病、草藥治病等等，分成好多種。每一種治病方法叫作一個科，這個祝由科被列為第十三科，所以它的全名叫作祝由十三科。祝由科不屬於我們修煉範疇之內的東西，它不是修煉得來的功，而是一種術類的東西。

第六講

走火入魔

在修煉界有這麼一種說法，叫作走火入魔，在群眾中影響也很大。特別是有些人把這個事情宣揚的很厲害，致使有些人不敢煉功了。人家一聽說煉功還會走火入魔，就嚇的不敢煉了。其實我告訴大家，走火入魔根本就不存在。

有不少人因為自己心不正，招來一些附體。自己主意識不能控制自己，還以為這就是功了。身體被附體控制著，顛三倒四，連喊帶叫的。人家一看煉功還是這個式的，嚇的不敢煉了。我們有好多人以為這就是功，這哪是煉功？這只是最低最低的那種祛病健身的狀態，可是它卻很危險。你自己習慣於這樣的話，你的主意識總不能控制你自己，那麼你的身體可能就會被副意識或者外來信息、附體之類的所控制，就可能做出一些危險的舉動來，而且對修煉界的破壞力極大。這是人心不正造成的，執著的顯示自己，這不是走火入魔。有些人也不知道是怎麼當的那個所謂氣功師，他也講走火入魔。其實煉功是不會走火入魔的，多數人主要是從藝術作品中聽來的，甚麼武俠小說等等當中聽到這一名詞的。不信你翻一翻古書、修煉的書中，沒有這樣的事。哪有甚麼走火入魔呀？根本就不會出現這種事情。

一般人認為的走火入魔有幾種形式，我剛才講的也是一種形式。由於自己心不正，招來附體了，追求甚麼氣功態顯示自己等各種心態。有的直接追求功能或練了假氣功，一練自己老習慣於放鬆自己的主意識，甚麼也不知道了，身體交給別人了，顛三倒四的被副意識或者外來信息主宰著身體，做出一些特殊的舉動來。告訴他跳樓他就跳樓，告訴他跳水他就跳水。他自己都不想活了，把身體都交給別人了。這不屬於走火入魔，但是這屬於練功誤入歧途，開始是有意這樣做而形成的。有很多人以為晃晃悠悠的就是煉功了，其實這種狀態要是真正去煉功的話，會造成嚴重的後果。這不是煉功，是常人的執著和追求造成的。

另一種情況是煉功時氣淤塞到某處不通了，氣到頭頂下不來，他就害怕了。人身體就是一個小宇宙，特別是道家功法在闖關的時候，會遇到這些麻煩事，闖不過去，氣就盤旋在這個地方。不只是頭頂，其它部位也是一樣的，但是人最敏感的就是頭頂。氣上頭頂往下衝、過不去關的時候，他就會感覺到頭沉、頭脹，戴很厚的氣帽等等這些現象。但是氣它沒有任何制約作用，它也不能導致人出現甚麼麻煩，也根本就不可能產生甚麼病。有些人不了解氣功的真實情況，玄而又玄的亂發表意見，結果造成一種很混亂的現象。人們就認為氣上頭頂下不來就要走火入魔、出偏等等，結果很多人他自己就害怕了。

氣上頭頂下不來，它只是一個時期的狀態，有的人很長時間，半年了也下不來。下不來找個真正的氣功師引導一下也能下來。那麼我們凡是煉功時衝不過去關、氣下不來時，我們找一找心性上的原因，是不是誤在哪個層次中時間太長了，應該提高提高心性了！你真正的提高心性的時候，你看它就能下來。你一味的強調你自身功的變化而不強調你心性的轉變，它可是等著你心性的提高，才會發生整體的變化呢。人真正氣不通不會造成甚麼問題，往往都是我們自己精神作用，又聽些假氣功師說氣上頭頂，要出現甚麼偏差，他就害怕了。他這一害怕說不定就真正的帶來麻煩。因為你一害怕，就是恐懼心，那不是執著心嗎？你的執著心一出來，不得去你的執著心嗎？越害怕，就越像病似的，非得把你這個心去掉不可，讓你接受這次教訓，從而去掉恐懼心，提高上來。

煉功人將來修煉也不會舒服的，身體出現許多的功，都是很強烈的東西在你身體裏動來動去的，搞的你這麼不舒服，那麼不舒服。你不舒服的原因主要是你老是害怕自己身體得甚麼病，其實在身體裏頭都出了那麼強烈的東西，出的都是功，都是功能，還有許多生命體。要動的話，你會感覺到身體發癢、痛、難受等等，末梢神經感覺也很靈敏，各種狀態都會出現。只要你的身體沒被高能量物質轉變之前，都有這種感覺的，本來是好事。作為一個修煉人，你老認為自己是個常人，老認為是有病，那怎麼煉？我們煉功中來了劫難的時候，你還把自己當作常人，我說你的心性那個時候就掉到常人那兒去了。就在這一個問題上，最起碼你掉到常人那個層次上去了。

我們作為一個真正的煉功人，應該在很高層次上看問題，不能用常人的觀點去看問題。你認為是有病的時候，那可能說不定就導致有病了。因為你一認為它有病的時候，你的心性就跟常人一般高了。煉功和真正修煉的，特別是這種狀態，它不會導致有病的。大家知道真正得病的，是七分精神三分病。往往是人的精神先垮了，先不行了，負擔很重，就使病情急劇的變化，往往都是這樣的。舉個例子，過去有個人，把他綁在床上，拿起他的胳膊，說是要給他放血。然後蒙上他的眼睛，把他的手腕劃了一下（根本沒有放他的血），把自來水龍頭打開讓他聽滴嗒聲。他就以為自己的血在往下滴，一會兒這個人就死了。其實根本就沒有放他的血，流的是自來水，他的精神導致他死亡。你老認為你有病的時候，說不定就能把你自己導致成病。因為你的心性已經降到常人那個基礎上去了，那麼常人當然是要得病的了。

煉功人你老認為它是病，實際上你就是求了，你求得病，那病就能壓進去。作為一個煉功人心性就應該高。你不要老害怕是病，怕是病也是執著心，同樣會給你帶來麻煩。修煉中要消業，消業就痛苦，哪有舒舒服服的長功的！要不你的執著心怎麼去呢？我給大家講一個佛教中的故事：過去有一個人費了好大勁修成羅漢了。那人要得正果了，修成羅漢了他能不高興嗎？跳出三界了！這一高興那就是執著心，歡喜心。羅漢應該是無為、心不動的，可他掉下去了，白修。白修了得重修吧，又從新往上修，費了好大勁兒又修上來了。這回他害怕了，他心裏說：我可別高興了，再高興又掉下來了。他一害怕又掉下來了。害怕也是一種執著心。

再有一種情況就是有的人得了精神病，就說他走火入魔了。也有的人還等著我給他治精神病呢！我說精神病不是病，我也沒有時間去管這些事。為甚麼呢？因為精神病人他沒有病毒，身體裏沒有病變，沒有潰瘍，要叫我看就不是病。精神病就是人的主意識太弱了。弱到甚麼成度啊？就像那個人老是當不了自己的家，這個精神病人的主元神就是這樣的。他不想管這個身體了，他自己老是迷迷糊糊，老是精神不起來。那個時候副意識、外來信息就要干擾他。各個空間層次那麼多，各種信息都要干擾他。何況人的主元神在生前可能做了一些不好的事情，還有債主可能要害他，各種事情都會出現。我們說精神病就是這麼回事。叫我怎麼給你治？我說真正的精神病就是這麼得的。那怎麼辦呢？教育他，讓他精神起來，但是很難做到。你看精神病院那個大夫手裏把電棍一掂，他馬上嚇的一句胡話都不說了。為甚麼呢？那個時候他的主元神精神起來了，他怕電他。

往往人入了修煉的門就喜歡煉下去，佛性人人有，修道之心人人都有，所以一旦學了功，有許多人要伴隨他煉一輩子的。不管他能不能修上去，得不得法，反正他有求道之心，他老是要煉。人家都知道這個人練功，辦公室的人知道，街道也知道，鄰居之間都知道他練功。可是大家想一想，真正修煉，在前些年誰做這樣的事情？沒有人做，真正修煉才能改變他的人生道路的。而他是一個常人，只是練功祛病健身，誰給他改變人生道路？常人嘛，到哪一天要得病，到哪一天要遇到甚麼麻煩事，到哪一天說不定就得精神病，或者是一命嗚呼了，常人的一生就是這樣的。你看他在公園裏練功，其實他不是真正修煉的，他想往高層次上修但又不得正法，他也修不上去。他只是有想往高層次上修煉的願望，他還是個在低層次中祛病健身的練功者。他的人生道路沒有人去給他改變，那麼他就要得病。不重德病都不會好的，不是說練了功就甚麼病都不得了。

他得真正去修煉，重視心性，真正去修煉才能祛病的。因為煉功不是體操，而是超出了常人的東西，那麼就得有更高的理和標準來要求煉功者，必須做到才能達到目地。可是許多人都没有這樣去做，他還是個常人，所以他到時候還要得病。有一天他突然間得腦血栓了，突然間得這個病了，得那個病了，或者有一天得了精神病了。他練功可誰都知道，一旦這個人得了精神病，人們就說他練功走火入魔，大帽子就扣上了。大家想一想這麼做合理嗎？外行人不知道，我們內行人、很多煉功人也很難知道其中真正的道理。如果這個人是在家裏得了精神病還好說點兒，人家也會說他練功練的；如果正在練功場上他得了精神病了，那麼就壞了，這大帽子就扣上了，摘都摘不掉了。練功走火入魔，報紙都會登出來的。有的人就是閉著眼睛反對氣功：你看剛才在那兒練的挺好的，現在這樣式的了。作為一個常人，他該出現甚麼事情就要出的，他可能又出現其它的病了，出現其它麻煩了，都說是練功練的，合理嗎？就像我們醫院的大夫，他當了大夫，他這輩子就永遠不該得病了，能這樣去認識嗎？

所以說，有許多人他不了解氣功的真實情況，他也不知道其中的道理，就胡亂說。一旦有甚麼問題了，甚麼帽子都往氣功這兒扣。氣功在社會上普及的時間很短，有許多人抱著一種固執的觀念，老是不承認它、誹謗它、排斥它，也不知道他是一種甚麼心理狀態，他就這麼討厭氣功，好像與他有甚麼相干似的，一提氣功就說是唯心的。氣功是科學，是更高的科學。只是那種人的觀念太固執，知識太狹窄造成的。

還有一種情況，在修煉界有一種叫氣功態的，這種人精神是恍惚的，可是他也不是走火入魔，他是非常理智的。我先說氣功態是怎麼回事。大家知道，我們煉功講究個根基問題。在全世界所有的國家都有人信仰宗教，而在中國幾千年來都有人信仰佛教、道教的，相信善有善報、惡有惡報。但有些人不相信。尤其在「文化大革命」時期是被批判的，說是迷信。有些人他認為不能夠理解的，從書上沒學到的，現代科學沒發展到那一步的，或者是沒有認識到的事物，他一概的說成是迷信。這種人前些年很多，現在比較少了。因為有些現象你不承認它，它已經實實在在的反映到我們這個空間中來了。你不敢正視它，但是現在人們都敢把它說出來了，人們耳聞目睹的也知道一些關於煉功的情況。

有些人就固執到這種成度：你一說氣功，他從內心笑話你，他認為你是搞迷信，太可笑了。你一說氣功中的現象，他就覺的你這個人太愚昧。這種人雖然固執，可是根基並不一定不好。如果這個人根基要好的話，他要煉功，天目可能就會開到很高層次，還會出功能的。他不相信氣功，他可不能保證自己不得病。他要得了病到醫院去看，西醫看不好了到中醫去看，中醫也看不好了，甚麼偏方也看不好了，這回他想起氣功來了。他尋思：我去碰碰大運，看看氣功到底能不能治我這個病。他很不情願的來了。他一煉功，因為根基很好，一下子就能夠煉的很不錯。可能就有哪個師父相中了，在另外空間裏那個高級生命就幫了他一下子。他這一下就開了天目了，或者處於半開悟狀態。天目開到了很高層次，一下子看到了宇宙中的一些真實情況，而且還有功能。你說這種人看到這種情況，他的大腦能受的了嗎？你想他那個心態是甚麼樣兒呢？歷來認為是迷信、絕對不可能的事情，別人一提都笑話的事情，切切實實展現在他的眼前了，又實實在在接觸到了。那麼他的大腦就承受不住了，他的精神壓力太大了，說出的話別人接受不了，可是思維邏輯不亂，他就是擺不正兩邊的關係。他發現，人類做的事情是錯的，而在那邊往往是對的。按照那邊去做，人就說他是錯的。人們不理解，所以就說這個人練功走火入魔了。

其實他不是走火入魔，我們大多數人煉功根本就不會出現這個現象的，只有那些特別固執的人才會出現這種氣功態的。我們在座的人有許多開了天目的，相當的多。他實實在在的看到了另外空間的東西，他不覺的驚奇，覺的很好，大腦不會受甚麼刺激的，也不會出現這種氣功態。人出現氣功態以後，是非常理智的，說的話非常有哲理性的，而且邏輯性很好。只是他講出的話，常人不相信。他一會兒告訴你，說他看到已故的某某人，那人告訴他幹啥。常人他能相信的了嗎？後來他明白了，這些應該擱在自己心裏，不能說，擺正兩邊關係以後就好了。往往這些人都伴有功能存在的，這也不是走火入魔。

還有一種情況叫作「真瘋」，這種情況就極少見了。我們說的「真瘋」不是真的瘋了，不是這個意思，是修真的意思。怎麼真瘋呢？我說修煉的人中，十萬個人中能有這麼一個人，極少見。所以它不帶有普遍性，也沒有造成社會影響。

「真瘋」往往有一個先決條件，就是這個人根基非常的好，還得年齡已經很大了。年齡一大，要修煉已來不及了。根基非常好往往是帶有使命來的，是從高層次上來的。常人這個社會誰來誰害怕，腦袋一洗誰都不認識。來到常人這個社會環境中，人們對他的干擾，就使他重名、重利，最後就掉下去了，永無出頭之日，所以誰都不敢來，誰都害怕。有這樣的人來了，來了之後，他在常人中真的就不行了，真的就要往下掉了，一生做了不少壞事。人活著為了個人利益去爭的時候就會做很多壞事，就會欠下很多東西。他的師父一看，這個人要掉下去了。可是他又是一個有果位的，不能這樣隨便讓他掉下去呀！怎麼辦呢？也很著急，沒有別的辦法叫他修煉，那個時候上哪兒去找師父？他得從新往回返，往回修。可是談何容易？年齡又大，修也來不及了，上哪去找性命雙修的功法呀？

根基必須是非常好的人，在這個極其特殊的情況下，才能採取讓他瘋的辦法。也就是絕對沒有希望了，在自己不能往回返的情況下，可能採取這樣一個辦法，就是叫他瘋，把他腦袋的某一部位給他閉塞掉。比方說我們人怕冷、怕髒，把怕冷這部份大腦給他閉塞掉，怕髒這部份給他閉塞掉。給他閉塞掉一些部份之後，這個人的精神就出現了問題，真是瘋瘋癲癲的了。可是往往這樣的人不做壞事，不罵人也不打人，往往還做好事。可是他對自己卻是很殘酷的。因為他不知道冷，所以冬天他會光著腳在雪地裏跑，穿著單衣服，凍的腳上大口子往出淌血；因為他不知道髒，大便他也敢吃，尿他也敢喝。過去我知道有這樣一個人，那個馬糞蛋凍的邦邦硬，他啃起來還很香，他可以吃常人在明白狀態下吃不了的苦。你想他這一瘋得遭多大罪吧，當然他往往伴有功能存在的，一般老太太多。過去老太太是裹小腳的，兩米多高的牆，跑過去一翻就過去了。家裏人一看她瘋了，老往外跑，就給鎖在屋裏。等家人走以後，一指那個鎖頭就開了，出去了。那就用鐵鏈子鎖上吧，等家人走了以後，一抖摟鐵鏈子就開了。管也管不住她，就這樣她會吃很多苦。因為她吃苦吃的太厲害，來的也太猛，她會把欠下的不好的東西很快的還掉了。最多超不過三年，一般一、兩年就過去了，那苦吃的是相當大的。過去之後馬上明白過來了，因為她這就算已經修煉完了，所以馬上就開了功了，各種神通都會出來。這是極其少見極其少見的，歷史上有這樣的，也不是一般根基的人能夠讓你這樣做的。大家知道有瘋僧、瘋道的，在歷史上確實有，有記載。甚麼瘋僧掃秦，瘋道士呀，這個典故很多的。

走火入魔，我們說肯定是不存在的。說哪個人能走火，要真能這樣，我說這個人還了不起了。張嘴能吐出火來，一伸手能發出火來，吸煙點火一伸手指就來火了，我說那是功能！

煉功招魔

甚麼是煉功招魔？就是我們煉功的時候，往往容易受到一些干擾。煉功怎麼能把魔招來呢？因為一個人想修煉實在太難，真修没有我的法身保護，你根本就修不成，你一出門就可能牽扯到生命問題。人的元神是不滅的，那麼你在生前的社會活動當中，可能就欠過誰，欺負過誰，或者做過甚麼不好的事情，那個債主就要找你。在佛教中講：人活著就是業力輪報。你欠他的，他來找你要債，要多了下回他再還你。兒子不孝順父母，下回倒過來，就是這樣輪來輪去的。但是我們確實看到有魔在干擾，不讓你煉功，這都是有因緣關係的，不是無緣無故的，無緣無故的也不允許它這樣。

最普遍的一種煉功招魔的形式，就是你没煉功的時候，周圍的環境還比較靜。因為學了功，總喜歡煉，可是往那兒一打坐的時候，突然間就感到外邊不靜了。汽車喇叭也響了，樓道裏有走路聲、説話聲、摔門聲，外邊的收音機也打開了，馬上就不靜了。你不煉功環境還挺好的，你一煉功就是這樣的。我們好多人没有往縱深想一想，到底是怎麼回事，只覺的奇怪，挺懊喪的煉不了功。一個「奇怪」就擋住了，這就是魔在干擾你，它指使著人在干擾你。這是一種最簡單的干擾形式，達到了不讓你煉的目地。你煉功，你得道，而你欠下那麼多東西你不還？它可不幹，它不會讓你煉的。但是這也是一個層次中的反映，過一段時間以後就不允許再有這個現象存在了，也就是說把這筆債魔過去之後，不允許它再來干擾了。因為修煉我們法輪大法修的比較快，層次突破也是比較快的。

還有一種魔的干擾形式。大家知道我們煉功可以開天目，有的人開了天目之後在家煉功，會看到一些害怕的景象、害怕的面孔。有的披頭散髮，有的要和你拼殺，甚至做出各種舉動來，很嚇人。有的時候一煉功看見窗户外邊趴的都是這個，很嚇人的。為甚麼會出現這個情況呀？這都是魔的干擾形式。但是在我們法輪大法這一門中，這種情況極其少見，百分之一吧，多數都不會遇到這個情況。因為它對我們煉功没有甚麼好處，所以就不允許它採取這種形式來干擾你。在一般功法的修煉中，這個事兒就是一個最普遍的現象，還得持續很長的時間。有的人就是因為這個煉不了功，嚇壞了。晚上煉功都是選很靜的環境，一看跟前站一個人，人不人鬼不鬼的，嚇的就不敢煉了。在我們法輪大法中一般没有這個現象，但是極個別的還是有，有的人情況是極其特殊的。

還有一種就是煉内外兼修功法的，他既練武又内修，這樣的功法在道家中比較多見。人一旦學了這種功法，往往會遇到這樣一種魔。一般功法遇不到，只有内外兼修的功法、練武的功法才會有，就是有人找他比武。因為世界上有許多修道之人，有很多是練武的，內外兼修的。練武的人，他也可以長功。為甚麼呢？他把其它的心、名、利這些心去掉之後，他也長功。可是他的爭鬥之心遲遲不去，去的比較晚，所以他容易做出這種事情來，在一定層次中還會出現。打坐中惚兮恍兮中他知道誰誰在煉功呢，就元神離體去找人家比試，看誰功夫高，出現這個爭鬥。在另外空間也出現這種情況，也有的來找他爭鬥、厮打，不打的話，真要殺他，就互相打，打來打去。一睡覺就有人找他比武爭鬥，搞的一夜都休息不了。其實這個時候就是去他的爭鬥之心，他這個爭鬥之心要是不去，他老是這樣的，長此下去，幾年拖下去也是出不了這個層次。搞的這個人也就煉不了功了，這個物質身體也受不了，精力耗的也太大，弄不好就廢了。所以在內外兼修的功法中會遇到這種情況的，而且還非常普遍。我們內修功法中這種情況沒有，不允許它出現。我剛才講的這幾種形式都是比較普遍存在的。

還有一種魔的干擾形式，也是人人都能夠遇的到的，我們這一法門也是人人都能夠遇的到的，遇到一種色魔。這個東西非常嚴重。在常人社會中有這種夫妻生活，才能使人類社會繁衍後代。人類就是這樣發展的，人類社會裏邊就是有一個情在，所以這種事情對常人來說就是天經地義的。因為人有情在，生氣是情，高興是情，愛是情，恨也是情，喜歡做事是個情，不喜歡做事還是個情，看誰好誰不好，愛幹甚麼不愛幹甚麼，一切都是情，常人就是為情活著。那麼作為一個煉功人，一個超常的人，就不能用這個理來衡量了，要突破這個東西。所以有很多從情中派生出的執著心，我們就得把它看淡，最後完全放的下。慾和色這些東西都是屬於人的執著心，這些東西都應該去。

我們這一法門，在常人中修煉的這一部份可不是叫你當和尚、當尼姑，我們年輕人還要組織家庭的。那麼怎麼對待這個問題呢？我講了，我們這一法門是直指人心，不是從物質利益上使你真正的失去甚麼。恰恰相反，就是在常人這種物質利益當中去魔煉你的心性，真正提高的就是你的心性。你這顆心能夠放的下，你就甚麼都能放的下，在物質利益上叫你放，你當然就能放的下。你的心放不下，你甚麼都放不下，所以真正修煉的目地是修那顆心。廟裏邊修煉它強制你失去這些東西，也是為了使你去掉這顆心，它強制你，讓你完全杜絕它，不讓你想它，它是這個辦法。而我們不要求這樣走，我們要求就在物質利益面前，你去把它怎麼看淡，所以我們這一門修出來是最紮實的。不是叫你都當和尚、當尼姑。我們在常人中修煉的，將來我們功法傳的越來越廣，說人人都成了不是和尚的和尚，一個個煉法輪大法的都成這個式的了，這不行。我們煉功中要求大家：你煉功，你愛人可能不煉功，因為煉功搞的倆口子離婚了還不行。就是說我們把這件事情看淡，你不能像常人一樣把它看的那麼重。尤其現在社會上甚麼性解放啊，這些黃色的東西在干擾著人。有些人把它看的很重，我們作為煉功人，就得把它看的很淡。

在高層次上看，說常人在社會中簡直就是和泥，不嫌髒，在地上和泥玩呢。我們講，你不能夠因為這件事情搞的家庭不和，所以在你現有的這個階段當中，你把它看淡，保持一個正常的和諧的夫妻生活就可以了，將來到一定層次會有在那個層次的狀態，現在是這樣的，我們要求你這樣做就可以了。當然不能像現在社會上的那種狀態，那還得了！

這其中還有一個問題，大家知道，我們煉功人身體是有能量的。我們現在百分之八、九十的人從這個班下去後，不但病好了，還要出功的，所以你身體帶了很強大的能量的。你帶的功和你現在的心性是不成正比的。你現在暫時是功高了，給你一下子提上去了，現在在提高你的心性。慢慢你會跟上的，保證這一段時間內你會跟上，所以我們超前做了這樣的事情，也就是說你有一定的能量。因為正法修煉出來的能量是純正慈悲的，所以大家坐在這都感覺到一種祥和慈悲的場。我煉功是這樣修煉過來的，我帶有這個東西。大家坐在這裏都感到很和諧，人的思想中沒有邪念，連吸煙都想不起來。將來你也按照我們大法的要求去做，你將來修煉出來的功也是這樣的。隨著你的功力不斷增長的時候，你身體所帶的那個功的散射能量也會相當強大的。即使沒有那麼強大，一般的人，在你這個場範圍之內，或你呆在家裏，你也能制約著別人。你家裏的親人可能都受你的制約。為甚麼？你也不用動念，因為這個場是個純正祥和的、慈悲的，是個正念之場，所以人不容易想壞事，不容易做不好的事情，會起到這樣一種作用。

那天我講佛光普照，禮義圓明，就是說我們身體散射出來的能量能夠糾正一切不正確狀態。那麼在這個場作用下，你不想這些事情的時候，無形之中也把你愛人給制約住了。你沒有動念，你也不會動這種念，他也想不起來。但不是絕對的，現在這個環境，打開電視一看，甚麼都有，容易勾起人的慾望。但是一般情況下，你能夠起到這樣一種制約作用。將來到高層次上修煉，不用我告訴你，你自己就知道如何做了，那時有另外的狀態了，保持和諧的生活。所以，這些事你也不要把它看的太重，你過份擔心的話也是屬於執著了。夫妻之間沒有色的問題，但有慾望，你把它看淡了，心理平衡就行了。

那麼會遇到甚麼樣的色魔？如果你定力要是不夠的話，你會在睡夢中出現，你正睡覺或者正打坐呢，突然間就會出現：你是男的就會出現美女；你是女的那麼就會出現一個你心目中愛慕的那種男子，可是他卻是一絲不掛的。你的念頭一動，可能就泄掉，就成為事實。大家想一想，我們煉功，精血之氣是用來修命的，你不能老這樣泄呀。同時你的色慾這一關沒有過去，那哪行啊？所以這個問題我跟大家講，人人都會遇到，保證會遇到。我講法的時候，我是帶著很強的能量在往你腦子裏打。你可能出門想不起我講的具體是甚麼，可是你真正遇到問題的時候，你會想起我講過的話。你只要把自己當作煉功人，你那一瞬間能想起來，你就能夠約束自己，那麼這一關你就能過去。如果第一關過不去，第二關就很難守的住。但也有這樣的，第一次沒過去，醒來後懊喪的了不得，可能你這種心理、這種狀態，也會加深你思想中的印象，再遇到問題，你就能把握住了，就能夠過的去了。如果有的人沒過去，也不在乎，以後就更難守了，保證是這樣。

這種形式有魔的干擾，也有師父指物化物演化來考驗你，兩種形式都存在，因為人人都要過這一關的。我們從常人開始修煉，走的第一步就是這麼一關，人人都會遇的到。我給大家舉個例子，在武漢辦班的時候有這麼一個學員，三十歲的小伙子。我剛剛講過這一課之後，他回家打坐，馬上就定下來了。定住之後，忽然看見這邊出現阿彌陀佛，那邊出現老子。這是他在心得體會中講的。出現了之後，瞅瞅他沒有吱聲，然後就隱去了。又出現了觀音菩薩，手裏拿著一個花瓶，從這個花瓶裏飛出來一股白煙兒。他在那打坐，看的很真切，他挺高興。一下子化出了幾個美女，美女就是那個飛天，那多漂亮呀。給他跳舞，舞姿這個好看哪！他尋思：我在這兒煉功，觀音菩薩獎賞我，化幾個美女來給我看，飛天給我跳舞。他正想的高興的時候，一下子這些美女就一絲不掛了，做著各種動作，扳脖子摟腰就上來了。我們學員心性提高的很快，當時這個小伙子就警覺了，他首先想到的就是：我不是一般的人，我是煉功人，你們不要這樣對待我，我是修法輪大法的。這個念頭一出，「唰」一下子甚麼都沒有了，本來就是幻化出來的。然後阿彌陀佛和老子又從新顯現出來。老子手指著小伙子，對著阿彌陀佛笑了笑說：孺子可教也。那就是說這小子行，可以教。

在歷史上或在高層空間中，看人能不能修，看人的慾望、色這個東西很主要的，所以我們真得把這些東西看淡。但是我們在常人中修煉，又不是要你完全杜絕它，最起碼在現階段，你要把它看淡，不能再像過去那樣。作為一個煉功人就是應該這樣的。凡是在煉功中出現這個干擾，那個干擾，你自己得找一找原因，你有甚麼東西還沒有放下。

自心生魔

甚麼叫自心生魔？人的身體在各層空間中都有一個物質場存在，在特殊的場當中，宇宙中的一切東西都像影子一樣照射到你這個空間場上來，雖然是影子，可也是物質存在的。你空間場上的一切，都聽你的大腦意識去支配，也就是說，你用天目去看，不動念靜靜的看是真實的，只要稍一動念，看到的都是假的，這就是自心生魔，也叫隨心而化。就是因為有的煉功人自己不能把自己當作一個修煉的人，不能夠自己把握自己，他有求於功能，執著於小能小術，甚至執著於另外空間裏聽到的一些東西，執著於追求這些東西，這一類人最容易自心生魔，最容易掉下來。不管修煉了多高，一出現這個問題就會一落到底，一毀到底。這是一個極其嚴重的問題。不像其它方面，心性考驗這次沒過去，摔個跟頭爬起來，還可以接著修。而出現自心生魔這個問題就不行，他這一輩子就毀了。特別是煉功在一定層次中開了天目的人，容易出現這個問題。還有一些人自己意識上老受外來信息干擾，外來信息告訴他甚麼，他就相信甚麼，也會出現這個問題。所以我們有的人開了天目之後，會受到方方面面的信息干擾。

我們舉個例子。低層次修煉心不動，很難做到。老師甚麼樣你可能看的不清楚。突然間有那麼一天，你看到來了一個又高又大的大神仙。這個大神仙誇你兩句，然後教你點甚麼東西，你也要了，那你的功就亂了套了。你心裏一高興，認他當師父了，跟他學去了，可他也是不得正果的，在那個空間就可變大縮小。這展現在你的面前，你看見這個大神仙，真激動！歡喜心一起，你還不去跟他學嗎？修煉的人把握不住自己就很難度化，就容易毀了自己。天人都是神，可是他也是沒得正果的，照樣入六道。你隨便認師父，你要跟他去了，他把你帶到哪一步上去？他都不得正果，你不是白修了嗎？結果你自己的功已經搞亂了。人是很難不動心的。我告訴大家，這個問題很嚴肅，將來我們很多人會出現這個問題。法我給你講出來了，你能不能把握住全靠你自己，我講的這是一種情況。看到甚麼別的門派中的覺者也不動心，就在一門中修。甚麼佛，甚麼道，甚麼神，甚麼魔，都別想動了我的心，這樣一定會成功有望的。

自心生魔還有其它情況：看見過世親人干擾，哭哭啼啼，叫你做這個事、那個事，甚麼事都出現。你能不動這個心？你就溺愛你這孩子，你愛你的父母。你的父母已經去世了，它告訴你幹甚麼……都是那種不能幹的事情，你幹了就壞了，煉功人就這樣難。人家講佛教亂了，儒教的東西都跑到佛教中去了，甚麼孝敬父母、兒女情都跑進去了，佛教中沒有這個內涵。甚麼意思呢？因為一個人的真正生命是元神，生你元神的那個母親才是你真正的母親。你在六道輪迴中，你的母親是人類的，不是人類的，數不清。生生世世你的兒女有多少，也數不清。哪個是你母親，哪個是你兒女，兩眼一閉誰也不認識誰，你欠下的業照樣還。人在迷中，就放不下這個東西。有的人放不下他的兒女，說如何好，他死了；他母親如何好，也死了，他悲痛欲絕，簡直下半生要追它去了。你不想一想，這不是魔你來了嗎？用這種形式叫你過不好日子。

常人可能理解不了，你要執著這個東西，你根本修煉不了，所以佛教中沒有這個內涵。你要想修煉，人的情就要往下放。當然，我們在常人社會中修煉，孝敬父母、管教孩子都是應該的，在各種環境中都得對別人好，與人為善，何況你的親人。對誰也一樣，對父母、對兒女都好，處處考慮別人，這個心就不是自私的了，都是慈善之心，是慈悲。情是常人中的東西，常人就是為情而活著。

很多人把握不住自己，造成修煉的困難。有的說，佛跟他說甚麼了。凡是告訴你，今天有一難，要出甚麼事，你怎麼躲開它。或者誰告訴你，今天的一等獎券是多少號，叫你去摸。除非有生命危險時叫你如何排除之外，凡是在常人社會中叫你去得到好處的都是魔。你在常人中得好的，過不了這一難，你就提高不上來。你在常人中舒舒服服的過好日子，你怎麼修？你的業力怎麼轉化？哪有提高你的心性和轉化你的業力的環境？大家千萬記住這點。那魔還會誇獎你，說你有多高呀，說你是多高的大佛，多高的大道，認為你了不起，這全是假的。真正往高層次上修煉的人，你的各種心都得放下，遇到這些問題的時候，大家一定要警惕！

我們在煉功的時候天目開了。天目開了有天目開的難修之處，天目不開有天目不開的難修之處，都不好修煉。天目開了之後，各種信息干擾你的時候，你真是很難把握住自己的。在另外空間裏，哪都是琳瑯滿目，非常漂亮的，非常好的，甚麼都可能動了心的。一動心你可能就受到干擾，你那個功就亂套了，往往就是這樣的。所以自心生魔的人，把握不住自己的時候，還會出現這麼一種情況。比如說，這個人一產生不正的念頭，就很危險。有一天，他開了天目了，他看的還很清楚。他想：在這個煉功點上，就我天目開的好，我可能不是一般人吧？我能學了李老師的法輪大法，我能學的這麼好，我比別人都強，我可能也不是一般的人。這個思想已經就不對頭了。他想：說不定我也是個佛呢，啊，我看看我自己。他一看自己真是佛。為甚麼呢？因為在他自己身體周圍的空間場範圍之內的一切物質，都隨著他的念頭演化，也叫隨心而化。

從宇宙中對映過來的東西，都隨著他的念頭變化。因為是他空間場範圍之內的都歸他管，影子也是物質存在，也是一樣。他想：我是佛吧，我可能穿的也是佛的衣服。那麼他看到他穿的衣服就是佛的衣服了。哎喲，我真是佛呀，這可高興壞了。我可能還不是個小佛呢，一看，自己還是個大佛。說不定我比李洪志還高呢！看看，哎呀，我真比李洪志高。也有的人是從耳朵聽到的，那個魔干擾他，說：你比李洪志還高，你比李洪志高多少多少。他也相信了。你沒想想你今後咋修啊，你修過嗎，誰教你修的？真佛下來做事都得從新修，原來的功都不給了，只不過現在修的快一些。這樣一來，這個人一旦出現這個問題之後，那麼他就很難自拔，馬上這個心就起來了。起來之後，他就甚麼都敢說了：我就是佛了，你們不用跟別人學了，我就是佛了，我告訴你們怎麼做怎麼做。他來這個了。

我們長春不也有這樣的人嗎？開始挺不錯的一個人，後來弄弄就來這個事兒了。他是佛了，最後他比誰都高了，就是人把握不住自己，起執著心造成的。為甚麼會出現這個現象呢？在佛教中講：你看到甚麼東西，你不要管它，都是魔幻，你只管自己入定往上修。他為甚麼不讓你看，不讓你執著於那個東西呢？他就怕出現這個問題。佛教中修煉他沒有甚麼強化的修煉方法，在經書中也沒有指導你如何擺脫這個東西。釋迦牟尼當時沒有講這個法，為了避開自心生魔、隨心而化的問題，他把一切修煉中看到的景象全都說成是魔幻。所以一旦有了執著心，就會產生這個魔幻，人很難去擺脫它。那麼可能弄不好這個人就完了，入了魔了。因為他把自己說成佛了，他已經入了魔了，最後還可能招來附體或其它甚麼事，他就徹底完了。他的心也變壞了，徹底掉下去了，這樣的人挺多。在這個班上現在就有人感覺自己不錯呢，那個說話態度都不一樣。自己到底是怎麼回事，就是在佛教中也很忌諱這個東西。我剛才講的這又是一種情況，這叫自心生魔，也叫隨心而化。在北京有這樣的學員，還有些地區也出現了，而且對煉功人干擾很大。

有人問我：老師，你怎麼不把這個清理了呢？大家想一想，如果我們在修煉這條路上把障礙全部都給你清理了，你怎麼修？就是在有魔干擾的情況下才能體現出你能不能修下去，你能不能真正的悟道，你能不能受到干擾，能不能堅定這一法門。大浪淘沙，修煉就是這麼回事，剩下的才是真金。你沒有這種形式干擾，我說人修起來太容易了，我看著你修的都太容易。那些高層次上的大覺者看著心裏更不平了：你這是幹甚麼呢？你這是度人嗎？這路上甚麼障礙都沒有，一修到底，這是修嗎？越煉越舒服，甚麼干擾都沒有，那能行嗎？就是這個問題，我也在考慮這個問題。在初期的時候，我處理了很多這樣的魔。老是這樣下去，我想也不對勁。人家也跟我說：你叫他們修的也太容易了。人就自己那點難，人與人之間就那點事呀，還有很多心還不能去呢！在惑亂當中對你的大法本身能不能認識還是個問題呢！有這樣一個問題，所以就會有干擾，有考驗。剛才講了這是魔的一種形式。真正度一個人很難，可是毀一個人就極其容易。你自己心一不正，馬上就完。

主意識要強

由於人生生世世所做的一些不好的事，給人造成災難，給修煉者造成業力的阻力，所以會有生老病死的存在。這是一般的業力。還有一種強大的業力，對修煉者影響非常大，叫作思想業。人活著就得思考。由於人迷於常人之中，時常在思想中産生一種為了名、利、色、氣等而發出的意念，久而久之，就會形成一種強大的思想業力。因為在另外的空間一切都是有生命的，業也是一樣。當人要修煉正法時，就要消業。消業就是把業消滅、轉化。當然業力就不幹，人就會有難，有阻力。

然而，思想業力會直接干擾人的大腦，從而在思想中有罵老師、罵大法的，想出一些邪念和罵人的話。這樣一來，有的修煉人就不知是怎麼回事，還以為是自己這樣想的。也有人以為這是附體，但這不是附體，而是思想業往人的大腦上反映而造成的。有的人主意識不強，就隨著思想業幹壞事，這人就完了，掉下去了。但大多數人可以以很強的主觀思想（主意識強）排除它，反對它。這樣，就說明這個人可度，能分明好壞，也就是悟性好，我的法身就會幫助消去大部份這種思想業。這種情況比較多見。一旦出現，就是看自己能不能戰勝這壞思想。能堅定者，業可消。

心一定要正

甚麼是心不正？就是他老是不把自己當作煉功人。煉功人在修煉當中會遇到難，這個難來的時候可能表現在人與人之間的摩擦當中，會出現勾心鬥角等等這些事情，直接影響到你心性上的東西，這方面比較多。還會遇到甚麼呢？我們身體會突然間感覺不舒服，因為還業，它會體現在方方面面的。到一定時期還給你弄的真不真、假不假的，讓你感覺這個功存不存在，能不能修，到底能不能修煉上去，有沒有佛，真的假的。將來還會給你出現這種情況，給你造成這種錯覺，讓你感覺到他好像不存在，都是假的，就看你能不能堅定下來。你說你必須堅定不移，這樣的心，到那時候你真能堅定不移，你自然能做好，因為你的心性已經提高上去了。而現在你就那麼不穩，要是現在給你出現這個魔難，你根本就不悟了，根本就不能修了。方方面面都可能出現魔難的。

在修煉過程當中，人就得這樣往上修煉。所以我們有的人一旦他身體哪兒不舒服了，他就認為自己有病了。他老是不能把自己當作煉功人，遇到這個事，他也自當是病，怎麼出那麼多麻煩哪？告訴你，已經給你消下去很多了，你那個麻煩小的多了。要不給你消，你遇到這麻煩可能就一命嗚呼了，也可能躺那兒起不來了。所以你遇到點麻煩，你就難受了，哪有那麼舒服的事？舉個例子，我在長春辦班的時候，有一個人根基非常好，真是塊料，我也看中這個人。就把他的難加大一點，讓他快點償還掉，讓他開功，我準備這麼做。可有一天，他一下子好像得了腦血栓的症狀，一跟頭栽在那裏，覺的不會動了，好像四肢不靈了，送去醫院搶救。然後他能下地了。大家想一想，得了腦血栓哪能這麼快就能下地了，胳膊、腿都會動了？回過頭來他說學法輪大法學的，使他出偏了。他沒有想一想，腦血栓這麼快就好了？今天他要不學法輪大法，一個跟頭栽下去，說不定就死在那裏了，也許永遠癱瘓下去，真的得腦血栓了。

就說人那麼難度，為他做了那麼多，他還不悟反而這麼說。有的老學員說：老師，我怎麼哪兒都不舒服，總上醫院去打針也不好使，吃藥也不好使。他還好意思跟我說！那當然不好使。它也不是病，能好使嗎？你檢查去吧，沒有毛病，你就是難受。我們有個學員到醫院把針頭給人家打彎了好幾個，最後那一管藥都哧出去了，也沒扎進去。他明白了：哎喲，我是煉功人哪，我不打針了。他才想起來不打針了。所以我們在遇到魔難的時候，千萬要注意這個問題。有的人以為我就是不讓他到醫院去看，就想了：你不讓我到醫院去看，我找氣功師去看。他還是把它認為是病，他找氣功師看。哪能找到真氣功師？要是假的，當時就把你毀了。

咱們說，那個氣功師是真的是假的你到哪兒分的清？很多氣功師都是自己封的。我是經過測定了，我手裏有科研部門對我測定的資料。有許多氣功師是假的，自封的，招摇撞騙的有的是。這個假氣功師也能看病。為甚麼能看病？他有附體，沒附體他還騙不了人呢！那個附體它也能發出功來，也能治病，它也是一種能量存在，制約於常人非常容易。可是我講了，那個附體要治病，給你身上發甚麼東西？極微觀下都是那個附體形象，發你身上，你說你怎麼辦吧？請神容易送神難。常人咱不說了，他就想當常人，他就想暫時舒服。可是你是個煉功人，你不是要不斷的淨化身體嗎？這東西給你弄身上，甚麼時候你才能把它排出去？而且它也有一定能量的。有的人想了，那法輪怎麼能讓它發進來？老師不有法身保護我們嗎？我們這個宇宙中有個理：你自己求的誰都不管，你自己想要，誰都不管。我的法身會阻止你，會點化你，一看你老是這樣的，也就不管你了，哪有強迫叫人家修煉的？不能夠強迫你修、逼著你修。得靠你自己真正去提高的，你不想提高誰也沒有辦法。理也給你講了，法也給你講了，你自己還不想提高，那你怨誰呀？你自己想要的，法輪也不管，我的法身也不管，保證是這樣的。還有的人跑到別的氣功師場上去聽報告，回家很難受，那當然了。那法身為啥不給你防著？你去幹啥去了，你去聽，你不是去求了嗎？你不往耳朵裏灌，它能進來嗎？有的人把自己的法輪都弄變形了。我告訴你，那法輪比你生命都值錢，他是一種高級生命，不能隨隨便便就毀壞他。現在假氣功師很多，有的名望很大。我和中國氣功科學研究會的領導講，我說古代出現過妲己禍亂朝廷，那個狐狸搞的很兇，它也沒有現在那個假氣功搞的那麼厲害，簡直禍亂全國，多少人遭難！你看著表面上好像是挺好的，有多少人身體上帶著那個東西？他發上就給你帶上，簡直太猖獗了，所以常人在外觀上很難看出來。

有的人可能想：今天參加氣功報告會，聽完李洪志這一講，原來氣功這麼博大精深哪！下回再有別的氣功報告我還去聽。我說你千萬別去，聽了不好的東西就從耳朵往裏灌。度一個人很難，改變你的思想很難，調整你的身體也是很難的。假氣功師多的是，就是真正的正傳氣功師，那氣功師真乾淨嗎？有些動物是很兇的，那些東西上不到他身上，可是他也排不走。他沒有能力大面積去惹這些東西，尤其是他的學員，他在那發功，混雜的甚麼東西都有。他自己倒是挺正的，可是他的學員不正，帶著各種附體的，甚麼都有。

你要真正修煉法輪大法，你就別去聽。當然你不想修煉法輪大法，就是啥都想練，那你就去。我也不管你，你也不是法輪大法的弟子，出了問題你也別說是煉法輪大法煉的。你按照心性標準去做，按照大法去修煉，那才是真正法輪大法的人。有人問了：能不能接觸練別的氣功的人？我告訴你，他就是練氣功的，你是大法修煉的，從這個班上下去，拉開的層次不知道有多遠了，這法輪是多少代人修煉才形成這東西，是有強大威力的。當然你要接觸的話，能保持住他的甚麼東西不接受，也不要，只做一般朋友，那問題不大。但那人身上要真有東西就很壞，最好不接觸。說倆口子，有練其它功的，我想問題也不大。但有一點，因為你是煉正法的，一人煉功，別人要受益的。他練歪門邪道的，可能身上有歪門邪道的東西，為了你的安全，也要給他清理的。在另外空間甚麼都給你清理，你家裏的環境也要清理的。環境不清理，各種東西干擾你，你怎麼煉功？

但是有一種情況我的法身不能給清理。我有一個學員，有一天看到我的法身來了，給他樂的夠嗆：老師法身來了，請老師到屋裏來。我的法身說：你這屋裏太亂了，東西太多了。他就走了。一般說來，另外空間的靈體太多，我的法身會給清理的。但他滿屋子都是亂七八糟的氣功書。他明白了，收拾收拾，燒的燒，賣的賣，然後我的法身又來了。這是學員給我講的。

還有的人去求人家算卦。有的人問我說：老師，我煉法輪大法了，我對《周易》或者算命這些東西挺感興趣的，我還能不能用呀？這麼說吧，你如果要是帶了一定能量，你講出的話要起作用的。不是那麼回事，也給人家說成那麼回事了，那麼你可能就做了壞事了。一個常人是非常弱的，他所存在的信息都是不穩定的，很可能發生一些改變。你張嘴給人家說出來了，可能那一難就存在了。假如說他業力很大，他要償還的，你老說他有好事，還不了業力那行嗎？你不是害人嗎？有的人就是放不下，就執著這些東西，好像他有本事似的，這不是執著嗎？而且你要是真的知道，作為一個煉功人守心性，也不能隨便去洩露天機給一個常人，就是這個道理。拿《周易》怎麼去推，反正有些東西已經不真實了，推來推去，真的假的，常人社會是允許算卦這種東西存在的。那麼你是真正有功的人，我說真正的煉功人就應該高標準要求自己了。但是有些人他找別人給他算卦，說：你給我算算卦，看看我怎麼樣，這個功煉的如何？或者是我有沒有甚麼難。他找人算這個。那個難要給你算出來了，你怎麼提高啊？煉功人他的一生是經過改變的，手像、面像、生辰八字，和身體所帶的信息的東西已經不一樣了，是經過改變的。你找他算卦的時候，你就相信他了，不然你算甚麼？他說的是表面上的東西，說的是你過去的東西，可是實質上卻發生了變化。那麼大家想一想，你找他算了，你是不是就聽了、信了？那麼你精神上是不是就造成負擔了？造成了負擔，你心裏想它，是不是執著心？那麼這種執著心怎麼去？這不是人為的增了一難？產生的這執著心不得再多吃苦才能去的嗎？每一關、每一難都存在修上去或掉下來的問題。本來就難，還人為的增加這難，怎麼過呢？你可能因此就要遇到難、麻煩。你改變後的這條道路是不允許別人看的。別人要看了之後，都能給你說出來你哪一步有難的話，你還咋修啊？所以根本就不讓看的。其它法門誰也不讓看，同門中的弟子都不讓看的，誰也說不對的。因為那一生是改變的，是修煉的一生。

有的人問我：其它宗教中的書，還有氣功書能不能看？咱們講，宗教中的書，尤其佛教的書，都是叫人家如何修煉心性。我們也是佛家的，應該說是沒有問題的。但是有一點，許多經書中有些東西在翻譯過程中已經有誤了，再加上很多經書的解釋，也是站在不同層次上解釋的，隨便下定義，這就是亂法。一些亂解釋經書的人距離佛的境界太遠了，根本不知道其真正的涵義，所以認識問題也是不一樣的。你要完全看懂它，也不太容易，你自己悟不懂。但是你說：我們就是對經書感興趣。你老是圍繞著經書去學，那就是在那一法門中修煉了，因為經書也是把那一門的功和法合在一起了，一學就學了那一門了，有這樣的問題。如果你鑽進去了，按照它的修，那可能就走了那一法門了，就不是我們這一法門了。修煉歷來講不二法門，你要真修這一門，就看這一門的經。

至於說氣功書，你要修就別看，尤其是現在出的這些書，別看。至於說甚麼《黃帝內經》、《性命圭旨》或者是《道藏》之類的也一樣，雖然沒有那麼些不好的東西，但是裏邊也帶有各種層次的信息存在。它本身就是修煉方法，一看也給你加進去，干擾你。你覺的這句話對，好，這一下就來了。給你的功裏加進去，雖然不是不好的東西，突然給你加進去一點別的東西，你說你怎麼煉？不也出問題嗎?咱們電視機裏邊這個電子元件,要是給你多加一個其它元件,你說這個電視機會甚麼樣?馬上就壞了,就是這個道理。而且現在有些氣功書很多都是假的,帶有各種信息。我們有個學員一翻氣功書裏邊蹦出一條大蛇來。當然詳細的我不願意說。我剛才講的就是我們煉功人自己由於不能夠正確對待自己,造成一些麻煩,也就是心不正招來的麻煩。我們給大家講出來有好處,叫大家知道怎麼去做,怎麼去鑑別它們,以便將來不出問題。你別看我剛才講這段話講的不重,大家千萬注意,往往出問題就在這點上,往往問題就出在這兒。修煉可是極其艱苦的,非常嚴肅的,你稍微一不注意可能就掉下來,毀於一旦,所以心一定要正。

武術氣功

除了內修功法之外,還有武術氣功。我在談到武術氣功的時候,我還要強調一個問題,現在在修煉界有許多氣功之說。

現在又出來甚麼美術氣功、音樂氣功、書法氣功、舞蹈氣功,甚麼都來了,都是氣功?我就覺的奇怪。我說這是禍亂氣功,不只是禍亂氣功,簡直是糟蹋氣功。理論根據是甚麼呢?說做畫、唱歌、舞蹈、寫字呀，進入那種惚兮恍兮的狀態，所謂的氣功態，就是氣功了？不能這樣去認識問題。我說那不是糟蹋氣功嗎？氣功是人體修煉的一種博大精深的學問。噢，惚兮恍兮就是氣功了？那麼我們惚兮恍兮上廁所算甚麼？那不是糟蹋氣功嗎？我說就是糟蹋氣功。在前年東方健康博覽會上，有一個甚麼書法氣功。甚麼叫書法氣功啊？我到書法氣功那兒一瞅，這個人拿筆在那寫字，寫完字之後，用手往一個一個字上發氣，發出的都是黑氣。滿腦子是錢、名氣，你說能有功嗎？氣也不會是好氣的。往那一掛還賣的挺貴，但都是洋人去買他的。我說誰買家去誰就倒楣。那黑氣能好嗎？看那個人的臉都是黑的，他鑽到錢眼裏了，就是想錢呢，能有功嗎？這個人名片上邊寫了好大一堆名頭，甚麼國際書法氣功等等。我說這玩藝兒就算氣功？

大家想一想，從我這個班上下去的人，咱們今天百分之八、九十的人下去你不但病好了，你還得出功，真正的功。你身體帶的東西已經相當超常了，就你自己煉，一輩子你都煉不出來。年輕人從現在開始煉，一輩子都煉不出來我給下的這些東西，還得真正的明師去教你。我們多少代人才形成這法輪和這些機制，這些東西一下子給你下上了。所以我告訴大家，不要因為得之於易而失之於易。這可是極其珍貴的，不能用價值來衡量的。我們從這個班上下去，你帶的是真正的功，是高能量物質。你回家也寫兩筆字兒，字不在好壞，可有功啊！所以從咱們班上下去，一個個的都加上「師」字兒了，都是書法氣功師了？我説不能這麼認識呀。因為真正有功的人，有能量的人，你不用特意去發，你摸過的東西都會留下能量，都是閃閃發光的。

我還看到一本雜誌，登了這麼一條消息，説要辦書法氣功學習班。我翻了一下，看看他怎麼教。裏邊這麼寫的：先調息、呼吸，然後打坐意想丹田氣，打坐十五分鐘到半個小時，意想提丹田氣上走入小臂，拿起筆來蘸上墨汁，再運氣到筆尖。意念到了，開始寫字。那不是騙人嗎？噢，把氣提到哪兒就是甚麼氣功啦？那麼咱們吃飯的時候，打一會坐，拿起筷子，運氣到筷子尖上吃飯，那就叫吃飯氣功，是不是？吃的還都是能量，就説這個事兒。我説就是糟蹋氣功，他把氣功看的這麼膚淺了，所以不能這樣去認識。

但是武術氣功已經能夠算成一門獨立的氣功了。為甚麼呢？它有幾千年的承傳過程，它有完整的一套修煉理論和整個一套修煉方法，所以它能夠算作完整的一套東西。雖然這樣，武術氣功也是我們內修功法中最低層次中的東西。硬氣功就是一種物質能量團，單一的為了擊打用的。給大家舉個例子，北京有個學員，從我們法輪大法班上下去以後，手不能按東西。到商店買兒童車，用手試試這個車結不結實，就這麼一按，「啪」，散架子了，他覺的很奇怪。回家坐椅子，他不能用手去按，用手一按那椅子「啪」就碎了。他問我是怎麼回事。我沒有給他講，我怕他產生執著心。我說這都是自然狀態吧，隨其自然，不要管它，都是好事兒。那功能運用好了，那石頭用手一捏都得粉碎的。這不就是硬氣功嗎？但他也沒有練過硬氣功。在內修功法中這些功能一般都出，可是因為人的心性把握不住，所以往往出了功能也不給你用。尤其在低層次上修煉的時候，人的心性還沒有提高上來，低層次上出的這個功能，根本就不給拿出來的。久而久之隨著你層次高了的時候，這些東西也沒啥用了，也就不拿出來了。

武術氣功具體是怎麼練的？練武術氣功它講運氣。可是開始這個氣也不好運，說你想運氣就運上來了，它還運不上來呢。那怎麼辦？他得去練他的手，他身體兩肋或者是腳、腿、大小臂、頭都要練的。怎麼練？有的人用手去擊打樹，用掌去打樹。有的人用手往石板上摔，啪啪這麼摔。你說這骨頭硌上該多痛啊，這稍微一用勁就出血了。這個氣還是運不出來。怎麼辦？他開始掄胳膊，把血都倒控過來了，胳膊、手就脹起來了。實際就是腫起來了，然後他往石頭上一打，骨頭就被墊起來了，不能夠直接碰到石頭，也就不那麼痛了。隨著他練功，師父會教他，久而久之他會運氣了。可是光運氣還不行，真正擊打的時候，他可不等你。當然人能運氣的時候就已經能抗擊打了，拿著很粗的棒子打上可能也不痛，他運氣後能脹起來。可是氣是初期最原始的東西，隨著他不斷的練的時候，這個氣會向高能量物質轉化。當它轉化成高能量物質的時候，漸漸的形成了一種密集度很大的能量團。而這種能量團就帶有靈性了，所以它又是一個功能團，就是一種功能了。可這種功能是專門用於擊打、抗擊打的，用它來治病可不好使。因為那個高能量物質它在另外的空間，它不是走我們這個空間，所以它的時間比我們來的快。你要去擊打別人的時候，不用再運氣、再想了，那個功已經到那兒了。别人打你，你去搪的時候，那功也已經到那兒了。不管你出手多快，它比你還要快，兩邊的時間概念是不一樣的。練武術氣功可以練出甚麼鐵砂掌、朱砂掌、金剛腿、羅漢腳的，這是常人中的本事。常人經過鍛練之後就可以達到這一步。

武術氣功和內修功法的最大的區别是：武術氣功要求運動中練，所以氣走皮下。因為是在運動中練，不能入靜，氣不入丹田，氣走皮下，氣竄肌肉，所以不能夠修命，也不能夠修煉出高深功夫。我們內修功法是要求在靜中煉。一般功法講氣入丹田，氣入小腹，講究靜中修煉，講究本體轉化，可以修命，可以修煉到更高層次。

大家可能聽說有這樣的功夫，在小說中寫到甚麼金鐘罩、鐵布衫、百步穿楊。輕功啊，有的人可以高來高去的；有的人甚至可以遁入另外空間。這種功夫有沒有呢？有，這一點是肯定的，但是常人中沒有。真正練出這種高功夫的人，他也不能夠拿出來顯示。因為他不是單一練武術練的，完全是超出常人層次的了，那麼這個人就必須得按照內修功法去修。他就得講心性，提高他的心性，他把物質利益這些東西都得看淡。他雖然能修出這種功夫，可是他從此以後卻不能夠在常人中隨便再用了，沒人看見的時候自己做一做倒行。你看那小說中寫的，說這個人為了甚麼劍圖，為了奪寶，為了女人，去殺去鬥，一個個的本事很大的，神來神去的。大家想一想，真有這種功夫的人他不是內修修出來的嗎？他重心性才修出來的，對名利和各種慾望早看淡了，他能去殺人嗎？他能把那個錢財看的那麼重？根本就不可能的，那只是藝術中的誇張。人就追求精神刺激，怎麼解渴怎麼來。那個作者也抓住這個特點了，反正你怎麼解渴、怎麼高興，他給你使勁寫。寫的越玄你越願意看，那只是藝術中的誇張。真正有這種功夫的人就不會這樣幹了，特別是更不能拿出來表演的。

顯示心理

我們有許多學員，因為在常人中修煉，有許多心放不下，有許多心已經形成自然了，他自己覺察不到。這種顯示心理處處都能體現出來，在做好事上也能體現出來顯示心理。平時自己為了名，為了利得到一點好處，張揚張揚，顯示顯示：我有本事，強者。我們這種情況也有，煉的好一點，天目看的清楚一點，動作好看一點，也有顯示的。

有人講：我聽見李老師說甚麼東西了，大家圍著聽，他在那兒講，用自己的理解添枝加葉傳小道消息。甚麼目地呢？還是顯示自己。還有的人傳些小道消息，他傳他，她傳她，津津樂道的在那兒講，好像他消息靈通。我們這麼多學員都沒有他明白，別人沒有他知道的多，他已經形成自然了，可能是不自覺的。他在潛意識中就是有這麼一種顯示心理，不然傳這些小道消息幹甚麼呀？還有人傳老師甚麼甚麼時候回山。我也不是從山裏來的，我回甚麼山呢？還有人說，老師哪天哪天給誰講了甚麼東西，給誰吃了小灶了。傳這些東西有甚麼好處呢？一點好處也沒有，但是我們看到了這是他的執著心，一種顯示心理。

還有人找我簽名，甚麼目地呢？還是常人的那一套吧，簽個名，留個紀念。你不修哇，我給你簽名也沒有用。我的書字字都是我的形像和法輪，每句話都是我講的，你還要簽甚麼名呢？有人想：簽了名，老師的信息就保護我了。還講信息那一套，我們也不講信息。這本書已經是不能用價值來衡量了。你還求甚麼東西呢？這都是那些心所反映出來的一些東西。還有的人看到我身邊帶著的這些學員，言談舉止看到之後，就跟著學，好的壞的他也不知道。其實我們不管是誰甚麼樣，只有一個法，只有遵照這個大法去做，那才是真正的標準。我身邊帶著的人没有吃甚麼小灶，都和大家一樣，他們只是研究會的工作人員，不要起這些心。我們往往一旦起這種心的時候，你無意中就起到了破壞大法的作用。你製造這個聳人聽聞的，甚至於可能出現矛盾，往起勾學員的執著心，也搶著到老師跟前多聽點甚麼，等等這些事情，不都是這個問題嗎？

這個顯示心理還容易引起甚麼東西呢？我傳功時間已有兩年了，我們法輪大法修煉的老學員當中，有一批人可能很快就要開功了；有一批人要進入漸悟狀態，突然間進入漸悟。為甚麼當時不出這些功能呢？因為我一下子給推的那麼高，你常人之心都没有去不行。當然你的心性已經提的很高，但還是有許多執著心没有去，所以不能讓你出這些功能。當你這一階段過去之後，穩定下來之後，一下子給你打到漸悟狀態上。在這個漸悟狀態當中，你的天目會開的很高，你會出很多功能。其實我告訴大家，真正修煉的時候，剛一進去就會出現很多功能，你已經進入那麼高的層次了，所以功能是相當多的。最近我們有許多人可能就會出現這種狀態。還有一些人，他修不高，他自身攜帶的東西和他自己的忍耐力結合在一起是固定的，所以有一些人在很低層次就開功開悟了，徹底開悟，會出現這樣的人。

我跟大家講出這個問題，就是要告訴大家，一旦這樣的人出現，你千萬不要把他當作甚麼了不起的覺者。這在修煉上是一個很嚴肅的問題，只有遵照這個大法去做才是對的。不要看到人家功能啊，神通啊，看到一些東西，你就跟他去了，就這樣聽去了。你也會害他的，他會生出來歡喜心，最後自己甚麼東西都失去了，關掉了，最後掉下去了。開了功也會掉下去的，把握不住開了悟也會掉下去。那佛把握不好還往下掉呢，何況你是個常人中修煉的人！所以不管出了多少功能，多大的功能，神通顯的多大，你一定要把握住。我們最近有人坐在這兒就沒了，一會兒他又顯現出來了，就是這樣的，更大的神通都會出現的。你將來怎麼辦？作為我們學員、弟子，將來這種事情你自己出現也好，別人出現也好，你不要去崇拜他，去求這個東西。你的心一變，馬上就完，你就掉下去了，也許你比他還高呢，只是沒出神通而已。最起碼你在這個問題上是掉下去了，所以大家千萬注意這個問題。我們這個事情已經擺在很重要的位置上了，因為很快就會出現這個事情，一旦出現，你把握不住就不行。

修煉的人出了功、開了功，或者是真正開了悟，也不能夠把他自己視為如何如何，他所看到的東西，是在他這個層次中看到的。因為修煉到這一步，也就是他的悟性達到這一步，他的心性標準達到這一步，他的智慧也就到這一步。所以更高層次中的東西，他可能不會相信的。就是因為他不相信，才會造成他認為自己看到的是絕對的，認為就這些了。那還差遠去了，因為他的層次就是在這兒。

有一部份人要在這個層次中開功，再往高修他也修不上去了，所以只能在這個層次上開功開悟了。我們今後修煉出來的人，有在世間小道上開悟的，有在不同層次上開悟的，有在得正果開悟的。得正果開悟才是最高的，在不同層次上都可以看到並可以顯現出來。就是在世間小道上最低層次開功開悟的，也可以看到一些空間、一些覺者，也可以溝通他們。那個時候你不要沾沾自喜，在世間小道上，在低層次上開功得不到正果，這是肯定的。那麼怎麼辦呢？他只能保持在這個層次當中，以後往更高層次上修煉，那是以後的事。但是就修這麼高不開功幹甚麼呢？你就這麼往上修，修也修不上去了，所以就開功了，已經修到頭了，會出現許多這樣的人。不管出現甚麼情況，一定要把握住心性，只有遵照大法做才是真正正確的。你的功能也好，你的開功也好，你是在大法修煉中得到的。如果你把大法擺到次要位置上去了，把你的神通擺到重要位置上去了，或者開了悟的人認為你自己的這個認識那個認識是對的，甚至於把你自己認為了不起了，超過大法了，我說你已經就開始往下掉了，就危險了，就越來越不行了。那個時候你可就真是麻煩事了，白修，弄不好就掉下去，白修了。

我還告訴你：我這本書的內容是把幾個班講的法合在一起的。都是我講的，句句都是我講的，都是從錄音帶上一個字一個字扒下來的，一個字一個字抄寫下來的，都是我的弟子、學員幫助我從錄音中抄錄下來，然後我再一遍一遍的修改。都是我的法，我講的就是這一個法。

第七講

殺生問題

殺生這個問題很敏感，對煉功人來說，我們要求也比較嚴格，煉功人不能殺生。不管是佛家、道家、奇門功法，也不管是哪一門哪一派，只要是正法修煉，都把它看的很絕對，都不能殺生，這一點是肯定的。因為殺生後出現的問題太大了，我們得跟大家詳細的說一說。殺生，在原始佛教中主要是指殺人，這是最嚴重的。到了後來，把大的生命、大的牲畜或者是稍微大一點的生命，都看的很重。修煉界為甚麼一直把殺生的問題看的那麼嚴重呢？過去佛教中說，不該死的給殺死了，就成了孤魂野鬼了。過去講超度，就是指這部份人。不給超度的話，這些生命就沒吃沒喝的，處在一個很苦的境地，這是過去佛教中講的。

我們講，當一個人針對另外一個人做了不好的事情，他就會給人家相當大的德作為補償，這是我們一般指佔有別人的東西等。可是一下子把一個生命結束了，動物也好，其它生物也好，那麼就會造下一個相當大的業力。殺生過去主要指殺人，造的業比較大。可是殺一般的生命體也是不輕的，直接產生很大的業力。特別是煉功人，在修煉過程中，在不同層次上給你設了一點難，那都是你自己的業力，是你自己的難，給你擺在不同層次上讓你提高的。你只要一提高心性，就能過去了。可是一下子上來這麼大的業力，你怎麼過去？憑你的心性，你根本就無法過去，就可能使你根本修煉不了。

我們發現，當一個人降生的時候，在這個宇宙空間當中的一定範圍之內有許許多多的他同時降生，和他長的一樣，叫一個名字，做的事情又大同小異，所以又可稱其為是他整體的一部份。這裏邊牽扯這樣一個問題，如果有一個生命體（其它大動物的生命體也是一樣的），突然死掉了，而其它各個空間的他都沒有走完原來所特定的生命進程，還有很多年要活下去。那麼死掉的這個人就落到了一種沒有歸宿的境地中，在宇宙空間中飄盪著。過去講孤魂野鬼，無吃無喝，很苦的，也許是這樣吧。但是我們確確實實看到他處在一個很可怕的境地，他就會一直等下去，等到各個空間的他都走完了生命的進程，才能夠一塊找他的歸宿。時間越長，他吃的苦越大。他吃的苦越大，造成他痛苦的業力就不斷的給殺生者身上加，你想你會增加多大的業力？我們這是通過功能看到的。

我們還看到這樣一種情況：當一個人降生的時候，在一個特定空間當中都有他一生存在的形式，也就是說，他生命到了哪一部份，該幹甚麼，那裏邊都有。誰安排他的一生啊？很顯然，就是更高級的生命做的這件事情。比如說，我們在常人社會中，他出生後，這個家裏有他，學校有他，或長大了單位裏有他，通過他的工作和社會上取得了方方面面的聯繫，也就是說整個社會的布局都是這樣布置好了的。但是由於這個生命體突然間死掉了，不是按照原來特定的安排了，發生了變化。那麼誰打亂了這件事情，那個高級生命都不饒他。大家想一想，作為修煉的人，我們要往高層次上修煉，那個高層次中的生命都不饒他，你說他還能修煉嗎？有的師父都沒有安排這件事情的高級生命層次高，所以他的師父都會跟著遭殃的，那都得打下來的。你想一想，這是一般的問題嗎？所以一旦做了這種事情就很難修煉。

在修煉法輪大法的學員中，可能有在戰爭年代打過仗的人。那個戰爭是整個大的天象變化所帶來的一種狀態，你只不過是那種狀態中的一份子。天象變化下面要是沒有人去動，還不能給常人社會帶來一種狀態，也就不稱其為天象的變化了。那些事情隨著大的變化而變化著，那個事不能完全算在你身上。我們這裏講的是為了個人的謀取，或者為了滿足個人的利益，或者影響到自己甚麼東西，自己非得要做壞事不可所帶來的業力。凡是涉及到整個大的空間的變化，社會大的形勢的變化，這都不屬於你的問題。

殺生會造成很大的業力。有的人就想了：不能殺生了，我在家裏是做飯的，我要不殺了，我們家人吃甚麼？這個具體問題我不管，我是給煉功人講法，不是給常人隨隨便便講如何生活的。具體問題怎麼去做，那麼就用大法去衡量，你覺的怎麼做好，你就怎麼做。常人他想幹甚麼就幹甚麼，那是常人中的事情，人人都真修那是不可能的。而作為煉功人，就應該高標準要求了，所以這裏是給煉功人提出的條件。

不只是人、動物，還有植物都有生命，在另外空間裏任何物質都會體現出生命來。當你的天目開到法眼通層次的時候，你發現石頭、牆，甚麼東西都會跟你説話，打招呼。可能有人想了：那我們吃的糧食、蔬菜都有生命；還有家裏有了蒼蠅、蚊子怎麼辦？夏天咬的怪難受的，瞅著在那叮著不動彈，看著蒼蠅落在食物上挺髒的，又不能打。我告訴大家，我們是不能隨意的無故殺害生靈。但是我們也不能做謹小慎微的君子，老是著眼於這些小事，走路都怕踩死螞蟻，跳著走。我説你活著都累，那不又是執著嗎？你跳著走了，沒踩死螞蟻，可是有許多微生物，你也踩死了。在微觀下還有許多更小的生命體，還有真菌和細菌呢，你可能也都踩死不少，那麼我們都別活了。我們不是要做這樣的人，這沒法修煉。要著眼於大處，要堂堂正正的修煉。

我們人活著就有維持人活著的權利，所以生活的環境也得適應於人的生活要求。我們不能有意傷害生靈，但是我們又不能夠太拘泥於這些小事情。比如蔬菜和種的糧食都是有生命的，我們也不能因為它有生命就別吃別喝了，那還煉甚麼功啊？應該大度些。比如你在走路的過程當中，螞蟻、蟲子就跑到你的腳下了，被踩死了，那它可能就是該死了，因為你不是有意去傷害它。生物界中或其它微生物中也講個生態平衡的問題，多了也會泛濫的，所以我們講堂堂正正去修煉。家裏有了蒼蠅、蚊子，我們把它轟出去，安上紗窗不讓它進來。但有時轟不出去，那麼打死就打死了。人住的空間，它要叮人要害人當然要攆它出去，攆不出去，不能看著它在那兒叮人。你是煉功人不怕，有抵抗力，你家人不煉功，是常人，還有個傳染病的問題，也不能看著在孩子臉上叮著不管。

給大家舉個例子，釋迦牟尼早年有這麼一段故事。有一天，釋迦牟尼要洗澡，在森林裏頭叫他的弟子給他打掃浴缸。他的弟子到那一看，浴缸裏邊爬滿了蟲子，要打掃浴缸就得弄死蟲子。弟子回來告訴釋迦牟尼說：浴缸裏爬滿了蟲子。釋迦牟尼沒瞅他，就說了一句：你去把浴缸打掃乾淨。

這個弟子到浴缸那一看無從下手，一動手蟲子就得死，他轉了一圈又回來問釋迦牟尼：師尊，浴缸裏爬滿了蟲子，如果一動手就要把蟲子弄死了。釋迦牟尼瞅瞅他說：我叫你打掃的是浴缸。弟子恍然大悟，馬上把浴缸打掃乾淨了。這裏邊說明一個問題，不能因為有蟲子，我們澡也不洗了；也不能因為有蚊子，我們都得上外面找地方去住；也不能因為糧食也有生命，蔬菜也有生命，我們把脖子綮起來，不吃也不喝了。不是這樣的，我們應該擺正這個關係，堂堂正正的去修煉，我們不去有意傷害生靈就行了。同樣人要有人生活的空間和生存的條件，也是要維護的，人還要維持生命和正常生活的。

過去有些假氣功師講：初一、十五可以殺生。有的還講：可以殺兩條腿的，好像這兩條腿的就不是生靈。初一、十五殺生那就不算殺生了，那就算挖土，是不是？有些是假氣功師，從他的言行完全可以辨別出來，他講的是甚麼，他追求的是甚麼，凡是有這種言論的氣功師往往都是附體。你看那個狐狸附體的氣功師吃起雞肉那個樣，簡直狼吞虎嚥的，骨頭都不願吐出來。

殺生不只是會產生重大業力，還涉及到一個慈悲心的問題。我們修煉的人不得有個慈悲心嗎？當我們慈悲心出來的時候，可能看到眾生都苦，看誰都苦，會出現這個問題的。

吃肉問題

吃肉也是個很敏感的問題，但吃肉不是殺生。你們學法這麼長時間了，我們沒有要求大家別吃肉。有很多氣功師當你一進班，就告訴你：從現在開始不能吃肉了。你可能想：突然間不能吃肉，還沒思想準備呢。今天家裏可能就是燉的雞，燒的魚，聞著挺香還不能吃。宗教中修煉也是這樣，強制不讓吃。一般的佛家功、有些道家功也是這樣講的，不能吃。我們這裏沒有叫你這樣做，但是我們也是講這個的。那麼我們是怎麼講的呢？因為我們這個功法是法煉人的功法。法煉人的功法，就是一些狀態都會從功中、從法中體現出來。煉功過程當中，不同層次會出現不同的狀態。那麼有一天或今天我講完課有人就進入這個狀態：不能吃肉了，聞起來很腥，吃起來就想吐。不是人為的控制你不叫你吃或者你自己控制不吃，而是發自內心的，到這個層次上，從功中反映出來就不能吃了，甚至於你要真嚥下去，就真的吐出來。

我們老學員都知道，修煉法輪大法會出現這個狀態，在不同層次中會反映出不同狀態來。也有的學員慾望比較大，吃肉的心很強，平時很能吃肉。人家對肉都感覺很腥時，他感覺不腥，還能吃。

為了讓他去這個心，怎麼辦哪？他吃了肉就會肚子疼，不吃就不疼，會出現這種狀態的，意思就是不能吃了。是不是我們這一門從今以後與肉無緣了，不是這樣的。怎麼去對待這個問題？不能吃是真正發自內心不能吃了。目地是甚麼呢？在廟裏修煉強制你不吃和我們這種反映出的不能吃，都是要去掉人對肉的這種慾望和執著心。

有的人端起飯碗來要是沒有肉，簡直嚥不下去飯，那就是常人的慾望。一天早晨我從長春勝利公園後門路過。有三個人大吵大嚷的從後門出來，其中一人說：練甚麼功啊不能吃肉，少活十年我也得吃啊！那麼強烈的一種慾望。大家想一想，這種慾望應不應該去？肯定是應該去的。人在修煉過程中就是去人的各種慾望、執著心。說白了，吃肉的心不去，那不是執著心沒去嗎？能修圓滿嗎？所以只要是執著心，那麼就得去。但又不是從今以後永遠不吃了，不讓吃肉本身不是目地，目地是不讓你有這種執著心。如果在不能吃肉這段時間裏，你把這個執著心去掉了，以後可能又能夠吃肉了，聞起來不腥了，吃起來也不那麼難吃了，這個時候你就吃，沒有關係。

到你能吃的時候，你執著心已經沒了，對肉的慾望的心已經沒了。可是會發生一種大的變化，以後再吃肉不香了，家裏做就跟著吃，家裏不做也不想，吃著沒有香味，會出現這個狀態。但是在常人中修煉是很複雜的，家裏老做肉，時間長了，你又覺的吃起來香，以後會出現反復，整個修煉過程中會出現多次反復的。突然間你又不能吃了，不能吃就不吃，真的吃不了，吃了就得吐；等你能吃的時候就吃，隨其自然。吃肉不吃肉本身不是目地，去掉那個執著心才是關鍵所在。

我們法輪大法這一門走的比較快，只要你提高心性，每個層次都突破的很快。有的人本來對肉就不太執著，有沒有都無所謂的。這種人持續一兩個星期就過去，就把這個心磨掉了。有的人得持續一個月、兩個月、三個月，可能半年，沒有極特殊的情況不會超過一年又能吃了。因為肉已經是人的食物中的一個主要部份了。但在寺院中專修的不能吃肉。

我們講一講佛教中對吃肉的認識。最早的原始佛教是不戒肉的。當時釋迦牟尼領著弟子在森林裏苦修的時候，根本沒有戒肉這條戒律。為甚麼沒有呢？因為當時釋迦牟尼在二千五百多年前傳法時，人類社會很落後，有許多地區有農業，有許多地區還沒有農業，耕地面積很少，到處是森林。穀物非常緊張，也非常稀少。剛剛從原始社會脫胎出來的人，主要以打獵為生，有許多地區以吃肉為主。釋迦牟尼為了最大限度的放棄人的執著心，不讓接觸任何財、物等東西，領著弟子要飯、化緣。人家給甚麼就吃甚麼，作為一個修煉的人也不能挑選食物，給的食物中可能就有肉。

在原始佛教中卻有戒葷的說法。戒葷就是從原始佛教中來的，可現在把吃肉說成是葷。其實當時的葷不是指肉，是指蔥、薑、蒜之類的東西。為甚麼把它視為葷呢？現在有許多僧人也說不明白，因為他們許多人不講實修，許多東西也不知道。釋迦牟尼所傳的東西叫「戒、定、慧」。戒是戒去常人中的一切慾望；定是指修煉的人完全在禪定中、打坐中修煉，完全要入定的。一切干擾不能入定、不能修煉的東西，全視為嚴重的干擾，誰要吃了蔥、薑、蒜，味道非常大。那時僧人是在森林裏、山洞裏，七、八個人圍成一圈，一圈一圈的圍著打坐。如果誰吃了這些東西，會產生強烈的很刺激的味道，影響打坐，影響人入定，嚴重的干擾人煉功。因此就有這麼一條戒律，把它視為葷，不准許吃這些東西。人體修煉出的許多生命體都很煩這渾濁的氣味。蔥、薑、蒜也能刺激人產生慾望，吃多了也上癮，所以把它視為葷。

過去有許多僧人修煉到很高層次上之後，處於開功或半開功狀態，也知道修煉過程中的那些戒律是無所謂的。如果能把那個心放下之後，那個物質的本身並不起作用，而真正干擾人的就是那顆心。所以歷代高僧也看到了人在吃肉這個問題上不是甚麼關鍵問題，關鍵問題是那個心能不能放下，沒有執著心吃甚麼填飽肚子都是可以的。因為廟裏就是這樣修煉過來的，許多人已習慣於這樣了。再說已經不是單單的一個戒律的問題了，已經成了寺院中的規章制度了，根本就不能吃了，也就習慣於這樣修了。咱們講濟公和尚，在藝術作品中把他烘托出來，和尚應該戒肉，他吃肉，把他弄的很突出。其實，濟公從靈隱寺被攆出來，當然食物成了他一個很主要的問題，生活上都危機了。為了填飽肚子，他抓起甚麼吃甚麼，只要填飽肚子，而沒有對任何一種食物的執著，是無所謂的。修煉到那兒了，他明白這個道理，其實濟公也只不過是偶爾吃過那麼一兩次肉而已。一說和尚吃肉，寫書的人來興趣了，題目越驚人，使人越願意看，文藝作品要來源於生活高於生活嘛，就把它宣揚出來。其實真正去掉那個執著心，為了填飽肚子吃甚麼都是無所謂的。

在東南亞或我國南方、兩廣一帶，有些居士談起話來，他不說是修佛的，好像修佛這名詞太過時了，他說他是吃齋的、吃素的，那意思就是吃素修佛的。他把修佛看成這麼簡單的東西了。吃素就能修佛？大家知道，它只是人的一種執著、慾望，就這麼一顆心，只去掉這一顆心。還得把妒嫉心、爭鬥心、歡喜心、顯示心、各種心，人的心多了，所有的心，各種慾望，都得去掉，才能達到修煉圓滿的。而只去這個吃肉的心，就能修佛？那說法不對。

人在吃的問題上還不只是吃肉，對甚麼食物執著都不行，其它東西也是一樣。有人說我就愛吃這個，這也是慾望，修煉的人到一定成度之後，沒有這個心。當然我們的法講的很高，是根據不同層次在結合著講，一下子達到這一點是不可能的。說你就想吃那個東西，真正修煉到應該去那個心的時候，你就不能吃，你吃了就不是味了，說不定啥味了。我在單位上班的時候，單位食堂老虧損，後來就黃了。黃了大夥帶飯。早晨做點菜，忙忙活活上班挺費勁。有的時候買兩個饅頭，買塊豆腐泡醬油。按理說那麼清淡的東西可以了吧，老吃也不行，也得給去去這個心。你剛要瞅豆腐，就讓你泛酸，再吃吃不了，也怕你產生執著心。當然這得修煉到一定成度之後，剛剛開始的時候不會這樣。

佛家是不講喝酒的，你看見哪個佛提著酒罐子？沒有。我說肉不能吃，在常人中修煉去掉執著心之後，將來再吃也沒問題。可是酒戒掉之後不能再喝。煉功人身上不都是有功嗎？各種形態的功，有些功能在你身體表面顯現，都是純淨的。當你一喝酒，「唿」一下全都離體，在這一瞬間，你身上甚麼都沒有了，誰都怕那種味。你染上這習慣是很討厭的，喝酒會亂性。為甚麼有些大道修煉要喝酒呢？因為他不是修煉他主元神，是為了麻醉主元神。

有的人嗜酒如命，有的人饞酒，有的人喝的已經酒精中毒了，不喝連飯碗都端不起來，不喝就不行。我們煉功人就不應該這樣。喝酒肯定是有癮的，它是慾望嘛，刺激人的癮好神經，越喝癮越大。作為一個煉功人，我們想想，這種執著心應不應該去呀？這種心也得去。有人就想了：不行啊，我迎來送往的；或者我是專門聯繫業務跑外的，不喝酒事情不好辦。我說不見得，一般的談生意，特別是跟外國人談生意、打交道，你要飲料，他要礦泉水，他要來杯啤酒。沒有人灌你的，你自己喝自己的，能喝多少你喝吧，特別是在知識份子中，更沒有這種事情出現了，往往是這樣的。

抽煙也是執著，有的人説抽煙可以提神，我説那是自欺欺人。有些人幹工作幹累了或者寫一篇東西寫累了，想歇一會兒就抽根煙，他就覺的抽完煙來了精神了。其實不是，那是他休息了那麼一會兒的緣故。人的思想可以造成一種錯覺，還可以起那麼一種幻覺。那麼以後就真的形成一種觀念，形成一種錯覺，你覺的抽煙好像給你提了神似的，根本就不會的，它不起作用。抽煙對人身體一點好處都沒有，這個人抽煙時間長了，醫生解剖人體的時候，看到氣管都是黑的，肺裏邊都發黑。

我們煉功人不是講淨化身體嗎？不斷的淨化身體，不斷的向高層次上發展。那你還往身體裏頭弄，你不和我們正相反嗎？另外它也是一種強烈的慾望。有人也知道不好，就是戒不了。其實我告訴大家，他是沒有一個正確的思想作指導，就想那麼戒不太容易。作為一個修煉人，你今天把它當作一個執著心去一去，你看看你能不能戒的了。我勸大家，真想修煉的從現在開始你把煙戒了，保證你能戒的了。在這個學習班的場上沒有人想到抽煙，你要想戒，保證你能戒，你再拿起煙抽就不是滋味。你看書看這一講，也會起這個作用。當然你要不想修煉，我們就不管了，作為一個修煉的人，我想你就應該把它戒掉。我曾舉這樣一個例子，你看哪個佛、道坐那兒叼個煙捲？哪有那樣的？作為一個修煉的人，你的目標是甚麼呢？你不應該把它戒掉嗎？所以我講你要想修煉，你就把它戒掉，它傷害你身體，又是一種慾望，和我們修煉人的要求正好相反。

妒嫉心

我在講法時經常講到妒嫉心問題。為甚麼呢？因為妒嫉心在中國表現的極其強烈，強烈到已經形成自然，自己都感覺不出來。中國人為甚麼妒嫉心會那麼強烈呢？它也有根源。中國人過去受儒教影響比較深，性格都比較內向，生氣了不表現出來，高興了也不表現出來，講涵養，講忍。因為已經習慣於這樣了，所以我們整個民族形成了很內向的性格。當然他有他的好處，不露內秀。但也有弊端存在，可能帶來不好的狀態。特別到了末法時期，這不好的部份就更顯的突出了，就能夠使人增長妒嫉心。誰有好事表露出來，別人馬上就妒嫉的不行，在哪個單位或者單位以外得了獎，或者有點好處回來不敢吱聲，別人知道了心裏就不平衡。西方人把這叫東方妒嫉也叫亞洲妒嫉。整個亞洲地區都受中國儒教的影響比較深，都捎帶著有點，唯獨我們中國表現的比較強烈。

這和我們過去搞的絕對平均主義有些關係，反正天塌下來大家死；有甚麼好處大家均攤；長工資甚麼百分之幾的，一人一份。這種思想看起來好像挺對的，大夥都一樣。其實怎麼能一樣？做的工作不一樣，盡職盡責成度也不一樣。我們這個宇宙還有個理，叫不失不得，得就得失。常人中講不勞不得，多勞多得，少勞少得，付出的多，就應該多得。過去搞絕對平均主義，說那個人哪，生出來都是一樣的，後天改造了人。我說那說的太絕對了，甚麼東西太絕對了就不對了。為甚麼人生出來還有男有女？長的還不一樣呢？有人生出來是有病的，畸形的，不是一樣的。我們在高層次上看，在另外空間存在的人的一生在那裏擺著呢，能一樣嗎？都想平均，他那人生裏沒有，怎麼平均？不一樣的。

西方國家的人性格比較外向，高興了能看出來，生氣了也能看出來。他有他的好處，但也有他的不好處，不能忍耐。兩種性格觀念上不同，做事情產生的效果不同。中國人要是領導表揚了，或者給你甚麼好處了，別人心裏就不平衡。要得了獎金多一點，自己偷偷摸摸揣兜裏，不能叫別人知道。現在勞模都不好當：你是勞模你幹的行，你要早來晚走，這活兒都你幹吧，你幹的好，我們不行，冷嘲熱諷，好人都不好當。

如果在外國就截然不同了。老闆今天看他活兒幹的好，獎金多給點。他興高采烈的在眾人面前一張一張的數：啊，今天老闆給我這麼多錢，樂呵呵的一張一張的告訴大家，他沒有甚麼後果。要是在中國，說有人多得點獎金，領導都得叫你快點放起來，不要叫別人看見。在外國，小孩在學校裏要打了一百分，他樂顛顛的一邊跑一邊喊著：我今天打了一百分啦，我打了一百分啦！一直從學校跑到家。鄰居會開開門喊一聲：喂，湯姆，好樣的，小伙子。那個開開窗户：喂，傑克，真行啊。這個事情要發生在中國就完了：我打了一百分啦，我打了一百分啦！這小孩從學校跑到家，那門沒等開開，那屋裏已經罵上了：有甚麼了不起的，不就打了一百分嗎？膩瑟甚麼！誰沒打過一百分！這兩種不同的觀念會產生不同的效果。它可以產生人的妒嫉心，別人要好了呢，不是替別人高興，而是心裏不平衡。它會出現這個問題。

前些年搞絕對平均主義，把人的思想觀念簡直搞亂了。舉具體例子。這個人在單位裏，他覺的別人都不如他，他幹甚麼甚麼行，覺的確實了不起。他自己心裏想著：給我個廠長、經理我都能當；給我更大官我也能幹；當個總理我看都行。領導也可能說這個人真行，幹甚麼都行。同事可能也都說，這個人真行，有兩下子，有才能。可是在他們班組裏或者他們同一辦公室裏有個人，幹啥啥不行，甚麼也拿不起來。有一天，不能幹的這個人卻被提了當幹部，沒提他，而且還當了他的領導。他那心裏就不平衡了，上下活動，憤憤不平，妒嫉的不行。

我給大家講這樣的理，常人不能夠認識到的理：你看你啥都行，你命中沒有；他啥都不行，可是他命中有，他就當了幹部了。不管常人怎麼想，那是常人的想法。在更高級的生命來看，人類社會的發展，只不過是按照特定的發展規律在發展，所以人的一生中幹甚麼，他可不是按照你的本事去給你安排的。佛教中講業力輪報，他是按照你的業力去給你安排的，你的本事再大，你沒有德，你可能這一生啥都沒有。你看他啥也不行，他德大，當大官，發大財。常人看不到這一點，他就老是覺的自己應該恰如其份的做自己應該做的事情。所以他的一生爭來鬥去的，這個心受到很大的傷害，覺的很苦，很累，心裏老是不平衡。吃不好，睡不好，心灰意冷，到老了，把自己搞的一身糟，甚麼病都上來了。

　　那麼我們修煉人就更不應該這樣去做了，我們修煉人講隨其自然，是你的東西不丟，不是你的東西你也爭不來。當然也不是絕對的。要都是那麼絕對，也就不存在人做壞事的問題了，也就是說它也可能存在著一些不穩定因素。但是我們作為煉功人，按理是由老師的法身在管的，別人想拿你的東西可拿不動。所以我們講隨其自然，有的時候你看那東西是你的，人家還告訴你，說這東西是你的，其實它不是你的。你可能就認為是你的了，到最後它不是你的，從中看你對這事能不能放下，放不下就是執著心，就得用這辦法給你去這利益之心，就是這個問題。因為常人悟不到這個理，在利益面前都要去爭，去鬥的。

　　妒嫉心在常人中反映出來簡直太厲害了，在修煉界也歷來反映的比較突出。功派之間互相不服氣，你的功好，他的功好，說長論短的都有，我看都是祛病健身那一層次的。互相之間鬥的大多數都是些附體帶來的亂七八糟的功，也不講心性的。有的人練功練了二十多年了沒出功能，別人剛練就出了功能，他的心裏就不平衡了：我練功二十多年了，我也沒出功能，他出功能，他出甚麼功能啦？他心裏氣的夠嗆：他那是附體，走火入魔！氣功師辦班，有的人坐在那也不服氣：啊，甚麼氣功師，他講那玩藝兒我都不願意聽。氣功師可能真的没他講的好，可那個氣功師講的是他自己那一門的東西呀。這個人他啥都學，那結業證有那麼一摞，哪個氣功師辦班他都參加，他確實知道很多，比那氣功師知道的還多。可是有甚麼用？都是祛病健身的東西，他裝的越多，信息越亂，越複雜，越不好修，都亂了套了。真正修煉是講專一的，不出任何偏差的。真正修道的人當中也有這個反映，互相之間不服氣，爭鬥心不去，也容易產生妒嫉心。

咱們講個故事：《封神演義》中的申公豹，看姜子牙又老又没本事，可元始天尊讓姜子牙封神。申公豹心裏就不平衡了：怎麼叫他去封神哪？你看我申公豹多厲害，我的腦袋割下來還能回來安上，怎麼不叫我去封神呀？他妒嫉的不行，老跟姜子牙搗亂。

釋迦牟尼那個時代原始佛教是講功能的，現在佛教中没人敢講功能了。你要講功能，他說你是走火入魔。甚麼功能？他根本不承認的。為甚麼呢？現在的和尚根本不知道怎麼回事。釋迦牟尼有十大弟子，目犍連就被他說成是神通第一。釋迦牟尼還有女弟子，其中有一個叫蓮花色的，也是神通第一。佛教傳入中國也是一樣，歷代出現許多高僧，達摩來中國時一根蘆葦渡江。可是神通在歷史發展當中，就越來越被排斥了。主要原因是廟裏的大和尚、住持和尚、方丈等這些人不一定是大根基的人，別看他當方丈，當大和尚，那只不過是常人中的一個職位，他也是修煉中的人，他只不過是專業的。你在家修是業餘的。修成修不成都得憑著那顆心去修的，都是一樣的，差一點都不行。可是那個燒火做飯的小和尚，他並不一定是小根基之人。小和尚越吃苦越容易開功，那大和尚越享受越不容易開功，因為這有個業力轉化問題。小和尚老是又苦又累的，還業就快，開悟就快，說不定有一天他一下開功了。這一開功、開悟或者半開悟，神通出來了，全寺的和尚都要來問他，大夥都佩服他。可這住持就受不了了：我這住持怎麼當啊，甚麼開悟了？他是走火入魔，把他攆出去。攆出寺院去了。久而久之，在我們漢地佛教中沒有人敢談功能。你看濟公多大的本事，從峨眉山搬木頭，從井裏一根一根的往上扔，最後還是被攆出靈隱寺去了。

妒嫉心這個問題很嚴重，因為它直接牽扯到我們能不能夠修圓滿的問題。妒嫉心要不去，人所修煉的一切心都變的很脆弱。這有一個規定：人在修煉當中，妒嫉心要不去是不得正果的，絕對不得正果的。過去大家可能聽說過，阿彌陀佛講帶業往生，妒嫉心要不去可不行。其它方面差一點，小來小去的帶業往生，再修煉，那可能行，但是妒嫉心不去絕對不行。今天我跟煉功人講，你可不要這樣執迷不悟，你想要達到的目地是往更高層次上修煉，妒嫉心必須要去掉。所以我們把它拿出來單講。

治病問題

談到治病，不是教你治病。法輪大法的真修弟子誰也不能給人治病，你只要一治病，你身上所有帶的法輪大法的東西，我的法身會全部給收回。為甚麼把這個問題看的這麼嚴重？因為它是一種破壞大法的現象。把你自己的身體損害了不說，有的人一旦看了病手就癢癢，看見誰就拉過來給人看病，顯示自己，這不是執著心嗎？嚴重的影響人的修煉。

有許多假氣功師抓住常人的心理，學了氣功之後想要給人看病，就教你這個東西。說發氣能治病，那不鬧笑話嗎？你也是氣，他也是氣，你發氣就給人治病了？說不定人家那氣把你給治了呢！氣與氣之間沒有制約作用。人在高層次中修煉的時候出功了，發出的是高能量物質，這確實能夠治病，能夠制約病，能夠起到抑制作用，可是卻不能夠根除。所以真正能治病，得有功能才能夠徹底治病的。每一種病都有每一種病的針對治療的功能，光治病的功能我說都有上千種，有多少種病就有多少種功能針對去治。沒有這個功能，你的手玩出花來它也不好使。

有些人這些年當中把修煉界搞的很混亂。真正出來祛病健身的那些氣功師，一開始出來鋪這條路的氣功師，哪有教人家治病的？都是他給你祛病或者是教你如何如何去修煉，如何如何去鍛練身體，教你一套功法，然後你自己通過鍛練祛病。後來假氣功師出來搞的烏煙瘴氣，誰想治病就會招來附體，一定是這樣的。當時環境下也有一些氣功師看病，那是為了配合當時那種天象。可是，它不是常人中的技能，不能永遠保持下去，是那個時候的天象變化所造成的，就是那一個時期的產物。後來搞甚麼專門教人家治病，就亂來了。一個常人三天、五天就能治病了？有人說：我能治這個病、那個病。我告訴你，凡是這樣的都是帶有附體的，你知道你身後趴個甚麼東西？你有附體，你自己沒感覺，你不知道的，你覺的挺好，覺的自己有本事。

真正氣功師得經過多少年的苦修，才能夠達到這樣一個目地。你給人治病的時候，你想想你有沒有這種強大的功能給人消除這個業力？你得到過真傳沒有？你三天、兩天就能治病了？你一個常人的手能治病嗎？但是這些假氣功師他抓住你的弱點了，抓住人的執著心，你不是追求治病嗎？好，他辦個治病班，專門教你治療手法。甚麼氣針呀，甚麼光照法呀，排呀，補呀，甚麼點穴呀，甚麼一把抓啊，名堂挺多，目地是搞你的錢。

咱們就說這一把抓吧。我們看到的情況是這樣的：人為甚麼有病呢？造成他有病和所有不幸的根本原因是業力，那個黑色物質業力場。它是屬於陰性的東西，屬於不好的東西。而那些不好的靈體，也是陰性的東西，都是屬於黑的，所以它能夠上的來，這個環境適合於它。它是導致人有病的根本原因，這是最主要的一種病的來源。當然還有兩種形式：一種是很小很小密集度很大的那個小靈體，業力團一樣的東西；還有的是一種像管道一樣輸送，這個比較少見，都是祖輩上往下積的，也有這種情況。

我們就講最普遍的，人哪兒長瘤啦，哪兒發炎了，哪兒骨質增生了等等，在另外的空間就是那地方卧著一個靈體，在一個很深的空間中有一個靈體。一般的氣功師看不見，一般的特異功能看不見，只能看到人身體有黑氣了。哪個地方有黑氣，哪個地方就有病，這是說對了。可是黑氣不是造成病的根本原因，是在更深的一個空間當中有那麼一個靈體，是它發出的這個場。所以有人說排呀，泄呀。你排去吧！不一會兒，它又產生了，有的力量大，剛被排出去又拽回來了，自己能收回來，乾治治不好。

據特異功能看，哪個地方有黑氣，認為是病氣；中醫看就是那個地方脈不通，氣血不通，脈淤塞；西醫看呢，就是那地方潰瘍、長瘤、骨質增生或者是發炎等一些現象，它反映到這個空間就是這個形式的。你把它那個東西拿掉之後，你就發現這邊身體上啥都沒有。甚麼腰椎盤突出、骨質增生，當你把那個東西拿掉之後，把那個場打出去之後，你發現馬上就好。你再拍X光片子，甚麼骨質增生也沒有了，根本的原因就是那個東西在起作用。

有人說三天能治病，五天能治病，教你一把抓。你抓抓我看看！人是最弱的，那個靈體可是很厲害的。它控制你的大腦，把你玩的一轉一轉的，都能很輕易的要了你的命的。你說你抓它，怎麼抓？你這個常人之手觸及不到它，你在那兒亂劃拉，它也不管你，它背後還樂你呢，亂抓一通，很可笑的；你要真能觸及到它，它立即就把你的手給傷了，那是真傷啊！我過去看過一些人，兩個手也不壞，任何一種檢查，身體沒有病，兩隻手沒病，可是就是手抬不起來，就這麼耷拉著，這個病人我都碰到過。他另外空間那個體傷了，那可真是殘廢了。你那個體都傷了，還不殘廢了嗎？有的人問我：老師，我能不能煉功啊？我做絕育了，或者摘除甚麼了。我說這個都不影響的，另外空間你那個體沒有做手術，而煉功是那個體在起作用。所以我剛才說，你抓它，你碰不到它，它也不管你；你碰著它，它可能就傷你的手。

為了支持國家大型氣功活動，我在北京帶一些弟子參加東方健康博覽會。在兩次博覽會上我們都是最突出的。第一次博覽會我們法輪大法被譽為明星功派；第二次博覽會人多的簡直沒辦法。別的展位上沒有多少人，而我們展位周圍擠的滿滿的。排三行隊，第一行隊一早上就掛滿了上午的號；第二行隊等著掛下午的號；再一行隊等著我簽字。我們不治病，為甚麼搞這個呢？因為這是支持國家大型的氣功活動，為這個事業做貢獻，所以我們參加了。

我把我的功分給我帶的弟子，每人一份，都是上百種功能合成的能量團。把他們的手都封起來，就是這樣，有的手還被咬破了，咬出泡的，咬出血的，那還經常出現呢。那東西都那麼厲害，你想你常人之手你敢動它？再說你也抓不著它，沒有那種功能也不好使。因在另外的空間你想要做啥，你腦子一想它知道，你要抓它，它早就跑了。等病人一出門的時候，馬上它又上去了，病又發了。要動手治它得有這麼一種功能，一伸手「啪」就定在那兒了。定住之後，我們還有一種功能，過去叫作攝魂大法，那種功能更厲害，能把人的整個元神揪出來，那個人立即就不會動了。這個功能有針對性，我們就是針對這個東西抓的。大家知道，如來佛手裏那個碗，這麼一照，你看孫悟空那麼大，一下子變成一小點。這個功能就能起到這麼一個作用。不管靈體多大，不管靈體多小，一下子打到手裏抓住，就變的很小。

另外，說把手伸到病人的肉體裏去，再抓出來，那不行。那會把常人社會人的思維都打亂了，根本就不准這樣做的，能做也不能這麼做。他伸進去的是另外空間那隻手。說他心臟有病，這個手對著心臟部位去抓的時候，另外空間那個手進去了。瞬間，非常快抓住了之後，你外邊的手一抓，兩隻手就合一起，就抓在手裏了。它很厲害，有的時候抓在手裏動，往裏鑽，有的時候咬，有的時候還叫呢。你看拘在手裏那麼小，撒開手之後會變的很大。這不是誰都能動的了的，沒有那種功能根本就動不了，根本不像我們想像的那麼簡單。

當然將來這種氣功治病的形式，也可能讓它存在，過去也一直存在著。但必須是有條件的，這個人必須是個修煉的人，在修煉過程當中他出於慈悲心，他給少數好人做這樣的事情可以。但是他不能夠給人家徹底消掉這個業，他威德不夠，所以難還在，只是具體的病好了。一般的小氣功師他不是個修煉得道之人，他只能夠給人家往後推；也可能給轉化了，也可能轉化成其它的災難。但是推的過程他本人可能不知道，如果功法修煉的是副意識，是他的副意識做的。有些功法的練功人好像很有名，好多赫赫有名的大氣功師他沒有功，功都在副元神身上。也就是說在修煉過程當中允許這樣做，因為有些人持續在這個層次當中，一練就是十幾年，幾十年走不出這個層次，所以他一輩子老是給人看病看病的。因為他在這個層次當中，也就允許他這樣做了。法輪大法修煉的弟子絕對不能看病。給病人念一念此書，如病人能接受，可治病，但對業力大小不同的人效果也不同。

醫院治病與氣功治病

我們講一講醫院治病與氣功治病的關係問題。有些西醫大夫不承認氣功，這可以說是多數。他的講法就是氣功能看病，還要我們醫院幹甚麼呀？你們代替我們醫院吧！你們氣功沾手就能治好這個病，還不用打針、吃藥、住醫院，代替我們醫院多好啊？這話講的很沒有道理，很不講理。有人不了解氣功，實質上，氣功看病不能夠像常人中的治療方法一樣，它不是常人中的技能，它是一個超常的東西。那麼超常的東西如果大面積的干擾常人社會，那能允許嗎？佛多大本事啊，一個佛一揮手，全人類的病都不會存在。他為甚麼不做呢？何況那麼多佛，他為甚麼不發慈悲心叫你病好呢？因為常人社會就是這樣的，生老病死就是這個狀態，都是有因緣關係的，都是業力輪報，你欠了債就得還。

如果是你給他治好了，就等於是破壞那個理了，都可以做壞事，不用還了，那能行嗎？在修煉中的人出於慈悲心，你沒有那麼大的力量能夠徹底解決這個問題的時候，允許你看病，因為你出了慈悲心了，允許這樣做。可是你要是真正能夠解決這樣的問題，大面積解決那就不行了。那你就嚴重的破壞常人社會狀態，就不允許了。所以氣功代替常人的醫院是根本不行的，它是超常中的法。

如果就在中國這個地方搞起氣功醫院來，假如允許這麼幹，大氣功師都出來幹，你看看是甚麼樣子？不允許這樣幹的，因為都維護常人社會這個狀態的。如果搞起氣功醫院，搞起氣功門診、康復中心、療養勝地，一旦搞起之後，那個氣功師治病就一落千丈，治療效果馬上就不行了。為甚麼呢？因為他搞了常人中的這個東西了，就必須得和常人的法是一樣高的，和常人的狀態處於一個層次當中，它的治療效果得和醫院一樣。所以治病就不行了，他也講起甚麼治病要幾個療程，往往都是這樣的。

氣功不管它搞醫院也好，不搞醫院也好，氣功能夠治病這一點是誰也抹煞不了的。氣功在社會上普及這麼長時間了，有多少人通過練功確實達到了祛病健身的目地。管他是被氣功師把病推移了也好，怎麼也好，反正那個病現在是沒有了，也就是說氣功能治病是誰也抹煞不了的。多數找氣功師看病的，都屬於疑難病，是到醫院看不好，上氣功師那兒碰碰大運，結果治好了。在醫院能治好了的都不找氣功師，尤其開始的時候，人們都這樣認識的，所以氣功是可以看病的。它只不過是不能夠像常人社會中的其它事情那樣去做。大面積的干涉是絕對不允許的，小面積的或者沒有甚麼太大影響的，無聲無息的搞可以允許，但不會徹底的使病好，也是肯定的。自己用氣功鍛練祛病最為好。

也有的氣功師講：醫院治不了病，醫院現在治療效果如何如何。咱們怎麼說呢？當然它有多方面原因。最主要的我看還是人類道德水準的低下，造成的各種奇奇怪怪的病，醫院治不了，吃藥也不好使，假藥也多，都是人為的社會敗壞到這個成度。每個人也別怨別人，人人都起到了推波助瀾的作用，所以人人修煉都會遇到苦難。

醫院有的病檢查不出來，但是確實有病。有的人檢查出來病了，也不知道叫甚麼名，都沒有見過的病，醫院統稱「現代病」。醫院能不能治病呢？當然能。醫院治不了病，人們怎麼會相信哪，怎麼都上醫院去治病呢。醫院還是能治病的，只不過它的治療手段是常人那個層次的，而那個病卻是超常的，有些病是相當大的。所以醫院講有病要早治嘛，大了他就治不了，藥量大了人也要中毒的。現在的醫療水平和我們的科技水平是一樣的，都處在常人這一層次中，所以它就是這樣一個療效。有一個問題要說清，一般的氣功治病和醫院治病，就是把造成有病的根本原因的難往後推移了，推到後半生或以後去了，業力根本沒有動。

我們再講一講中醫。中醫治病很接近於氣功治病。在中國古代，中醫大夫基本上都是有特異功能的，像孫思邈、華佗、李時珍、扁鵲等等這些大醫學家，都是有特異功能的，在醫書上都有記載。可是往往這些精華的東西現在是受到批判的，中醫繼承的只不過是那些藥方，或者是經驗的摸索吧。中國古代的中醫是相當發達的，發達的成度要超出現在的醫學。有人想了，現在的醫學多發達呀，做CT可以看到人的身體內部，做B超、照像、拍X光片的。現代設備是挺先進的，依我看也不如中國古代的醫學。

華佗看到曹操腦中有瘤子，要開顱做手術取瘤。曹操一聽以為華佗要拿他腦袋，把華佗關起來了，結果華佗死在監獄裏。曹操在犯病的時候，想起華佗了，找華佗，華佗已經死了。後來曹操真的得這個病死了。華佗為甚麼知道？他看到了嘛，這是我們人的特異功能，過去的大醫學家都具備這個本事。天目開了以後，在一個面上可以同時看到人身體的四個面，從前面可以看到後面、左面、右面；還可以一層一層切片去看；還可以透過這個空間去看有病的根本原因是甚麼。現在醫療手段能達到嗎？差遠去了，再過一千年吧！CT、B超、X光也能看到人體內部，可是機器夠大的，那大傢伙也不能隨身攜帶，沒電還不行。而這個天目走哪兒帶哪兒，還不用能源，怎麼能比呢！

有人講現在的藥如何如何。我說不見得，中國古代那些草藥真能藥到病除。有很多東西失傳了；有很多沒有失傳，在民間流傳著。我在齊齊哈爾辦班時，看到街上擺攤的有一個人給人拔牙。一看這人就是南方來的，不像東北人的裝束。來者不拒，誰來他都給拔，牙拔出那麼一堆來。他給人拔牙不是目地，賣他的藥水是目地。那藥水發出很濃烈的黃氣。拔牙時，把藥水瓶蓋打開，從外面隔著腮幫子對著壞牙，讓人嘬幾口黃藥水的氣，藥水都沒怎麼消耗，蓋起來放那兒。從兜裏摸出一根火柴根來，一邊講著他的藥，一邊拿火柴根對著牙一撥拉，牙就下來了，也不痛，帶一點血絲，也不出血。大家想，火柴根若用勁大了可折呀，他卻用火柴根把牙一撥拉下來了。

我說中國有些東西在民間流傳著，而西醫的精密儀器就不如它，看誰的效果好，他火柴根一挑下來了。西醫拔牙先打麻藥，這邊扎，那邊扎，扎針也很痛啊，等麻藥勁上來了，用鉗子拔。拔了半天弄不好根還折裏了。拿大錘子，拿鑿子往下剔，砸的心驚肉跳，再用精密的儀器給你鑽。有的人鑽的直蹦，很痛，出了不少血，吐一陣子血。你說誰的好吧？你說誰的先進吧？我們不能看表面的工具，得看它的實效。中國古代的中醫是相當發達的，現在的西醫再過多少年也趕不上。

中國古代的科學和我們現代從西方學的科學不一樣，它走的是另外一條路，能帶來另外一種狀態。所以不能用我們現在這種認識方法去認識中國古代的科技，因為中國古代的科學是針對著人體、生命、宇宙，直接奔這個東西去研究了，所以走的是另外一條道路。那個時候上學的人，都要講究打坐，坐著要講姿式的，拿起筆要講運氣呼吸的，各行各業都講淨心、調息，整個社會都處在這麼一種狀態。

有人講了：按照中國的古代科學走，能有今天的汽車、火車嗎？能有今天的現代化嗎？我說你不能站在這個環境當中去認識另外的狀態，你的思想觀念得發生革命。沒有電視機，人腦袋前面自己帶，想看甚麼就看甚麼，也有功能存在。沒有火車、汽車，人坐在那兒就飄起來，電梯都不用。它會帶來不同的社會發展狀態，不一定侷限在這個框框當中。外星人的飛碟來去神速，可大可小。它們走的是更不一樣的發展路線，是另外一種科學方法。

第八講

辟穀

有人談到辟穀的問題。辟穀這種現象是存在的，不但在修煉界有，在我們整個人類社會當中有不少人出現這種情況。有人幾年或十幾年不吃不喝，但是卻生活的很好。有人把辟穀說成是某一層次中的體現；也有人把辟穀說成是淨化身體的表現；也有人把它說成是高層次中的修煉過程。

其實都不是。那麼它是怎麼回事呢？辟穀實際上就是我們在特定的環境下採用的一個特殊的修煉方法。甚麼樣的特定環境下採用它呢？在中國古代，特別是在宗教還沒有建立之前，有許多修煉的人都是採用了一種密修、獨修這樣一種方式，進到深山裏或者鑽到山洞裏去修，遠離人群。一旦這樣做了，那麼就牽扯食物來源的問題。如果他不採用辟穀的方法，就根本修煉不了，就得餓死渴死在裏面。我從重慶去武漢講法，坐船順長江東去，看到三峽兩邊，有一些岩洞在半山腰，有許多名山都有這個東西。過去那個修煉的人用繩子爬進去之後，把繩子割斷，就在洞裏修煉，修煉不出來，就得死裏頭。没有水、没有食物，他就是在這樣一個極其特殊的環境下採用的一個特殊的修煉方法。

有許多功法是經過了這樣一個承傳過程，所以它帶有辟穀；有許多功法不帶有辟穀，我們今天在社會上傳出的功法當中大多數不帶有這個。我們講煉功要專一，你不能夠人為的想要怎麽做就怎麽做。你覺的它挺好，你也想辟穀，你辟穀幹甚麽？有的人覺的很好，好奇，或者是覺的自己功夫高了，能夠顯示顯示，各種心態的人都有。即使採用這種方法修煉，也是要消耗自身能量來補充身體的，所以也是得不償失。大家知道，特別是在宗教建立之後，你在廟裏打禪、閉關，都有人供給你茶飯，不牽扯這個問題。特別是我們在常人社會中修煉，你根本就不需要採用這種方法，而且你那一法門裏没有，你也不能夠亂來的。但你真要辟穀，那你儘管去修好了。據我知道，往往師父往高層次上傳功，真正要帶人的話，他這一法門裏邊有辟穀，可能會出現這個現象，但是它不能夠普及，都往往帶著徒弟密修、單修的。

現在也有氣功師教人家辟穀。辟没辟？最後没辟，誰辟了？我看住醫院的不少，出現生命危險的不少。那麽為甚麽會出現這個情況呢？辟穀的現象不是有嗎？是有。但是有一點，我們常人社會這個狀態是不允許輕易誰把它破壞的，不允許破壞。別說全國有多少人練功不吃不喝，就說長春這塊地方誰都不吃不喝了，我說這可省事了！也不用著急做飯了。農民種地辛辛苦苦的，都不吃了，這可省事了，光幹活，不吃飯。那能行嗎？那是人類社會嗎？肯定是不行的，不允許這樣的事情大面積的干擾常人社會。

有些氣功師傳辟穀的時候，出現了很多危險。有些人就是執著於追求辟穀，可是他那個心沒有去，許許多多常人之心沒有去，看著好吃的不吃要饞的，他的心一起，那麼就不行了。他就著急，要吃東西，慾望上來就要吃，不吃就感覺餓了。可是吃就得吐，吃不進去，這就造成精神緊張，嚇的夠嗆。許多人住院了，確實有許多人出現了生命危險。也有的人找到我叫我處理這些亂七八糟的事，我也不願意管這些事。有些氣功師就是胡來，誰願意給他收拾這些破爛事。

再說，你辟穀出了問題，那不是你自己求的嗎？我們講這些現象是存在的，但是它不是甚麼高層次中出現的狀態，也不是甚麼特殊的反應，它只不過是特殊情況下採用的一種煉功方式，可是它也不能夠普及。不少人追求辟穀，還把它說成甚麼辟穀、半辟穀，還分成等級。有人說他喝水，有人說吃水果，那都是假辟穀，時間長了，保證都不行的。真正修煉的人，往山洞裏一呆，不吃不喝，那叫真辟穀。

偷氣

談到偷氣，有的人談虎色變，嚇的不敢練功。許多人就因為修煉界有人傳說走火入魔、偷氣等等現象弄的人家不敢練功，不敢接觸氣功。如果沒有這些說法，可能會有更多的人練功。也有些心性不好的氣功師，專門教這些東西，搞的修煉界烏煙瘴氣的，其實沒有他講的那麼可怕。我們講氣就是氣，儘管你把它說成混元氣，這個氣，那個氣。人體只要是有氣，這個人就是在祛病健身這一層次中，所以還不算是個煉功人。人只要有氣在，說明這個人還沒有達到身體的高度淨化，就是有病氣的，這是肯定的。偷氣的人也在氣的層次當中，我們煉功的人誰要那個很混濁的氣？不煉功的人身體的氣很混，煉功之後可能清亮起來。有病的地方就能夠顯露出密集度很大的一團黑色物質。往下煉下去，真正到了祛病健身的時候，氣就逐漸的微微發黃。再往下煉就真的祛病了，也沒有氣了，就進入了奶白體狀態。

那麼也就是說有氣就有病。我們是煉功人，煉功誰要氣幹甚麼？自己身體需要淨化的，怎麼還要混濁的氣呀！肯定不能要。要氣的人也在氣的層次當中，在氣的層次當中他分辨不了哪是好氣，哪是壞氣，他沒有這個本事。而你身體的丹田裏那口真氣他是動不了的，那個元氣那得高功夫的人才動的了的。身體那個混濁的氣，讓他偷去吧，有甚麼了不起的。我煉功時要想灌氣的話，只要想一想，一會兒肚子都鼓起來。

道家講站天字樁，佛家講捧氣灌頂，宇宙中有的是氣，你可成天往裏灌。勞宮穴打開，百會穴打開，你就往裏灌，意守丹田，手往裏捧，一會兒就滿。你灌的再滿有甚麼用？有的人練氣練的很多的時候，覺的手指肚發脹，身體發脹。別人走到跟前，覺的周圍有個場。哎呀，你練功練的真好。我説啥也不是，哪有功？還是練氣了，氣再多也代替不了功。練氣的目地是用外面的好氣把身體裏的氣換掉，為的是淨化身體，存些氣幹甚麼？你在這個層次當中，沒有發生本質變化的時候，它也不是功。你偷的再多，你也不過是個大氣包，那有甚麼用？它也沒向高能量物質轉化。所以你怕甚麼，他真偷氣就偷吧。

大家想一想，你身體有氣在就有病在。那麼他偷的時候，是不是連你的病氣一塊偷走了？他根本分辨不了這東西的，因為要氣的人也在氣這個層次當中，他甚麼本事都沒有。有功的人不要氣，這是肯定的。不信咱們做個試驗，真要偷氣你站那讓他偷，你這邊意想著從宇宙中往裏灌，他在後邊偷。你看這多好，替你加快了淨化身體，省的你沖灌沖灌的。因為他發出的心是壞的，是偷了別人的東西。儘管是拿不好的東西，他也是做了損德的事了，所以他要給你德。它形成一個對流，這邊拿你氣，那邊給你德。那個偷氣的人不知道，他要知道他才不敢幹了呢！

凡是偷氣的人，臉色都發青，都是這樣的。到公園裏練功，很多人就是為了袪病，甚麼病他都有。人家治病的時候，還得往出排，可偷氣的人他連排都不排，還弄一身，甚麼病氣都有，連身體裏邊都漆黑。他老是損德，他外邊都是黑的，業力場大了，德損多了，裏外都是黑的。偷氣的人他要知道自己發生了這樣一種變化，在給人家德，做這樣一種傻事的時候，他才不幹呢。

有的人把氣說的很玄：你在美國，我發氣你能接到；你在牆外等著，我發氣你能接到。有的人很敏感，一發氣是接到了。可是那個氣它不走這個空間，它走另外的空間，另外的空間這兒沒有牆。那為甚麼有的氣功師在平地上發氣，你就沒感覺呢？在另外的空間這裏有間隔，所以氣並不像我們講的有多大的穿透力。

真正能起作用的還是功。煉功人能發出功來的時候，他已經沒有氣了，發出一種高能量物質，用天目看上去是一種光。發到別人身上，有一種熾熱的感覺，直接能夠制約於常人。但是也不能夠達到完全治病的目地，只能起抑制作用。真正想治好病還得有功能存在，各種病有各種功能針對的。在極微觀下，功的每個微粒上，都是和你個人的形像是一樣的。它可以認識人，都是有靈性的，是高能量物質，別人偷拿去了，它能在那裏嗎？它也不在那兒，擱也擱不上，不是自己的東西。凡是真正煉功的人，出了功以後的人都有師父在管，那師父在那看著你幹甚麼，拿人東西，他的師父也不幹哪。

採氣

偷氣和採氣都不是我們在高層次上傳功要給大家解決的問題。因為我還有這樣一個目地：給修煉正正名，做點好事，把這些不良現象講出來，過去沒有人講。要我們大家知道它，省的有些人老幹壞事，有些人，對氣功不明真相的人老是談虎色變的。

宇宙之氣有的是，有人講天陽之氣，地陰之氣。你也是宇宙中的一份子，你儘管去採好了。可有的人不是採宇宙中的氣，他專門教人家採植物氣，都總結出經驗來了：楊樹氣是白的，松樹氣是黃的，還有怎麼怎麼採，甚麼甚麼時間採。也有的說：我家門前有棵樹，我採氣把它採死了。那算甚麼本事？那不是在做壞事嗎？大家知道，我們真正修煉，是講究良性信息的，講究同化宇宙特性的，你不得講善的問題嗎？真、善、忍同化宇宙特性，得講這個善。你盡做壞事能長功嗎？能袪病嗎？那不正好和我們修煉人相反嗎？那也算殺生做壞事！也許有的人說：你越講越玄，殺動物是殺生，弄死植物又是殺生。其實是這樣的，佛教中講六道輪迴，你可能在六道輪迴中變成植物了，佛教中就這麼講的。我們這裏不這樣講。但是我們告訴大家，樹也是有生命的，不但有生命，還具備著很高的思維活動。

舉個例子：美國有個人專門搞電子研究，教人使用測謊儀。有一天他心血來潮將測謊儀的兩極接在了一株牛舌蘭花上，然後往花的根部澆水，之後他發現測謊儀的電子筆急速的畫出一種曲線來。這種曲線正好和人的大腦在極短時間內產生一種興奮、高興時的曲線相同。他當時吃了一驚，植物怎麼有感情呢！他幾乎想上大街上喊：植物是有感情的。由於受這件事情的啟發，緊接著他開展了這方面的研究，做了許許多多的實驗。

有一次，他將兩棵植物擺在一起，叫他的學生當著另一棵植物的面把這棵植物給踐踏、踩死了。然後把另一棵植物搬到房間裏，接上測謊儀，叫他五個學生從外面輪番的走進來。前四個學生進來了，沒有反應。等到第五個學生、踐踏植物的學生一進來，還沒有走到跟前，電子筆馬上急速的畫出一種曲線來，人在害怕時才能畫出的這種曲線。他很吃驚！這件事情說明了很大的一個問題：我們歷來認為人是高級生命，人有感官功能，能夠識別，有大腦，可以分析。植物怎麼會識別呢，這不有感官了嗎？過去誰要說植物有感官，有思維，有感情，能認識人，那人家就說是迷信了。還不止這些，某些方面似乎超出我們今天的人。

有一天他把測謊儀接到一棵植物上，然後他想：搞個甚麼試驗呢？我拿火燒掉它的葉子，看看有甚麼反應。他就這樣一想，還沒等燒呢，那電子筆就急速的畫出一種曲線，就是人在喊救命時才能畫出的一種曲線來。這種超感功能，過去叫他心通，是人的潛能、本能，可是今天的人類都在退化，你還得從新修煉，返本歸真，返回你的先天本性，你才能具備。可是它卻具備了，你想甚麼它知道，聽起來很玄，可是它卻是實實在在的科學試驗。他搞了各種試驗，還有遠距離遙控功能。他的論文發表出來以後，在全世界引起轟動。

各個國家的植物學家都在開展這方面研究，我們國家也在搞，這已經不是甚麼迷信的東西。我那天講這樣一句話，我們人類今天所發生的、所發明的、所發現的那些東西足以改變我們今天的教科書。可是卻受傳統觀念的影響，人們不願承認它，也沒有人系統的去整理這些東西。

我在東北一個公園看有一片松樹死掉了。有些人也不知道練的是甚麼，滿地打滾，打完滾之後，腳這麼採，手那麼採，那片松樹不長時間黃了，都死了。那你是幹好事還是幹壞事呢？站在我們煉功人角度上看，那就是殺生。你是煉功人你就得做一個好人，逐漸的同化宇宙特性，戒掉你那些不好的東西。那要站在常人角度上看，也不是幹好事，是破壞公物，破壞綠化，破壞生態平衡，站在哪個角度上講也不是幹好事。宇宙中有的是氣，你儘管去採好了。有的人能量很大，練到一定層次之後，那真是一揮手，很大一片植物之氣，一下子給採過來了。那也不過是氣，採的再多能怎麼樣？有的人上公園裏去不幹別的，他說：我不用練功，我就這樣一邊走一邊劃拉就行了，我就練完了。得了氣就行了，他以為氣就是功了。人家走到他跟前，感覺他身體涼颼颼的。那植物氣不是陰性的嗎？煉功人還講陰陽平衡，他身上都是松樹油味，還覺的自己練的好。

誰煉功誰得功

誰煉功誰得功的問題是一個極其關鍵的問題。別人問我法輪大法有甚麼好處，我說法輪大法可以達到功煉人，縮短煉功時間；能夠解決沒有時間煉功、而長期被功煉著這樣一個問題。同時我們又是真正性命雙修的功法，我們這個物質身體變化會很大。法輪大法還有一個最大的好處，過去我一直沒有講，只有今天我們才講出來。因為它牽扯了一個很大的歷史淵源的問題，對修煉界的影響面也是相當大的，在歷史上從來沒有人敢揭示出來，也不允許他們揭示，但是我不講又不行。有的弟子說了：李洪志大師講的句句是天機，是洩露天機。可我們是真正往高層次上帶人，就是度人。要對大家負責任，能夠承擔起這個責任，所以就不是洩露天機。而不負責任隨便的去說則是洩露天機。今天我們就把這個問題說出來：就是誰煉功誰得功的問題。據我看現在所有的功法，包括歷代的佛道兩家和奇門功法都是修了人的副元神（副意識），都是副元神得功。我們這裏講的主元神，就是指自己的思維，自己要明白自己在想甚麼，做甚麼，這就是你真正的自己。而副元神幹甚麼你根本就不知道。雖然他和你同時出生，叫一個名字，主宰一個身體，長的一樣，但嚴格的說，他還不是你。

這個宇宙中有個理，誰失誰得，誰修煉誰得功。歷代的功法都教人煉功時要恍兮惚兮，甚麼都不想，然後深度入定，定到最後自己甚麼都不知道了。有人打坐三個小時就像一瞬間一樣，別人還佩服他的定力。其實他煉沒煉？自己根本也不知道。特別是道家功法講：識神死元神生。他所說的識神，我們叫作主元神；他所說的元神，我們叫作副元神。你真的識神死了，那麼你真正就死掉了，主元神真的沒有了。有練其它功法的人說：老師，我練功時，我家裏的人我誰都不認識。還有人告訴我：我才不像別人那樣起早貪黑的練功呢，我回家往沙發上一躺，我自己就出去練功了，我躺著看著他練。我覺的很可悲，但是又不可悲！

人家為甚麼度副元神呢？呂洞賓有句話：寧可度動物也不度人。人實在太難悟，因為常人受常人社會所迷，在現實利益面前放不下那個心。你不信，有的人聽完課走出禮堂的時候，就變成常人了，誰要惹著他、碰著他，他就不幹了。過一段時間之後，根本不把自己當作煉功人。歷史上許多修道的人都看到這一點，人很難度，就是人的主元神太迷。有的人悟性好，一點就透。有一些人怎麼講他都不信，他認為你是講大話。我們這麼叫他修煉心性，而他一到常人中還是我行我素。他認為常人中那個切切實實、摸的著、碰的到的這點利益還是實惠的，還得來這個。老師講的法，聽著也有道理，但是做不到。人的主元神最難度，而副元神他可以看到另外空間的景象。所以人家想了：我何必度你主元神呢，他也是你，我度他不一樣嗎？都是你，誰得不是得了，都是你得了。

我講他的具體的修煉方法。人若有遙視功能，可能看到這樣一種景象：你一打坐時，你會看到在定下來的一瞬間，「吻」一下從你的身體內出去一個和你長的一樣的你。可是你分辨一下你的自我在哪？在這坐著呢。你看到他出去之後，師父帶著他在師父演化出的一個空間裏修煉，也可能是過去的社會形式，也可能是現在的社會形式，也可能是另外空間的社會形式，教他煉功，他吃了不少苦，每天一、兩個小時。人家煉完功一回來，你也出定了，這是能看的見的。

要看不見就更可悲了，啥也不知道，稀裏糊塗的定了兩個小時出定了。有的人睡覺，一睡兩、三個小時，他也算煉完功了，完全交給人家了。這是間接性完成的，每天打坐這麼長時間。還有一次性完成的，大家可能聽說達摩面壁九年，過去有許多僧人一坐幾十年，歷史上記載最長的九十多年，還有更長的，眼皮上的灰很厚，身上都長草了，還在那兒坐著。道家也有講這個的，特別是有一些奇門功法講睡覺，一睡幾十年不出定，不醒。可是誰煉啦？他的副元神出去煉了，如果他能看的見就會看見師父帶著副元神在煉。副元神也會欠下很大業力，師父沒有本事把業力全消掉。所以告訴他：你在這好好煉功，我出去一趟，過一會回來，你等著我。

師父明知道會出甚麼事，也得這麼做。結果魔來嚇唬他，化成美女引誘他，甚麼樣的事都有。一看他真不動心，因為副元神比較好修，他能知道這個真相。那魔急眼了就要殺他，為解恨報仇，真把他殺了，這一下債全還了。殺完之後，副元神飄飄渺渺的，像一股煙兒一樣，出來了。又轉生了，托生一個很窮的人家。從小吃苦，長到懂事的時候，師父來了，當然他不認識了。師父用功能把他儲存的思維打開，一下子想起來了，這不是師父嗎？師父告訴他：現在行了，可以煉了。這樣經過許多年，師父把東西傳給他了。

傳完後師父又告訴他：你有許多執著心要去，你出去雲遊吧。雲遊是相當苦的，在社會中走，要飯吃，遇到各種人，譏笑他，辱罵他，欺侮他，甚麼樣的事情都能遇到。他把自己當作煉功人，擺正與人的關係，守住心性，不斷提高心性，在常人各種利益的誘惑下不動心，經過多少年他雲遊回來了。師父說：你已經得道了，圓滿了。沒啥事了，你回去收拾收拾準備走；要有甚麼事，那你就把常人中的事情辦完。這樣多少年後，副意識回來了，他一回來，這邊他主元神也出了定了，主意識睡醒了。

可是他確實沒有修煉，人家副元神修煉了，所以副元神就得功。但是主元神他也苦，畢竟他把整個的青春都坐在那裏了，常人時光全過去了。那麼怎麼辦哪？他覺的他一出定自己煉出功來了，有功能了，他想治病，想幹甚麼就能幹甚麼，副元神就滿足他。因為他畢竟是主元神，主元神主宰身體，說了算。而且這麼多年他坐在這裏，一生都過去了。到百年之後，副元神走了，各走各的。按佛教講，他還得入六道。因為在他身體修出了一個大覺者來，他也是積了大德了，那怎麼辦？可能就是來世當個大官，發個大財。也只能這樣，那不白修嗎？

這件事我們拿出來講，也是費了很多周折才同意講的。我揭示了一個千古之迷，絕對不能講的秘中之秘，把歷代所修煉的各種修煉方法的根底都揭示出來了。我不是講牽扯的歷史淵源很深嗎？就是這些原因。你想一想，哪家、哪門不是這樣修煉的？你自己修來修去的你沒有功，你不可悲嗎！那又能怨誰呢？人就是那麼迷，就是不悟，怎麼點化都不行。說高了聽起來玄，說低了悟不上去。我這麼講，有人還讓我給他治病，我真是不好說他啥了。我們講修煉，往高層次上修煉才能管的。

我們這一法門是主意識得功，那麼你說主意識得功就主意識得功？誰允許呀？不是這樣的，它必須得有先決條件的。大家知道，我們這一法門不避開常人社會去修煉，不避開、不逃脫矛盾；在常人這個複雜的環境中，你是清醒的，明明白白的在利益問題上吃虧，被別人竊取利益的時候，你不跟別人一樣去爭去鬥；在各種心性的干擾中，你在吃虧；你在這種艱苦的環境中，魔煉你的意志，提高你的心性，在常人的各種不好的思想影響下，你能夠超脫出來。

大家想一想，明明白白吃苦的是不是你，付出的是不是你的主元神，在常人中你失去東西，是不是你明明白白失去的？那麼這個功就該你得，誰失誰得。所以這就是為甚麼我們這一法門，不脫離常人這個複雜的環境進行修煉的原因。我們為甚麼要在常人的矛盾中修煉？就是因為我們要自己得功。將來專修弟子在寺院修煉要到常人中去雲遊。

有些人說：目前別的功法也在常人中練呀？可是那些都是普及袪病健身的，真正往高層次修煉除單傳外沒有人公開傳。真正帶徒弟，已經把徒弟都帶走了，弄背地裏傳去了。這麼多年，哪有大庭廣眾講這個？沒有人講。我們這一法門這樣講了，因為我們就是這樣一種修法，就是這樣得功。同時，我們這一門所下的成千上萬而不止的東西，全部下給你主元神，真正叫你自己得功。我說我做了一件前人從來沒有做過的事，開了一扇最大的門。我這話有的人聽明白了，我真的講的不玄。我這個人有個習慣，我要有一丈，我說一尺，你說我吹都行。其實這只是說出一點，更高深大法由於層次太懸殊，我根本就不能給你講一點。

我們這一法門就是這樣修煉的，叫你自己真正得功，這是開天闢地頭一回，你可查一查歷史。好就好在你自己得功，但也很難。在常人複雜的環境中，在人與人心性的摩擦當中，你能夠脫穎而出，這是最難的。難就難在你明明白白的在常人利益當中吃虧，在切身利益面前，你動不動心；在人與人之間的勾心鬥角中，你動不動心；在親朋好友遭受痛苦時，你動不動心，你怎麼樣去衡量，作為一個煉功人就這麼難！有一個人跟我說：老師，在常人中做個好人就行了，誰能修上去呀？我聽了真傷心！甚麼話都沒跟他說。甚麼樣的心性都有，他能悟多高就悟多高，誰悟誰得。

老子講：道，可道，非常道。那要滿地都是一撿就修成了，他也就不珍貴了。我們這個法門是在矛盾中叫你自己得功，所以我們要最大限度的去符合常人，從物質上又不是叫你真正失去甚麼。可是在這個物質環境中你卻要提高你的心性。方便就方便在這裏，我們這一法門最方便了，在常人中可以修煉，可以不用出家。那麼最難也就難在這裏，在常人這個最複雜的環境中修煉。可是最好又好在這裏，因為他讓你自己得功，這就是我們這一門最關鍵的東西，今天我給大家講出來了。當然，主元神得功，副元神也得功，為甚麼呢？你身體的一切信息、一切靈體，你的細胞都在長功，當然他也要長功。可是到甚麼時候他都沒有你高，你是主，他是護法。

講到這兒，我還要說一句。我們修煉界有不少這樣的人，一直想要往高層次修煉。到處去求法，花了不少錢，山南海北走了一圈，去找名師也沒找到。有名的名不一定是真正明白的明。結果徒勞往返，勞民傷財，甚麼也沒有得到。這麼好的功法，我們今天給你拿出來了，我已經捧給你了，送到你家門口來了。這就看你能不能修，能不能行。你要能行呢，你就修下去；你要不能行，你要修不了，那從此以後你再別想修煉了。除了魔騙你之外沒有人再教你，以後你就別修了。我要度不了你，誰也度不了你。其實現在想要找個真正的正法師父去教你，比登天還難，根本就沒有人管了。末法時期，很高層次都在末劫之中，更管不了常人了。這是最方便的一法門了，而且是按照宇宙特性直接在煉，修的最快最捷徑了，直指人心。

周天

在道家中講大小周天，我們就講一講甚麼是周天。我們一般所講的周天是把任督二脈接起來，這個周天是皮毛周天，甚麼也不算，只是祛病健身的東西，這叫小周天。還有一種周天，它不叫小周天，也不叫大周天，是禪定中修煉的一種周天形式。它是從身體的裏邊，從泥丸繞一圈下來，從身體裏邊到丹田轉一圈上來，內在的循環，那是真正的禪定中修煉的周天。而這種周天形成之後也會形成一個很強的能量流，然後一脈帶百脈，把別的脈都帶開。道家講周天，佛教不講周天。佛教講甚麼呢？釋迦牟尼在傳他的那套法時沒有講功，不講功，但他的功法也有他的修煉演化形式。佛教的脈是怎麼走向呢？從百會穴開始這一點上通透了，然後螺旋式的從頭頂上向身下發展，最後以這種形式把百脈帶開。

密宗的中脈也是這個目地。有人說沒有中脈，那麼為甚麼密宗可以修煉出中脈來呢？其實人身體上所有的脈加在一起，上萬條還不止，就像血管一樣縱橫交錯的，比血管還多。內臟的間隙部份沒有血管，可是卻有脈。從頭頂到身體各個部位也是縱橫交錯的脈絡，把它們連接起來，開始時可能是不直的，連起來打通。然後逐漸加寬，慢慢的就形成了一根直脈。以這個脈為軸自轉，帶動它的平轉的意念中的幾個輪，目地也是要把身體的所有脈全部帶開。

我們法輪大法的修煉避開了一脈帶百脈這種形式，一上來就要求百脈同時帶開，百脈同時運轉。我們一下子站在很高的層次上去煉了，避開很低的東西。一脈帶百脈，你要想把它全部帶開，有的人煉一生還夠嗆；有的人得修煉幾十年，很難的。在很多功法中講一世修不成，有許多高深大法中修煉的人可以延長壽命，他不是講修命嗎？可以延長壽命去修煉，一修很長時間。

小周天基本上就是祛病健身的，而大周天就是煉功了，就是人真正的修煉了。道家指的大周天不像我們來的這麼猛，百脈全部打開。它是那幾條脈的運轉，手的三陰三陽，腳下、兩腿一直到頭髮、身體都走一遍，這就算大周天循環了。大周天一上來就是真正的煉功了，所以有些氣功師對大周天就不傳了，他傳的就是祛病健身的東西。有些人也講了大周天，可是他沒有給你下東西，你自己也打不通。不下東西，自己靠意念想打通，談何容易！就像做體操一樣，能把它做開嗎？修在自己，功在師父，內在的這個「機制」全部給你下上才能起這樣一種作用的。

道家歷來把人體視為一個小宇宙，他認為宇宙外面有多大，裏面有多大，外面是甚麼樣，裏面是甚麼樣。這個講起來好像不可思議，不太容易理解。這個宇宙這麼大，怎麼能和人身體比呀？我們講這樣一個道理，我們現在物理學研究物質成份，從分子、原子、電子、質子、夸克一直到中微子，再往下有多大？到了那一步顯微鏡已經看不見了，再往下極小的微粒是甚麼？不知道了。其實我們現在物理學上所認識到的這一點，和這個宇宙中最微小的微粒比起來相差太遠了。人沒有肉身的時候，人的眼睛看東西就可以起到一種放大作用，可以看到微觀。層次越高，微觀下看到的越大。

釋迦牟尼在那樣一個層次中，他講了三千大千世界學說，就是說這個銀河系中，還有像我們人類這樣有色身的人存在。還講了一粒沙裏含三千大千世界之說，是和我們現代物理學的認識相吻合的。電子圍繞原子核轉動的形式和地球圍繞太陽轉動，有甚麼兩樣呢？所以釋迦牟尼講了，在微觀下，一粒沙裏有三千大千世界，那就像一個宇宙一樣，裏面有生命有物質。如果是真的話，大家想一想，那麼那個沙子裏面的世界裏邊是不是還有沙子，那麼那個沙子裏邊的沙子裏邊是不是還有三千大千世界？那麼那個沙子裏邊的沙子裏邊的三千大千世界是不是還有沙子？往下追下去是無窮無盡的。所以釋迦牟尼達到如來這樣一個層次，他卻講出這樣一句話來：「其大無外，其小無內」。大，看不到宇宙的邊；小，看不到它本源物質的最微小的東西是甚麼。

有的氣功師講：汗毛孔裏邊有城市，裏邊跑火車，跑汽車。聽起來很玄，但是我們站在科學角度上真正的去理解、去研究，發現這種說法並不玄。那天我講開天目時，有很多人開天目會出現這樣的景象：他發現從他前額這一通道往出跑，永遠也跑不到頭似的。每天煉功都從這一條大道往出跑，兩邊有山、有水，跑的時候還要經過城市，還看到許許多多的人。他覺的這是幻覺。怎麼回事呢？看的很清楚，不是幻覺。我講，如果人的身體真在微觀下有那麼洪大的話，那就不是幻覺。因為道家煉功歷來把人體視為一個宇宙，如果真是一個宇宙，從前額到松果體十萬八千里而不止，你往出衝吧，很遙遠的。

如果在修煉過程當中把大周天全部打通之後，會給修煉者帶來一種功能，甚麼功能啊？大家知道，大周天也叫作子午周天，也叫乾坤運轉，也叫河車運轉。在很淺的層次中大周天運轉就形成一個能量流了，它會逐漸的加大密度向更高層次中轉化，會變成密度很大的一個能量帶。這個能量帶它在運轉，在運轉過程中，我們在很淺的層次中用天目去看，發現它可以使身體裏面的氣換位：心上的氣跑到腸子上去了；肝上的氣跑到胃上去了……如果在微觀下可以看到它搬運的是很大的東西，如果把這個能量帶打到體外來，它就是搬運功。功很強的人，可以搬運很大的東西，就是大搬運。功很弱的人，可以搬運很小的東西，就是小搬運。這就是搬運功的形式和它的生成。

大周天直接就是煉功了，所以會帶來不同的狀態和功的形式，它也會給我們帶來一個很特殊的狀態。甚麼狀態呀？大家可能在古書中，如《神仙傳》或者是《丹經》、《道藏》、《性命圭旨》中都寫著這樣一句話，叫作「白日飛升」，就是大白天這人飛起來了。其實我告訴大家，大周天一通這個人就可以起空的，就這麼簡單。有人想了，這麼多年煉功，通大周天的人也不在少數。我說多少萬人能夠達到這個成度都不玄的，因為大周天它畢竟是剛剛煉功的起步。

那麼為甚麼看不見這些人飄起來呀？看不見他起空啊？常人社會的狀態是不能夠破壞的，不能夠隨便破壞或改變常人社會的社會形式，人都在天上飛那能行嗎？那是常人社會嗎？這是主要一方面；另外一方面，常人中的人不是為了當人，是為了返本歸真，所以還有個悟性問題。他看見好多人確確實實都能夠飛起來，他也去修了，就不存在悟性問題了。所以你修行了，還不能隨便叫人看，不能示人的，別人還得修。所以大周天通了以後，只要把你手指尖、腳趾尖或者某個部位給鎖上，你就飄不起來了。

我們往往大周天將要通的時候，會出現一個狀態，有人打坐時身體老往前傾。因為後背通的比較好，後背特別輕，前邊感覺到沉了；有人往後仰，就是後背覺的沉，前邊輕。如果你全部都通的很好，那麼你會往起顛，覺的自己往起拔，有離地的感覺。一旦真正能起來的時候，就不讓你起來，但也不是絕對的。出功能的在兩頭，小孩沒有執著心，老年人特別是老年婦女沒有執著心，容易出功能，容易保持。男的特別是年輕的，一旦有功能了，他要顯示的心理是避免不了的，同時他可能把它作為常人中的一種競爭手段。這就不允許它存在，煉出來也要把它閉鎖掉的。閉鎖掉一個地方，那麼這個人就飄不起來。也不是說絕對的都不讓你出現這個狀態，可能讓你試一試，有些人可以保持下去。

各地辦班都有這種情況。我在山東辦班時，濟南的學員、北京的學員都有，有人說：老師呀，我怎麼了，走路老要離地，躺在家裏睡覺往起飄，蓋上被子連被子都要飄起來，老像氣球似的往起飄。我在貴陽辦班時，一個貴州的老學員，是一個老太太，她屋裏放了兩張床，靠牆一邊一張。她坐在床上打坐，她就覺的自己飄起來了，她睜眼一看飄到那張床上去了；她一想，我得回去呀，就又飄回來了。

有個青島學員，午休時室內沒人，他在床上打坐，他一打坐就起來了，往起顛的很厲害，一米多高。起來之後又落下來，咚咚來回顛，把被子都顛到地上去了。有點興奮，也有點害怕，顛來顛去的顛了一中午。最後上班打鈴了，心想：可不能叫人看見了，這幹甚麼呢，趕快停下來吧。停下來了。這就是為甚麼老年人能把握的住。要是年輕人，打上班鈴了，都來看看吧，我飛起來了。人不太容易把握自己的顯示心就在這兒：看我這功煉的多好，我能飛起來。他一顯示就沒了，不准許這樣存在的。這種事情很多，各地學員都有。

我們一上來就要百脈全開。到今天為止，我們百分之八、九十的人現在都達到一身輕的狀態，沒有病。同時我們講了，在這個班上不但要給你推到這樣一種狀態上來，讓你身體完全淨化了，還要給你身體裏下上許多東西，讓你在班上就出功，我等於把你拔起來再往前送。我一直在班上給大家講法，大家的心性也在一直發生著變化。我們好多人走出這個禮堂之後，你會覺的像另外一個人一樣，保證你的世界觀都發生轉變了，你知道你將來怎麼樣去做人了，不能那樣稀裏糊塗了，保證是這樣的，所以我們的心性已經跟上來了。

談到大周天，雖然不讓你飄起來，可是你會覺的一身輕，走路生風。過去走幾步就累，現在走多遠都覺的很輕鬆，騎自行車好像有人推你一樣，上樓上多高也不累，保證是這樣的。看此書自修的一樣可以達到應有的狀態。我這個人我不願意說的話，我可以不說，但是我說出來的就得是真話。特別在這種情況下，我在講法時我要是不講真話，在這裏說玄話，不能夠有地放矢的隨便亂講，我就是在傳邪法。我做這件事情也是不容易的，宇宙中都在看著呢，你走偏就不行。

一般人就知道有這麼樣一個周天就完事了，其實這還不行。要達到身體完全被高能量物質儘快代替、轉化，還得有一種周天形式的走向，帶動你身體所有脈的走向，那叫作卯酉周天，可能很少有人知道了。書中有時提到這樣的名詞，可是沒有人去講它，不告訴你。都是圍繞著理論兜圈子，秘中之秘嘛。我們這裏都給你說出來：可以從百會穴開始（也可以從會陰穴出來），打出來走陰陽兩面的交界處，從耳朵邊下來，然後走肩頭下來。一個指縫一個指縫的走。然後走身體的側面，從腳底下過去，從胯下一側上來。然後再從另一側下去，再走腳下，從身體的側面上來。一個指縫一個指縫的過，轉一圈到頭頂，這就是卯酉周天。人家能夠寫一本書，我幾句話就說出來了。我覺的這也算不上甚麼天機，可是别人覺的這些東西都是很珍貴的，根本就不講的，真正傳徒弟才講卯酉周天。我雖然講出來了，可是誰也不要用意念引導、控制去煉，你煉就不是我們的法輪大法了。真正往高層次上修煉是無為的，沒有任何意念活動，全都是給你下的現成的。這些都是自動形成的，這些內在的機在演煉著你，到時它會自轉。有一天你煉功的時候會擺頭，頭要向這邊擺，它就是這麼轉；頭要向那邊擺，就是那麼轉，兩邊都要轉的。

大、小周天通了之後，打坐會點頭的，這是能量通過的現象。我們煉的法輪周天法也是一樣，我們是這樣煉了，其實你不煉的時候它自己就轉。平時永遠轉下去，你煉的時候是加強這個機。我們不是講法煉人嗎？平時你發現你那個周天老是在循環著，你沒有煉，外邊下的這層氣機，就是一層外在的大脈在帶動你身體在煉，都是自動的。它還會反轉，正反兩面都轉的，時時刻刻都在通你的脈。

那麼通周天目地是甚麼呢？通周天本身不是煉功目地。你就是周天通了，我說啥也不是。再往下修下去，目地是通過周天的這種形式一脈帶百脈，把身體的脈，所有的脈全部帶開。我們已經在做這件事情了。往下煉，有人走大周天的時候會發現，脈會煉的很寬，像手指頭一樣，裏邊很寬。因為能量也很強了，能量流形成了之後它會很寬的，也會很亮的。這還不算甚麼，那要煉到甚麼成度？要使人的身體百脈都在逐漸加寬，能量越來越強，變的越來越亮。最後使上萬條脈連成一片，達到一種無脈無穴的境地，整個身體連成一片，這是通脈最終達到的目地。它的目地是把人的身體全部都被高能量物質轉化。

煉到這一步的時候，人的身體基本上就被高能量物質轉化了，也就是說已經煉到了世間法修煉的最高層次上來了，人體的肉身已經修煉到最頂點了。到了這一步的時候，還會給他帶來一種狀態，甚麼狀態呀？他的功已經出的非常豐富了。常人身體的修煉，也就是在世間法修煉過程當中，人所有的特異功能（潛能），一切東西全部都出來了，但在常人中修大部份是鎖著的。而且他的功柱已經長的相當的高，一切功的形式，都被強大的功加持的相當強。可是它只能在我們這個現有的空間中起作用，卻不能夠制約於另外的空間，因為它只是我們常人肉體修煉出來的功能。但是已經相當豐富了，在各個空間中，不同空間中身體各種存在形式上，都發生了相當大的變化。那個身體帶的東西，每一層空間身體帶的東西都是相當豐富的了，看上去很嚇人的。有的人身體到處是眼睛，滿身汗毛孔都是眼睛，他的整個空間場範圍之內都會有眼睛的。因為是佛家功嘛，有的身體滿身都是菩薩、佛的形像。各種功的形態已經達到了極其豐富的成度了，而且還有許許多多生命體顯現出來。

到這一步的時候，他還會出現一種狀態，叫作「三花聚頂」。那是非常明顯的一個狀態，也非常顯眼，天目層次不高的人就可以看的見了。頭上有三朵花，一朵是蓮花，但不是我們物質空間中的荷花，還有兩朵也是另外空間的花，非常美妙。三朵花輪番在頭頂上轉，正轉、反轉，三朵花還會自轉。每一朵花有一根大柱子，和花的直徑同樣粗。三根大柱子直通天頂，那可不是功柱，它就是這樣一種形式，非常玄妙的，你自己看到也會嚇一跳。修煉到這一步時，身體白白淨淨的，皮膚也細嫩了。當到這一步的時候，也就是到了世間法修煉的最高形式了。但這還不是到了頂點，還要往下修煉下去，還得往前走。

再往前走，就進入了世間法與出世間法之間的過渡層次，叫作淨白體（也叫晶白體）狀態。因為身體修煉到世間法最高形式上，也不過是人的肉身轉化到最高形式上了。真正走入那個形式的時候，整個身體完全是由高能量物質構成的了。為甚麼叫淨白體呢？是他已經達到了絕對的高度純淨了。用天目看，整個身體是透明的，就像透明玻璃一樣，看上去甚麼都沒有，會呈現這麼一種狀態，說白了，他已經是個佛體了。因為高能量物質構成的身體和我們本身的身體已經不一樣了。到這一步的時候，身體出現的一切功能和術類的東西要一下子全部扔掉，把它卸入一個很深的空間中去，沒有用了，從今以後再也沒有用了。只不過是你將來修成得道那一天，你回過頭來看一看你修煉的過程，把它拿出來瞅一瞅。這時只有兩樣東西存在：功柱還有，修煉的元嬰已經長的很大了。但這兩樣東西都在一個很深的空間，一般人天目層次不高看不見，他只能看見這個人的身體是一個透明體。

因為淨白體狀態是個過渡層次，再修煉下去的時候，那麼就真正的走入出世間法修煉，也叫佛體修煉。整個身體是由功構成的，這時人的心性已經穩定了。再從新開始煉，從新開始出功能，那不叫功能了，叫作「佛法神通」，他制約於所有各個空間，威力無窮。將來隨著你自己不斷的修煉，更高層次的東西，自己就知道如何去修煉和修煉的存在形式了。

歡喜心

談這麼一個問題，這也屬於歡喜心。很多人經過長時間的練功，也有的人沒有練過功，但是在他的一生中有對真理、人生真諦的追求，在琢磨。他一旦學習了我們法輪大法以後，他一下子就明白了他在人生當中許許多多想要明白、而又不得其解的問題。可能伴隨著他的思想會來個昇華，他的心情會非常激動，這一點是肯定的。我知道，真正修煉的人是知道他的輕重的，他會知道珍惜的。但是往往又出現這樣的問題，由於人的高興，生出來不必要的歡喜心，就引起他在形式上，在常人社會的人與人之間的交往中，在常人社會環境當中表現失常，我說這樣就不行了。

我們這套功法大部份是在常人社會中修煉，你不能夠使自己脫離常人社會，你得明明白白的去修煉。人與人之間還是一個正常的關係，當然心性很高，心態很正，提高自己的心性，提高自己的層次，不做壞事做好事，只是這樣一個表現。有的人表現出來好像是精神都不正常了，好像看破紅塵了，說話也不被人理解。人家說，學法輪大法這個人怎麼變的這個樣了？好像精神上出了毛病。其實還不是，就是他太激動了，不理智，不合常理。大家想一想，你這樣做也不對，你又走入了另外一個極端上去了，又是執著心。你應該放棄它，和大家一樣正常的在常人中生活、修煉。在常人中，人家都把你看的神魂顛倒的，人家都不跟你一般見識，也遠離了你，誰也沒有給你提供提高心性的機會，誰也不把你當成正常人，我說那不行啊！所以大家千萬注意這個問題，一定要把握好自己。

我們功法不像一般的功法，忽忽悠悠，惚兮恍兮的，神魂顛倒。我們功法都要你明明白白的修煉你自己。有的人老是講：老師，我一閉上眼睛就晃。我說不見得，你已經養成了放棄自己的主意識的習慣，你一閉眼睛就把自己的主意識放鬆了，沒有了，你已經養成這種習慣了。坐在這兒你怎麼不晃？你就保持睜著眼睛的狀態，這麼輕輕把眼一閉你晃嗎？絕對不會的。你認為這氣功就得這樣練，你形成一種概念，一閉眼你就沒了，哪去了也不知道。我們講你的主意識一定要清楚，因為這套功法是修煉你自己的，你得明明白白的提高。我們也有靜功，我們這套靜功怎麼煉？我們要求大家，你定的再深也得知道自己在這裏煉功，絕對不允許進入那種甚麼都不知道的狀態。那麼具體會出現甚麼狀態？會出現往那兒一坐時，感覺自己好像坐在雞蛋殼裏一樣美妙，非常舒服的感覺，知道自己在煉功，但是感覺全身動不了。這都是我們這個功法所必須出現的。還有一種狀態，坐來坐去發現腿也没有了，想不清腿哪兒去了，身體也没有了，胳膊也没有了，手也没有了，光剩下腦袋了。再煉下去發現腦袋也没有了，只有自己的思維，一點意念知道自己在這裏煉功。我們要達到這種成度就足矣了。為甚麼呢？人在這樣一個狀態裏煉功身體達到了最充份的演變狀態，是最佳狀態，所以我們要求你入靜在這麼一個狀態。但是你不要睡過去了，迷糊過去了，那可能好東西就叫別人煉去了。

我們所有的煉功人千萬注意不要在常人中表現很失常。在常人中你不起好的作用，人家講，學了法輪大法怎麼都這樣，這就等於破壞法輪大法的聲譽，千萬注意這個事情。在修煉的其它方面和過程中也要注意不生歡喜心，這種心很容易被魔利用。

修口

修口，過去宗教也這麼講。但它所指的這個修口重點是人家一些專業修煉者——僧人、道士，閉口不說話。因為是專業修煉者，目地是更大限度的去人的執著心，它認為人一動念就是業。宗教中把業劃分為善業和惡業兩種，不管善業也好，惡業也好，用佛家的空、道家的無來講都不應該做，所以他講我甚麼都不做了。因為看不見事物的因緣關係，就是這個事到底是好事還是壞事，存在著哪些因緣關係。一般的修煉者沒有那麼高的層次，看不到這些東西，所以就怕表面上是好事，一做說不定是壞事。所以他就儘量的講無為，他甚麼都不做，這樣就避免他再造業。因為造了業就得消業，就得吃苦。比如說我們修煉者，已經定好了他到哪一步開功，你不必要的中途插進去甚麼東西，這都會給整個修煉造成困難，所以他就講無為。

佛家講的修口，就是說，人說話都是由人的思想意識所支配的，那麼這個思想意識就是有為的。人的思想意識本身要想動一動念，說一點甚麼，做一點甚麼，支配人的感官、四肢，在常人中可能就是一種執著。你比如說，人與人之間有矛盾，你好啊，他不好啊，你修煉的好啊，他修煉的不好啊，這些本身就是矛盾。咱就說一般的，我要幹甚麼幹甚麼，現在這件事該怎麼做怎麼做，可能無意中就傷了誰。因為人與人之間的矛盾都是很複雜的，可能無意中就造了業了。這樣一來，他就講絕對的閉口不說話了。過去宗教中一直把修口看的很重，這是在宗教中這樣講的。

我們法輪大法修煉者絕大多數都是在常人中修煉（除專業修煉弟子以外），那麼避免不了在常人社會過常人的正常生活，和社會交往。人人都有一份工作，而且還要幹好工作；有的人就是通過講話來做工作，那麼這不就矛盾了嗎？也不矛盾。不矛盾在哪裏呢？我們講的修口，和他們是截然不同的。因為修煉法門的不同，所以要求也不同。我們張口講話，都按照煉功人的心性去講，不說些撥弄是非的話，不講些不好的話。作為修煉的人要按照法的標準來衡量自己，應不應該說這話。應該說的，用法來衡量符合煉功人的心性標準就沒有問題，並且我們還得講法、宣傳法，所以不講話是不行的。我們講修口，是常人中的那些放不下的名利與修煉者在社會實際工作中沒有關係的；或者同門弟子中互相之間扯一些沒用的；或者由於執著心指使顯示自己的；或者道聽途說傳一些小道消息的；或者對社會上其它一些事情談論起來很興奮、很願意說的，我想這都是常人的執著心。在這些方面我覺的我們應該把口修一修，這是我們講的修口。過去僧人把這些東西看的很重，因為他一動念就是在造業。所以他講「身、口、意」。他所講的修身，那就是不去做壞事；修口，那就是不說話。修意，那就是連想都不想。過去在寺院中專業修煉對這些要求很嚴。我們按照煉功人的心性標準要求自己，該說甚麼不該說甚麼把握好就可以了。

第九講

氣功與體育

在一般的層次當中，人們容易認為氣功與體育鍛練有直接的關係。當然在低層次上講，從得到一個健康身體這一方面來看，氣功和體育鍛練是一致的。但是具體它的鍛練方法，採用的手段和體育鍛練差異就很大。體育鍛練想達到人的身體健康，要加強人的運動量，強化人的身體訓練；而氣功修煉則恰恰相反，不叫人動，動也是緩、慢、圓，甚至於不動、靜止。這就和體育鍛練的形式差異很大。那麼要是往高層次上說，氣功不只是祛病健身，它有更高層次的東西，更深的內涵。氣功不只是常人這個層次中的那點東西，它是超常的，而且在不同層次上都有它不同的顯現，它是這樣一個遠遠超出常人的東西。

從鍛練的本質上來看，它們的差異也很大。運動員要求加大運動量，特別是現在的運動員，為了使自己的身體適應於現代這種競技水平，達到那樣一種標準，所以他要使身體一直處於最佳狀態。為了達到這個目標，就要加大運動量，促使人的身體能夠充份的血液循環，從而增強他的代謝能力，使身體一直保持著向上的狀態。為甚麼要增強代謝能力呢？因為運動員的身體得永遠呈現著向上的最佳競技狀態。人的身體是由無數細胞組成的，這些細胞都有這麼一個過程：新分裂出的細胞生命力很強，呈現著往上發展。到了極限的時候，它就不能再發展了，只能夠往下降，一直降到極點時，就又有新的細胞代替它。比如說，用一天十二小時來比喻，從早上六點細胞分裂出來，一直呈現著向上、向上，到了八、九點鐘，十來點鐘都是非常好的時期。到了十二點，它就再也上不去了，就只能向下滑了。這段時間細胞還有一半的生命力，這一半的生命力就不適合於運動員的競技狀態了。

那麼怎麼辦呢？他就強化訓練，加強他的血液循環，然後產生新的細胞把這舊細胞代替掉，他走了這條路。也就是說，細胞的全過程還沒有走完，剛走了一半的生命進程就把它排泄掉了，所以身體老是保持強壯、往上。可是人類細胞不能夠無限制的這樣分裂下去，細胞的分裂次數是有限的。假如人一生中細胞能分裂一百次，實際上，一百萬次也不止的。假如說正常人的細胞分裂一百次能活一百年，但現在細胞只活了生命的一半，那麼他只能活五十年了。但我們沒看見哪個運動員出現太大的問題，因為現在的運動員三十歲不到就要淘汰的，尤其現在競技水平也高，運動員淘汰量也大，所以他又恢復正常的生活，看上去沒有多大的影響。從理論上看實質是這樣，能夠使他身體保持一個健康的機體，但卻縮短了他的生命。從外觀上看，十幾歲的運動員看上去就像二十幾歲；二十幾歲的就像三十幾歲的人。往往運動員給人的感覺顯的早熟和衰老，有利有弊，辯證的看嘛，其實就是走的這條路。

氣功修煉和體育鍛練恰恰相反，在動作上不要求猛烈運動，有動作也是緩、慢、圓的，非常緩慢，甚至不動，靜止下來。大家知道禪定這種修煉方法，靜止在那裏，心跳的速度都要減緩，血液循環等一切都會減緩。印度有許多瑜伽師，可以坐在水裏多少天，埋在土裏多少天，完全使自己靜止下來，甚至心跳都能控制住。假如說人的細胞一天分裂一次，那麼修煉者使人體細胞兩天分裂一次，一個星期分裂一次，半個月分裂一次，甚至更長時間分裂一次，那麼他已經延長了他的生命。這還是那種只修性而不修命的功法，它也能夠達到這一點，也能夠使自己生命延長。有人想了：人的生命，人的一生不是定好了嗎？不修命的怎麼能多活呢？對，因為修煉的人層次突破三界就可以延長，但表面看卻非常老像。

真正修命的功法，要把採集來的高能量物質在人體的細胞中不斷的儲存，不斷的加大它的密度時，逐漸的就能抑制住常人的細胞，慢慢的就把常人的細胞代替了。那個時候將發生質的變化，這個人就青春長駐了。當然修煉過程中是個很緩慢的過程，付出得相當的大。勞其筋骨，苦其心志，是很不容易的。人與人之間在心性的摩擦當中能不動心嗎？在個人切身利益上能不動心嗎？這些事情做起來都很難，所以不是想要達到這個目地就能達到的。人的心性，人的德都修上來才能達到這樣的目地。

歷來很多人都把氣功混同於一般的體育鍛練，其實差別太大了，根本就不是一回事。單單在最低層次練氣的時候，講究祛病健身，達到一個健康的身體，最低層次的目地和體育鍛練有了共性。但是到高層次上，根本就不是那麼一回事。氣功的淨化身體也是有目地的，並且要用超常的理來要求煉功人，不能用常人的理來要求的。而體育鍛練只是常人中的事。

意念

談到意念，也就是我們人的思維活動。在修煉界怎麼看待人的意念在大腦的思維活動？怎麼看人的思維（意念）的不同形式？是怎麼體現出來的？現代醫學研究人的大腦有很多問題還是很難解開的，因為不像我們身體表面的東西這麼容易。在深層，不同的空間都有不同的形式。但是也不像有些氣功師講的那樣。有些氣功師他自己不知道怎麼回事，他說不清楚。他認為自己的大腦一動，意念一產生就能做一些事情，他就說是他的思想做的，他的意念做的，其實根本不是他的意念做的。

我們先講一講人的思維的來源，中國古代有一種說法：「心想」。為甚麼講心想？中國古代的科學是非常發達的，因為它直接針對人體、生命、宇宙這些東西去研究的。有的人確確實實的感到是心在想問題，而有的人感到是大腦在想問題。為甚麼會出現這個情況呢？他講的心想也是有道理的，因為我們看常人的元神很小，人的大腦發出的真正信息不是人大腦本身起作用，不是大腦本身發出來的，而是人的元神發出來的。人的元神不是只停留在泥丸宮。道家所說的泥丸宮就是我們現代醫學上所認識到的松果體。如果元神在泥丸宮，那麼我們確實感到是大腦在思考問題，在發出信息；如果是在心，那麼確確實實感到是心在思考問題。

人體是一個小宇宙，煉功人的許許多多生命體都可能產生一種換位作用。如果元神發生換位的時候，他跑到肚子上去，那麼會感到確實是肚子在想問題；如果元神跑到腿肚子、腳後跟上去，那麼就會感到是腿肚子、腳後跟在思考問題，保證是這樣，聽起來很玄。在你修煉層次不太高時，你就會感到這種現象的存在。人的身體如果沒有他的元神，沒有他的脾氣、秉性、特性，沒有這些東西，就是一塊肉，他就不能是一個完整的、帶有獨立自我個性的人。那麼人的大腦起甚麼作用呢？要叫我講，人的大腦在我們這個物質空間形式當中，它只是一個加工廠。真正的信息是元神發出的，但是他發出的不是語言，他發出的是一種宇宙的信息，代表著某種意思。我們大腦接受到這種指令之後，把它加工成我們現在的語言，這種表達形式。我們通過手勢、眼神、整個動作把它表達出來，大腦就起了這樣的作用。真正的指令、真正的思維是人的元神發出的。往往人們就認為是大腦直接的獨立作用，其實有的時候元神在心，有的人確實感覺到是心想。

現在搞人體研究的人認為，人的大腦發出的是一種像電波這種形式的東西，實質發出的是甚麼我們先不講，但他們承認它是一種物質存在，那麼也就不是迷信。發出的這種東西起甚麼作用呢？有的氣功師講：我用意念搬運，用意念給你開天目，用意念給你治病等等。其實有些氣功師，他自己有甚麼功能他全不知道，也不清楚。他只知道他想要做甚麼事情一想就好使。其實就是他的意念在活動著，功能接受大腦意念控制，在意念指揮下具體做事，而他的意念本身並不能夠做任何事。一個煉功人具體做甚麼事情的時候，是他的功能在起作用。

功能是人體的潛能，隨著我們人類社會的發展，人的大腦思維越來越變的複雜，越來越看重現實，越來越依賴於所謂的現代化的工具，這樣，人的本能就越來越退化。道家講返本歸真，在修煉過程當中，你要求真，最後返本歸真，返回到你原始的本性上去，你才能夠顯露出你這些本能的。我們現在叫特異功能，其實都是人的本能。人類社會好像是進步了，其實是在向後退，離我們宇宙的特性越來越遠。那天我講張果老倒騎驢，可能不理解是啥意思。他發現向前走就是往後退，人離宇宙特性越來越遠。在宇宙的演化過程當中，特別是現在走入商品經濟大潮以後，許多人的道德相當敗壞，離宇宙真、善、忍的特性越來越遠，在常人中隨著潮流走下來的人們是感覺不到人類道德敗壞的成度的，所以有些人還覺的是好事，只有心性修煉上來的人回頭一看，才能認識到人類的道德敗壞到如此可怕的地步了。

有的氣功師講：我給你開發功能。開發甚麼功能啊？他的功能沒有能量不好使，沒出來你能開發出來嗎？他的功能沒被他的能量加持成形的時候，你能把它開發出來嗎？根本就不行的。他所說的開發功能，只不過是把你已經形成的功能和你的大腦連繫起來，受你的大腦意念指揮而起作用，這就算他開發功能了，其實他沒給你開發甚麼功能，只做了這麼一點事。

對煉功人講，人的意念指揮著人的功能在做事；而作為一個常人來講，意念指揮著人的四肢、感官去做事，就像一個工廠的生產辦公室、廠長辦公室發出指令，具體各個職能部門各行其事。就像部隊的指揮部門一樣，司令部發出命令，指揮整個部隊去完成任務。我在外地辦班的時候和當地氣功研究會的領導經常談這個問題。他們覺的很吃驚：我們一直在研究人的思維有多大潛在能量、潛在意識。其實不是這樣的，他一上來就走偏了。我說搞人體科學，人的思維就得發生一種變革，不能用常人那種推理方法、認識問題的方法去認識那種超常的東西。

談到意念，還有幾種意念形式。比如說有人講潛意識、下意識、靈感、做夢等等。談到做夢，哪個氣功師也不願意去解釋它。因為當你降生的時候，在宇宙許多空間中都同時降生了一個你，和你是一個完整的一體，都發生著相互連繫，在思維上都有連帶關係。而你自己又有主元神、副元神，還有其他各種生命體那種形像在體內存在，每個細胞、五臟六腑都是你的形像信息在另外空間裏那種存在形式，所以是非常複雜的。你做夢時一會兒這樣，一會兒那樣，到底是從哪來的呢？在醫學上，說是我們的大腦皮層發生了變化。這是表現在這個物質形式上的反應，其實它是受了另外空間那種信息的作用。所以你做夢的時候你感到稀裏糊塗的，這都與你毫無關係，你也不用管它。有一種夢和你有直接關係，這種夢我們不能把它說成是夢。你的主意識，也就是主元神，在夢中夢到親人到了跟前；或者確確實實感受到一件事情；看到甚麼東西或者做了甚麼事情。那麼就是你的主元神真正的在另外空間裏做了甚麼事情，看到了甚麼事情，也做了，意識清楚、真切，而這種事情確確實實是存在的，只不過是在另外的物質空間中，另外的時空當中去做的。你能把它說成是夢嗎？不是。你這邊的物質身體確實在睡覺，也只好說它是夢了，只有這種夢對你是有直接關係的。

談到人的靈感、下意識、潛意識之類的，我說這種名詞不是科學家起出來的，是文人根據常人中習慣的一種狀態起出來的名詞，它沒有科學性。人們指的潛意識到底是甚麼？很難說清，很籠統，因為人的各種信息太複雜，好像一種隱隱約約的一點記憶。至於他所說的下意識，我們還好解釋。根據給下意識這種狀態下的定義，通常是指人稀裏糊塗時做了一件事情，往往人們就說他是下意識幹的，不是有意幹的。這種下意識恰恰和我們所說的副意識是一樣的。因為人的主意識放鬆之後，沒有控制大腦的時候，稀裏糊塗像睡著了，或者在睡夢中，在無意識的狀態下就容易被副意識，也就是副元神主宰。那個時候副意識就能夠做出一些事情，也就是說在你自己稀裏糊塗狀態下做出來的。但是，往往做這些事情都不容易做壞，因為副意識在另外空間裏能看到事物的本質，不受我們常人社會所迷。所以他做的事情，等明白過來一看：這個事情怎麼做的這麼壞，我明明白白時是不會這樣做的。可是，你現在說它不好，等十天半個月後回頭再一看：哎呀，這件事情做的這麼好！當時我怎麼做的這件事啊？往往會出現這個問題。因為副意識不管當時這件事起甚麼作用，但是將來會起一個好作用。也有的事情沒有甚麼後果，就是當時起作用，那麼副意識去做了，可能當時就把這件事情做的非常好。

還有一種形式，就是我們往往根基很好的人，容易受高級生命的控制所做的一些事情。當然那是另外一回事，這裏不講，主要講我們人來源於自身的一種意識。

至於說靈感，它也是文人起出的名詞。一般的人認為：靈感就是人在一生中知識的積累，在那一瞬間像火花一樣迸發出來。我說要按照唯物主義觀點看，人類一生中的知識積累，積累知識越多，人的大腦越用就越靈活。到用的時候，就應該源源不斷的出來，也就談不上甚麼靈感問題了。

凡是所稱的起靈感，或者是靈感來的時候，它不是這個狀態。往往是人在用腦的時候，用啊用啊，到最後覺的知識枯竭了，好像用不出來了；寫一篇文章到那兒下不去筆了；創作一首歌曲沒有思路了；搞一個科研項目搞不下去了。往往在這個時候累的青筋暴跳，煙頭扔了一地，憋的腦子生疼，也沒有想起來。最後都是甚麼狀態下來的靈感呢？如累了的時候想：「算了，休息休息吧」。因為主意識控制大腦越厲害，其它生命也就插不進去。他這一休息，他的思想一放鬆，不想它了，在這無意當中一下想起來了，從腦子裏發出來。靈感大都是這麼來的。

那麼為甚麼這時來了靈感？因為人的大腦在主意識的控制下，越用腦的時候，他控制的越緊，副意識就越插不進來。他想的腦袋疼時，想不起來很難受的時候，那個副意識也是他身體的一部份，也是從娘胎裏同時降生出來的，他也主宰身體的一部份，他也跟著難受，他也跟著腦袋痛，痛的夠嗆。而當主意識放鬆的時候，副意識就把他所知道的反映到大腦中，因為他在另外空間時可以看到事物的本質，這樣就搞出來了，寫出來了，創作出來了。

有人講了：那我們就運用副意識。就像剛才有人寫條子說：怎麼跟副意識取得聯繫？你聯繫不了，因為你是個煉功剛剛起步，甚麼本事都沒有的人，你還是别聯繫，目地一定是執著。有的人可能想了：我們就運用副意識為我們多創造些價值，推動人類社會發展不行嗎？不行！為甚麼呢？因為你的副意識知道的事情也是很有限的。空間之複雜，層次之多，這個宇宙的結構相當的複雜，他也只能知道他所在空間的東西，超出他所在空間的東西，他就不知道了。而且還有許多許多縱向層次不同的空間，人類的發展是高級生命在很高的層次中才能夠控制的，按照發展規律在進行著。

我們常人社會是按照歷史規律在發展，你想怎麼發展，達到甚麼目標，可是那個高級生命可不是這樣考慮的。古代的人，他們沒有想到今天的飛機、火車、自行車？我說也不一定想不到。因為歷史沒有發展到那一過程中去，他也創造不出來。表面上從我們這個常人習慣的理論認識，從現有的人類知識這一角度上去看，是因為人類的科學沒有達到那一成度，創造不出來。其實人類科學怎麼發展的，也是隨著歷史的安排在發展的，你人為的想達到某一目地，也是達到不了的。當然也有的人容易副意識起作用，有個作家講：我寫書一天可寫多少萬字，一點兒不累，要想寫很快就寫出來了，別人看了還很好。為甚麼會這樣呢？這是他的主意識、副意識摻半作用的結果，他的副意識也能發揮一半作用。但不都是這樣，絕大多數的副意識根本不管，你想讓他做事，反倒不好，適得其反。

清淨心

有許多人練功入不了靜，到處找氣功師問：老師啊，我怎麼練功入不了靜，一入靜甚麼都想，胡思亂想。那真是翻江倒海，甚麼都上來，你根本都靜不了。為甚麼靜不下來呢？有的人不理解，認為有甚麼訣竅，他就找名師：教我點甚麼高招，就能靜下來。要我看，還是向外去求了。你要想提高你自己，你得向內去找，在你這顆心上下功夫。你才能夠真正的提高上來，打坐中你才能靜的下來，能靜的下來就是功，定力多深是層次的體現。

常人隨便能靜的下來嗎？根本就靜不下來，除非根基很好的人。也就是說，人靜不下來的根本原因，不是甚麼手法上的問題，不是因為有甚麼絕招兒，而是你的思想、你的心不淨。你在常人社會當中，人與人之間的矛盾，為了個人利益、七情六慾、各種慾望的執著，你跟別人去爭去鬥，這些東西你都放不下，不能夠把它看淡，你就想靜的下來，談何容易？有人在那練功說：我就不信，我得靜下來，不能亂想。剛說完，又翻出來了，是你那顆心不淨，所以你就靜不下來。

有的人可能不同意我的觀點：有的氣功師不是教人家採取甚麼手法嗎？可以守一、觀想、意守丹田、內視丹田或者是念佛號等等。這是一種方法，但它不只是一種方法，它是一種功夫的體現。那麼功夫就和我們修煉的心性，和我們提高的層次就有直接關係了，他也不是專一的採用這個方法就能靜下來的。不信你試試，你各種慾望、執著心太強盛了，甚麼都放不下，你看你能不能靜下來。有人講念佛號好使，念佛號你能夠達到入靜嗎？有人講：阿彌陀佛的法門容易煉，念佛號就行。你念念試試？我說那是功夫，你說容易，我說不容易，哪一法門也不容易。

大家知道釋迦牟尼講「定」，在「定」之前他講甚麼？他講「戒」，把一切慾望、癮好全部戒掉，甚麼都沒有了，才能定的下來。是不是這個道理？而「定」也是功夫，你一下子也達不到完全戒的成度，慢慢隨著戒掉一切不好的東西的時候，定力也會由淺入深。人念佛號要一心不亂的念，心裏甚麼都不想，把大腦其它部份都念木了，甚麼都不知道，一念代萬念，「阿彌陀佛」的每個字都能顯現在眼前。這不是功夫嗎？一上來就能達到這一點嗎？達不到，達不到就肯定不能入靜，不信就試一試。嘴裏在那裏一遍接一遍的念，心裏甚麼都想：我們單位領導怎麼這麼看不上我，這月獎金給我這麼少。越想越氣，氣的夠嗆，嘴還在念佛號呢，你說能煉功嗎？這不是個功夫問題嗎？這不是你自己心不淨的問題嗎？有的人天目開了，可以內視丹田。因為人的小腹部位聚集的丹，那個能量物質越純就越亮，越不純越發烏、發黑。內視丹田看那個丹能入靜嗎？入不了靜，不在方法的本身，關鍵是人的思想、意念不清淨。你內視丹田，看那丹亮晶晶的挺好，一會兒這個丹就變了，就變成了房子。「這間我兒子結婚用，這間我姑娘住，我們老倆口住這間，中間是客廳，太好了！這房子能不能給我呀？我得想辦法把它要下來，怎麼辦呢？」人就執著於這些東西，你說你能靜的下來嗎？人家說：我來到常人社會這裏，就像住店一樣，小住幾日，匆匆就走了。有些人就是留戀這地方，把自己的家給忘了。

真正修煉，就得向心去修，向內去修，向內去找，沒有向外去找的。有的法門講，說佛在心中，也有道理。有人把這句話理解偏了，說佛在心中，好像他自己就是佛了，好像心裏有個佛似的。他這樣理解，那不是錯了嗎？哪能那樣理解。意思就是你要向心去修，你才能夠修成，就是這個道理。你身上哪來佛？你得去修才能修成的。

你靜不下來的原因，是因為你的思想沒有空，你沒有那麼高的層次，那是由淺入深的，與層次提高是相輔相成的。你放下了執著心，你的層次也上來了，你定力也加深了。你想通過甚麼手法、方法去靜，我說那都是向外去求了。而煉功恰恰走偏，走了邪道了，就是指人向外去求。特別在佛教中，你要向外去求，他就說你走魔道。而真正修煉要修煉那顆心，你只有提高心性的時候，你的心才能夠達到清淨、無為；你只有提高心性的時候，才能同化我們宇宙的特性，去掉人的各種慾望、執著心、不好的東西，你才能夠把自身不好的東西倒出去，你才能夠浮上來。不受宇宙特性的制約，你的德這種物質才能轉化成功，那不是相輔相成的嗎？就是這麼個道理！

這是主觀上不能夠使自己達到煉功人標準的要求，所造成的靜不下來的原因。現在客觀上也存在著這樣一種情況，嚴重干擾你不能夠往高層次上修煉，嚴重的影響著煉功人。大家知道，隨著改革開放，經濟搞活，政策也放寬了。有許多新的科技引進了，人的生活水平也在提高，常人中誰都認為是好事。可是一分為二的看，辯證的看，不好的東西也隨著改革開放進來了，五花八門。文藝作品裏邊要不寫點兒黃色的東西，好像這本書都賣不出去，因為講銷售量的問題；電影電視裏要沒有點兒床上鏡頭，好像電影電視也沒人看了，講上座率收視率的問題；美術作品裏邊，誰知道是真的藝術還是搞甚麼東西，我們中國古老民族藝術當中沒有這些東西。而我們中華民族這個傳統不是誰發明、誰創造出來的。我講史前文化時談到了，一切東西都有它的根源。人類道德標準都扭曲了，發生變化了，衡量好壞的標準都發生了變化，那是常人中的事情。這個宇宙特性真、善、忍的標準，是唯一衡量好壞人的標準，他可不變。作為一個煉功人，你要想跳出來，你就得用這個標準來衡量，你不能用常人標準來衡量，所以客觀上也存在這樣一種干擾。還不止這些，甚麼同性戀、性解放、吸毒亂七八糟等等都出來了。

人類社會發展到今天這一步上來，大家想一想，再發展下去是甚麼樣子呀？能讓它永遠這樣存在下去嗎？人不治天治。人類發生劫難的時候，都處在這樣一種狀態下。這麼多節課中，我也沒有談到人類大劫難的問題。宗教也在講，很多人都在講這個熱門話題。我給大家說這樣一個問題，大家想一想，在我們常人社會當中，人的道德水準發生了這樣的變化！人與人之間這個緊張成度到了這種成度了！你想它還不是到了一個極其危險的境地上來了？所以現在這個客觀存在的環境，也在嚴重干擾著我們煉功人往高層次上修煉。裸體畫就擱那放著，大馬路中間掛著，一抬頭就看見。

老子講過這樣一句話：上士聞道，勤而行之。上士聞道，好不容易得正法了，今天不修更待何時？複雜的環境，我想反倒是好事，越複雜，才能出高人哪，要從這裏脱穎而出，那才修的最紮實。

作為一個真正能夠下決心修煉的人，我說反倒是好事。沒有矛盾的産生，沒有給你製造提高心性的機會，你還上不去呢。你好我也好，怎麼去修煉？作為一般修煉的人，屬於「中士聞道」，煉也行，不煉也行，這樣的人可能就夠嗆。有的人在這裏聽老師講的有道理，回到常人社會中，還是這些現實利益實實在在。是實實在在，別說你，西方有許多大富翁、大富豪到百年之後，他發現甚麼都沒有，物質財富生帶不來，死帶不去，很空虛。可是為甚麼功這麼珍貴呢？因為直接在你元神身上帶著，生帶的來，死帶的去。我們講元神不滅，這也不是甚麼迷信。我們這個物質身體細胞蛻去之後，而在另外物質空間裏存在的更小的分子成份卻沒有滅掉，他只不過蛻了一個殼。

我剛才講的都是屬於人的心性上的問題。釋迦牟尼講過這樣的話，達摩也講過：中國東土這地方是出大德之士的地方。我們中國歷代有許多僧人，有許多中國人很自豪。那意思以為可以修高功的，所以有許多人高興，沾沾自喜：還是我們中國人哪，中國這地方出大根器的人，出大德之士。其實很多人不明白其中的意思，中國這地方為甚麼能出大德之士，為甚麼能出高功呢？很多人不知道高層次中的人講出話的真正涵義，也不知道高層次、高境界中的人所在的境界、他的思想狀態。當然我們講了，別說它是甚麼意思了，大家想想，只有最複雜的人群，最複雜的環境才能修出高功來，是這個意思。

根基

根基是由人在另外空間裏身體所帶的這種德的物質多與少所決定的。德少，黑色物質多，業力場就大，那麼這就屬於根基不好；德多，白色物質多，業力場就小，那麼這就屬於根基好。人的白色物質與黑色物質兩種物質可以相互轉化，怎麼轉化呢？做好事產生白色物質，白色物質就是吃了苦了，遭受了痛苦了，做了好事得來的。而黑色物質就是做壞事，做不好的事情所產生的，它是業力。它有這樣一個轉化過程，同時，它還有一個攜帶關係。因為它直接跟著元神走，不是一生一世的東西，是一個久遠年代積累下的。所以講積業、積德，而且祖輩也可以往下積。我有的時候想起中國古人或者老人說：祖上積德，或者是積德、缺德，那話說的怎麼那麼對，真是非常對的。

根基好壞能決定一個人的悟性好和壞。根基不好的人能夠使人的悟性也變的很差。為甚麼呢？因為根基好的人白色物質多，這種白色物質和我們宇宙是溶洽的，和真、善、忍的特性是能溶洽在一起的，沒有間隔。宇宙的特性直接就在你身體上反映出來，直接和你身體溝通起來。而這種黑色物質恰恰相反，是做了不好的事情得到的，和我們宇宙特性是相背離的，所以這種黑色物質和我們宇宙特性就產生一種隔離。如果這種黑色物質要多的時候，它在人體周圍就形成一個場，把人包圍起來。而這個場越大它的密度越大、越厚，就使這個人悟性越不好。因為他不能夠接收到宇宙真、善、忍這種特性，也是因為他做了不好的事情才產生的黑色物質。往往這樣的人就越不相信修煉，悟性越不好，越受業力阻礙；吃苦越大，就越不相信，修煉起來也就困難。

白色物質多的人修煉起來容易，因為在他修煉過程當中，只要他同化宇宙的特性，他的心性能夠提高上來，他這種德就直接轉化成功。而黑色物質多的人，就像工廠生產產品一樣，多一道手續，人家來的都是現成的料，他來的是坯料，得從新加工一遍，得經過這麼一個過程。所以他要先吃苦，把他的業力往下消，轉化成白色物質，形成德這種物質之後，他才能夠長高功。但是往往這種人本身就悟性不好，你再叫他多吃苦，他就更不相信，更受不了，所以黑色物質多的人不好修煉。過去道家或單傳的法門講師父找徒弟，不是徒弟找師父，也是看他身體所攜帶的這些東西多少所決定的。

根基決定人的悟性，但也不是絕對的。有的人根基很不好，可是家庭環境很好，很多人都煉功，也有一些人是宗教居士的，很相信修煉的事。在這種環境中，也能促使他變的相信，悟性變好，所以也不是絕對的。也有的人根基很好，但是往往受我們現實社會現有那點知識的教育，特別是前些年絕對化的思想教育方法，使人的思想變的非常狹隘，超出他知識面的一切東西他全都不相信，也能使他悟性受到嚴重干擾。

舉個例子，我在辦班時，第二天講開天目。有一個人根基好，一下子就給他的天目開到很高層次上去了，他看到了許許多多別人看不到的景象。他跟人家講：哎呀，我看到整個傳法場上像雪花一樣的法輪落在人身上；我看到李老師真體是甚麼樣的；我看到李老師的光圈，看到法輪是甚麼樣的，法身有多少。看到不同層次都有李老師在講法，法輪怎麼給學員調理身體。還看到老師講課的時候，一層一層、不同層次都是老師的功身在講，而且還看到天女散花等等。這麼美妙的東西他都看到了，說明這個人的根基相當不錯的。他講來講去，最後說了一句：我不相信這些東西。有些東西已經被現有科學證實了，有許多東西也能從現有科學中得到解釋了，有些東西我們也都論述了。因為氣功所認識到的東西確實超出現代科學的認識，這是肯定的。這樣看來根基也不完全制約於悟性。

悟

甚麼是「悟」？「悟」來源於宗教中的名詞。佛教中是指修煉的人對佛法的理解，認識上的悟和最終的悟，是指慧悟的意思。可是現在已經應用到常人中來了，説這個人很聰明，知道領導心裏想的是甚麼，馬上就能夠領會，在領導面前很會來事兒。人們講這是悟性好，往往都這樣去理解了。可是你跳出常人的層次，在稍微高一點的層次中，你就會發現，常人所認識的這層理，往往都是錯的。我們所説的悟根本就不是這個悟。一個尖滑人的悟性反而不好，因為過份聰明的人他會幹表面的活兒，得到領導、上級的賞識。那真正的活兒不得別人去幹嗎？那麼他就欠了別人的東西；因為他尖，他會來事兒，他可以多得到好處，別人就要多得到壞處；因為他尖，他也不能吃虧，他也不容易吃到虧，那別人就得去吃虧。他越來越重視現實這點利益，那麼他的心胸也就越來越狹窄，他越覺的常人的物質利益才是撒不開手的東西，他也就認為他自己是重現實的，他不吃虧。

有人還羡慕呢！我告訴你，別羡慕他。你都不知道他活的有多累，他吃不好，睡不好，做夢都恐怕他的利益受到損失。在個人利益上，他往牛角尖裏鑽，你説他活的累不累，他一生就為這個活著。我們説在矛盾面前，退一步海闊天空，保證是另一種景象。而他這種人是不退讓的，他活的最累了，你可別跟他學。在修煉界講：這個人迷的最深，為了物質利益完全迷失在常人中了。叫他守德，談何容易！你叫他去煉功，他可不相信：煉功？你們煉功還打不還手，罵不還口。人家把你弄的夠嗆，你心裏頭還不能跟人家一樣去對待，反過來還得謝謝人家。你們都是阿Q了！一個個的精神病了！這樣的人，他對修煉是無法理解的。他說你才是不可思議的，他說你傻。你說他不是難度化嗎？

我們說的悟不是這個悟。正好是他說我們在個人利益上傻一些，我們講的是這個悟。當然也不是真的傻，我們只是在切身利益這些問題上看的淡，而在其它方面，我們都很精明。我們搞個科研項目，領導交給甚麼任務，完成甚麼工作，我們都很清清楚楚、明明白白做的很好。而恰恰在我們自己那點個人利益上，在人與人之間的矛盾的衝突當中，我們看的淡。誰會說你傻？誰都不會說你傻，保證是這樣。

咱們說這個真傻的傻子吧，這個理在高層次上整個都反過來了。傻子在常人中不可能幹大壞事，不可能為了個人利益去爭去鬥，不求名，他不會損德。可別人卻會給他德，打他，罵他，都給他德，而這種物質是極其珍貴的。我們這個宇宙中就有這個理：不失者不得，得就要失。人家看那個大傻子，都會罵他：你這個大傻子。隨著張嘴一罵的時候，一塊德扔過去了。你佔了便宜就屬於得的一方，那麼你就得失。過去踢他一腳：你這大傻子。好，一塊德又重重的扔過去了。誰欺負他，誰踢他一腳，他呵呵一樂：你來吧，反正德給我了，我一點都不往外推呀！那麼按照高層次這個理，大家想一想，誰尖？不就他尖嗎？他最尖。他一點德都不丟，你把德給他扔過來，他一點都不往回推，全都要，樂呵呵的都拿過來。這世傻下世不傻，元神不傻。在宗教中講，說人的德要多了下輩子當大官、發大財，都是用人的德交換的。

我們講，德可以直接演化成功。你修的多高，不就是你這個德演化的？它直接可以演化成功。決定人層次高低、功力大小的功，不就是這種物質演化成的嗎？你說它珍貴不珍貴？它可是生帶的來，死帶的去。佛教中講，你修煉多高，那是你的果位。你付出多少，得到多少，就是這個道理。宗教中講，有德來世當大官、發大財。德少要飯都要不著，因為沒德交換，不失不得嘛！一點德沒有，那就得形神全滅，真的死了。

過去有一個氣功師，剛剛出山的時候層次相當高，這個氣功師後來掉到名利當中了。他的師父就把他的副元神帶走了，因為他都是屬於副元神修煉的。那人副元神在的時候，是受副元神所控制著的。舉個例子，有一天單位分房子，領導講：缺房住的人都過來，擺擺條件吧，講一講個人如何需要房子。各說各的，那人不吱聲。最後領導一看就他比人家都困難，房子應該給他。別人說：不行，房子不能給他，得給我，我如何缺房子。他說：那你就拿去吧。要叫常人看，這個人傻了。有人知道他是煉功人，就問他：你煉功人甚麼也不要，你要甚麼呢？他說：別人不要甚麼，我要甚麼。其實他一點都不傻，相當精明。恰恰在個人切身利益上，就這樣對待，他講隨其自然。別人又問：現在的人甚麼不要？他說：地上的石頭踢來踢去沒人要，那我就撿那石頭。常人覺的不可思議，常人不能理解煉功人，無法理解，思想境界差的太遠，拉開的層次太大了。當然他不會去撿那個石頭，他說出了一個常人悟不到的理：我不求常人中的東西。就說這個石頭吧，大家知道佛經中寫道：極樂世界樹是金的，地是金的，鳥是金的，花是金的，房子也是金的，連佛體都是金光閃閃的。到了那裏找不到一塊石頭，花的錢據說就是石頭，他倒不會搬塊石頭上那兒去，但他說出這麼一個理來，常人理解不了。確確實實煉功人講：常人有常人所追求的，我們不追求；常人有的，我們也不稀罕；而我們有的，常人想要也要不到。

其實，我們剛才講的悟，這還是屬於在修煉過程中的這種悟，這和常人中的悟恰恰相反。我們真正指的悟，就是我們在煉功過程中師父講的法，道家師父講的道，在修煉過程中自己遇到的魔難，能不能悟到自己是個修煉人，能不能理解，能不能接受，在修煉過程中能不能遵照這個法去做。有的人乾脆怎麼講他也不相信，還是常人中的實惠。他抱著固有的觀念不放，而造成他不能夠相信。有的人就想治病，我這裏一講氣功根本不是用來治病的，他思想就反感了，從而再講的東西就不相信了。

有些人的悟性就是上不來，有的人拿我的這本書隨便勾勾畫畫。我們開天目的人都看的到，這本書看起來五光十色，金光閃閃，每個字都是我法身的形像。我要說假話就是在騙大家，你那一筆畫上去黑乎乎的，你就敢隨便往上畫？我們在這裏幹甚麼？不是帶你往上修嗎？有些事情你也應該想一想，這本書能夠指導你修煉，你想他珍貴不珍貴呀？你拜佛能不能使你真正修煉？你很虔誠，不敢碰那佛像一點，天天給它燒香，而真正能指導你修煉的大法你卻敢去糟蹋。

講人的悟性問題，這是指在修煉過程中，出現的各種層次或者是師父講的某一種東西，某一種法，你對它的理解成度。但是還不是我們所說的根本的悟，我們所說的根本的悟就是在他有生之年，從修煉一開始，不斷的向上昇華，不斷的去掉人的執著心、各種慾望，功也在不斷的向上長，最後一直走到他修煉的最後一步。德這種物質全部演化成功了，師父給安排的修煉道路走到頭了，在這一瞬間，鎖「啪」一下全部炸開。天目達到了他所在層次中的最高點，看到了他所在層次中的各個空間的真相，各個時空的各種生命體的存在形式，各個時空中的物質存在形式，看到了我們宇宙中的真理。神通大顯，和各種生命體都能夠溝通上。到這一步的時候那還不是一個大覺者嗎？修煉覺悟了的人嗎？翻成古印度話就是佛。

我們講的這個悟，這種根本的悟還是屬於頓悟形式。頓悟是在他有生之年鎖著修的，不知道自己有多高的功，不知道自己煉出的功是甚麼形態，根本就沒有任何反應，甚至連自己身體的細胞都是鎖著的，功煉出來都是鎖著的，一直修煉到最後一步才打開。這得是大根器之人才能做的到的，修煉起來是相當苦的。從做好人做起，一味的提高自己的心性，一味的吃苦，一味的往上修，一味的要求心性的提高，卻看不到自己的功。這種人是最難修的，這得必須是大根器之人，修多少年，甚麼也不知道。

還有一種悟叫漸悟。一上來很多人都感受到法輪的旋轉，同時我還給大家開天目。有的人因為各種原因，由看不見到將來也會看的見，由看不清會看的清，由不會用到會用，層次在不斷的提高。隨著你心性的提高和各種執著心的放棄，各種功能都在往外出。整個修煉過程的演變，身體的轉化過程，都在你自己能夠看的到或感受的到的情況下，發生著變化。這樣走到最後一步，完全認識到宇宙的真理，層次達到了你應該修煉到的頂點。本體的變化、功能的加持都到了一定成度，逐步的達到了這個目地。這是屬於漸悟。漸悟這種修煉方法也不容易，有了功能，有些人的執著心就放不下，就容易顯示，就容易去做不好的事情。這樣你就得掉功，你就白修，最後就毀了。有些人看的見，可以看到不同層次的各種生命體的顯現，他可能拉你去幹這幹那，他可能拉你去修煉他的東西，收你當徒弟，可是他卻不能讓你得正果，因為他也是不得正果的。

另外，高層空間的人都是神，變的很大，神通大顯，心一不正，你會不會跟他走啊？你一跟他走，一下子白修了。他就是真佛、真道，你也得從頭再修煉。多少層天的人，那不都是神仙嗎？只有修煉到極高層次，達到目地的時候，才能夠完全跳的出去。但是，在正常人眼前那神仙確確實實顯示出又高又大，本事也很大，可是他並不一定是得正果的。在各種信息的干擾下，在各種景象的誘惑下，你能不能不動心？所以說開著天目修也難，心性更難把握。但是我們好在有些人是屬於中途再給你功能打開，進入漸悟狀態的。天目人人給開，很多人功能不讓你出，當你的心性逐漸逐漸提高到一個層次之後，心態穩定，能把握自己的時候，然後一下子給你炸開。到一個層次中讓你出現漸悟狀態，那個時候比較容易把握，各種功能都出現了，自己往上修，到最後完全開了。在修煉的中途讓你出現的，我們好多人是屬於這一類的，所以不要急於看。

大家可能聽說禪宗也有講關於頓、漸之分的。禪宗六祖慧能講頓悟，北派神秀講漸悟。在歷史上他們二者在佛學上發生了很長時間的爭論，爭來爭去的。我說沒有意義，為甚麼呢？因為他們指的只不過是修煉過程中對一個理的認識。這一個理，有人一下子就認識了，而有人是慢慢悟到、認識的。怎麼悟還不行啊？一下子認識到更好，慢慢悟到了那也行，不都是悟了嗎？都是悟了，所以哪個也不錯。

大根器之人

甚麼是大根器之人？大根器之人和根基好壞還是有區別的。這種大根器之人太難找了，都是經過相當長的歷史時期，才能出生一個人。當然大根器之人首先必須得具備著很大的德，這種白色物質場得相當大，這一點是肯定的。同時他還得能夠吃苦中之苦，還得有大忍之心，還得能夠捨，還得能夠守德，還得悟性好等等。

甚麼是苦中之苦？佛教中認為當人就是苦，只要你當了人，就得受苦。它認為在所有空間的生命體都沒有我們常人的這個身體，所以不會得病，也就不存在生老病死的問題，也就不存在這種痛苦了。另外空間的人可以飄起來，沒有輕重，非常美妙。常人正因為有了這個身體，出現一個問題：冷了不行，熱了不行，渴了不行，餓了不行，累了也不行，還有生老病死，反正你沒有舒服的。

我看過一家報紙登的是在唐山地震的時候，有許多人在地震中死了，但是有些人被搶救過來了。對這部份人搞了一次特殊的社會調查：問他們在死亡狀態下都有甚麼感覺？可是出乎意外的是這些人都談到了一個特殊情況，而且是一致的，就是人在死亡的那一瞬間沒有害怕的感覺，恰恰相反卻突然感覺到有一種解脱感，有一種潛在的興奮感；有的人覺的自己一下子沒有身體的束縛了，輕飄飄的非常美妙的飄了起來，還看到了自己的身體；有的人還看到另外空間的生命體了；有的人還去了甚麼甚麼地方。所有人都談到了那一瞬間感覺到一種解脱的潛在的一種興奮的感覺，沒有痛苦的感覺。就是説我們有人的肉身就是苦，可是大家都是這樣從娘胎裏來的，也就不知是苦了。

我説人得吃苦中之苦。我那天談了，人類這個時空和另外更大的時空空間的概念還不一樣，我們這邊一個時辰是兩個小時，就是他那個空間的一年。説這個人在這麼苦的環境下煉功，真了不得；説這個人有了求道之心，想要修煉，這個人簡直太了不起。這麼苦他還沒有滅掉他的本性，他還要修煉返回去。為甚麼可以無條件的幫助修煉的人？就是這樣。説這個人在常人的空間裏打坐了一宿，人家一看，説這個人真了不起，他在這裏已經坐了六年了。因為我們一個時辰是那邊的一年。我們人類是個極特殊的空間。

怎麼吃苦中之苦？舉個例子説，這個人有一天上班去了。單位不太景氣，人浮於事這個狀況不行，單位要改革，要承包，多餘人員得下來。他也是其中一個，一下飯碗丢了。這是啥心情？沒有地方開支了，怎麼生活呀？幹點兒別的還不會，無精打采的回家了。剛到家，家裏老人病了，病的很厲害，著急上火，趕快送醫院去吧，好不容易借了錢住上醫院了。回家給老人準備點東西，剛到家，學校老師找上門來説：你兒子把別人打壞了，你趕快去看看吧。剛處理好這個事回家了，往那一坐，來了電話説：你愛人有了外遇了。當然大家不會遇到這樣的事情。一般人吃不了這苦，一想：這還活著幹啥，找根繩掛上吧，不活了！一了百了！我就説人得能夠吃苦中之苦，當然倒不一定是這種形式。那麼人與人之間的勾心鬥角，心性上的摩擦，個人利益的爭奪當中不亞於這東西。有多少人為了一口氣活著，受不了就吊死了。所以我們要在這樣一種複雜的環境中去修煉，得能吃苦中之苦，同時還得有大忍之心。

甚麼是大忍之心哪？作為一個煉功人首先應該做到的就是打不還手，罵不還口，得忍。否則，你算甚麼煉功人？有人說：這個忍很難做到，我脾氣不好。脾氣不好就改嘛，煉功人必須得忍。有人管孩子也發火，簡直吵翻了天，你管孩子也用不著那樣，你自己不要真正動氣，你要理智一些教育孩子，才能真正的把孩子教育好。小事都過不去，就發脾氣，還想長功啊。有人說：走在馬路上，誰踢我一腳，也沒人認識我，這我能做到忍。我說這還不夠，將來說不定就在你最怕丟面子的人面前，叫人給你兩個嘴巴子，讓你丟了醜了，你怎麼去對待這個問題，看你能不能忍。你能忍的住，但心裏放不下，這也不行。大家知道，達到羅漢那個層次，遇到甚麼事情都不放在心上，常人中的一切事情根本就不放在心上，總是樂呵呵的，吃多大虧也樂呵呵的不在乎。真能做到，你已經達到羅漢初級果位了。

有人講了，這個忍要做到這個成度，常人也得說我們太懦弱了，太好欺負了。我說，那不是懦弱。大家想一想，常人中年歲大的人，文化層次高的人還要講個涵養，不和人家一般見識。何況我們煉功人呢？那怎麼是懦弱？我說那是大忍之心的體現，那是意志堅強的體現，只有煉功人才能有這樣大忍之心。有這麼一句話：匹夫見辱，拔劍相鬥。常人那當然啦，你罵我，我罵你；你打我，我就打你。那就是個常人，能說他是個煉功人嗎？作為一個修煉的人，你要沒有堅強的意志，你控制不了自己，你就做不到這一點。

大家知道古代有個韓信，說這個韓信有本事，劉邦的大將軍，國家的棟樑。為甚麼能做那麼大的事呀？就說這個韓信從小就不是一般的人。有這麼個典故，說韓信受辱於胯下。韓信少年時代就練武，練武之人總是挎個寶劍。有一天走在街上，一個地痞無賴叉著腰擋住了他的去路：你挎著寶劍幹甚麼？你敢殺人嗎？你敢殺人你把我的腦袋砍下來。說著就把腦袋伸過去。韓信一想：我砍你腦袋幹甚麼呀？那個時候砍人腦袋也得報官償命，能夠隨便殺人嗎？他一看韓信不敢殺，就說：你不敢殺我，你從我的胯下鑽過去。韓信就真的從他的胯下鑽過去了。這說明韓信有了不起的大忍之心，他不同於一般常人，他才能做這麼大的事。人爭一口氣，那是常人的話。為這口氣活著，大家想一想，活的累不累？苦不苦？值不值得？韓信還畢竟是個常人，我們是一個修煉的人，我們比他還要強的多。我們的目標是達到超出常人的層次，向更高層次邁進的。這個事我們是遇不到的，但是修煉人在常人中受到屈辱、受到羞辱的時候，也不一定比這差。人與人之間心性中的摩擦，我說不亞於這東西，有過之而無不及，也是相當難的。

同時，修煉人還得能捨，捨棄常人中的各種執著、各種慾望。一下子做不到，我們可以慢慢的就做到了。今天你一下子就能做到了，那你今天就是佛了。修煉得慢慢的來，但你不要放鬆。你說：老師講了，修煉得慢慢來，那咱們就慢慢來。那可不行！你得對自己要嚴格要求，佛法修煉你要勇猛精進的。

還得能守德，要守心性，不可妄為。你不能夠隨便想做甚麼就做甚麼，你要能守住你的心性。常人中大家經常聽到這樣一句話：積德做好事。煉功人不講積德，我們講守德。為甚麼講守德呢？因為我們看到這樣一種情況：積德是常人中講的，他要積了德，行了善，下輩子得好。而我們這裏沒有這個問題了，你要修成就得道了，沒有那輩子事了。我們這裏講守德，還有一層意思，就是說，我們身體所帶的兩種物質不是一生一世積累下來的，它是經過一個久遠年代遺留下來的。你騎車滿城市跑，也不一定碰到好事做。你天天這樣幹，也不一定碰的著。

還有一層意思，讓你積德，你看著那件事情是好事，可是你做的話，說不定就是個壞事；你看到那件事情是壞事的時候，你如果管了，說不定又是個好事。為甚麼呢？因為你看不到它其中的因緣關係。法律管常人中的事情，這是沒有問題的。作為一個煉功人就是超常的了，那你作為一個超常的人，就得用超常的理來要求你了，而不能用常人中的理來衡量了。你不知道一件事情的因緣關係，你就容易把這件事情做錯。所以我們講無為，你不能夠想幹甚麼就幹甚麼。有人說：我就想管壞人。我說那你就當警察去算了。但是我們也不是叫你碰著殺人放火都不管。我跟大家講，人與人之間發生了矛盾，他踢人一腳，他打人一拳，可能弄不好是以前那人欠他的，他倆結帳了。你要管的話，他們之間沒結成，等到下回還得重來。這就是說你看不到因緣關係，容易做壞事，從而失德。

常人管常人的事情是沒有關係的，他用常人的理來衡量。你就得用超常的理來衡量，你看到殺人放火那要不管就是心性問題，要不怎麼體現出好人來？殺人放火你都不管，你管甚麼呀？但是有一點，這些東西與我們修煉的人沒啥關係。不一定給你安排，不一定讓你碰到。我們講守德就是避免你做壞事，說不定你稍微一做那件事情，可能就是幹壞事，那麼你就要失德。你一失德，你的層次怎麼往上提高？怎麼達到你最終的目標？這裏邊有這樣的問題。除此之外，還得悟性好，根基好可能悟性也會好，環境的影響也起作用。

我們還講了，我們人人都向內去修的話，人人都從自己的心性上去找，哪做的不好自己找原因，下次做好，做事先考慮別人。那麼人類社會也就變好了，道德也就回升了，精神文明也就變好了，治安狀況也就變好了，說不定還沒有警察了呢。用不著人管，人人都管自己，向自己的心裏找，你說這多好。大家知道現在法律在逐步健全，逐步完善，可是有人為甚麼還幹壞事？有法不依？就是因為你管不了他的心，看不見時，他還要做壞事。如果人人都向內心去修，那就截然不同了。也用不著你打抱不平了。

法只能講到這一層了，再高的得靠你自己去修才會得。有的人提問題越提越具體，生活中的問題如果都讓我來解答，你自己還修煉甚麼呀！你要自己去修，自己去悟，我要都講出來，就沒有你修的了。好在大法已經傳出，你可以照大法去做了。

我想我傳法的時間基本快結束了，所以想要把真正的東西給大家留下來，以便大家在今後的修煉當中，有法來指導大家。在整個傳法過程中，我也是本著對大家負責，同時也是對社會負責，實際我們也是本著這個原則去做的，至於做的好與壞我也不講了，自有公論。我的願望是把大法傳出來，叫我們更多的人能夠受益，使真正想修煉的人依法能夠往上修煉。同時在傳法過程中，我們也講出了做人的道理，也希望你們從學習班下去之後，如不能夠按照大法修煉的人，最起碼也能做一個好人，這樣對我們社會是有益的。其實你已經會做一個好人了，下去以後，你也能做一個好人。

在傳法的過程中也有不順利的地方，方方面面的干擾也是很大的。由於主辦單位和各界領導給予大力支持和工作人員的努力，我們的班辦的比較圓滿。

在辦班當中，我講的這些東西全部都是指導大家往高層次上修煉的，在過去的講法中沒有人講這些東西。我們講的東西非常明瞭，是結合著現代科學和現代人體科學講的，而且講的層次很高。主要是為了大家，讓你將來能夠真正得法，修煉上去，這是我的出發點。我們在傳法傳功過程中很多人覺的法也挺好，可是做起來很難。其實我覺的難與不難，看對甚麼人講，一個普普通通的常人，不想修煉，他會覺的修煉簡直太難了，不可思議，修不成。他是個常人，他不想修煉，他會看的很難。老子講：「上士聞道，勤而行之；中士聞道，若存若亡；下士聞道，大笑之；不笑不足以為道。」真正修煉的人，我說是很容易的，不是甚麼高不可攀的東西。其實在座的有許多老學員和沒有來的老學員已經修煉到相當高的層次上去了。我沒有給你講這些是怕你産生執著心，沾沾自喜等等因素，影響你功力上長。作為一個真正有決心修煉的人，他能夠忍受的住，在各種利益面前能放下這個執著心，能夠把它看的很淡，只要能做到就不難。所謂說難的人，就是他放不下這些東西。因修煉功法的本身並不難，提高層次的本身並沒有甚麼難的，就是人的心放不下，他才說是難的。

為現實利益當中很難把它放下，這個利益就在這兒，你說這個心怎麼放的下？他認為難，實際也就難在這裏。我們在人與人之間發生矛盾時，忍不下這口氣，甚至於不能把自己當成一個煉功人去對待，我說這就不行。我過去修煉的時候，有許多高人給我講過這樣的話，他說：「難忍能忍，難行能行」。其實就是這樣，不妨大家回去試一試。在真正的劫難當中或過關當中，你試一試，難忍，你忍一忍；看著不行，說難行，那麼你就試一試看到底行不行。如果你真能做到的話，你發現真是柳暗花明又一村！

因為我講的太多了，講的太多大家很難記的住。我主要提出點要求：希望大家在今後的修煉當中，把自己當成一個煉功人，真正修煉下去。我希望新老學員，都能在大法中修煉，都能夠功成圓滿！希望大家回去抓緊時間實修。

《轉法輪》在文章的表面上不華麗，甚至不符合現代語法。但是，我如果用現代的語法來整理這本大法的話，就會出現一個嚴重的問題，文章的語言結構規範而漂亮，卻不會有更深更高的內涵。因為用現代的規範詞彙根本就無法表達大法在更高不同層次的指導和法在每一層的表現，以至帶動學員本體與功的演化與提高這種實質的變化。

李洪志

一九九六年一月五日

轉法輪

定價：NT$250
USD15

一九九八年六月初版第一次印刷
二〇〇七年十一月二版第一次印刷
二〇一四年一月三版第一次印刷
二〇二二年六月三版第四次印刷

著　者　李洪志
發行所　益群書店股份有限公司
台北市重慶北路二段 229 - 9 號
☎02-25533122　25533123　25533124
劃撥：0015152-2　傳真：02-25531299
益群網站：http://www.yihchyun.com.tw
E-mail：yihchyun@ms54.hinet.net
出版登記證：局版台業字第 0668 號

ISBN：978-957-552-886-7

•如發現本書有破損或裝訂錯誤者，請寄回本店更換　編號：T102-870610